Bridget Jones
Het nieuwe dagboek

Een herinnering aan
een periode van warme
gastvrijheid.

Tineke.

Vertaald door Gerda Baardman en Tjadine Stheeman

Helen Fielding

Bridget Jones
Het nieuwe dagboek

2000 Prometheus Amsterdam

Voor de andere Bridgets

Eerste druk januari 2000
Tweede druk februari 2000
Derde druk maart 2000
Vierde druk juni 2000

Oorspronkelijke titel *Bridget Jones. The Edge of Reason*
© 2000 Helen Fielding
© 2000 Nederlandse vertaling Uitgeverij Prometheus,
Gerda Baardman en Tjadine Stheeman
Omslagontwerp Nanja Toebak
Omslagillustratie Nick Turpin
Foto achterplat Piers Fletcher
ISBN 90 5333 878 0

EN ZE LEEFDE NOG
LANG EN GELUKKIG

MAANDAG 27 JANUARI

58,4 kilo (periode van totale dikte), vriendjes: 1 (hoera!), aantal wippen: 3 (hoera!), aantal calorieën: 2100, calorieën verbruikt met wippen: 600, dus totaal: 1500 calorieën (uitstekend).

7.15   Hoera! De stuurloze jaren zijn voorbij. Heb reeds vier weken en vijf dagen bestendige relatie met volwassen man, waarmee is bewezen dat ik niet ben verstoten door de liefde zoals eerder gevreesd. Voel me fantastisch, beetje zoals Jemima Goldsmith of vergelijkbare stralende jonggehuwde die met sluier kankerkliniek opent terwijl iedereen denkt dat ze in bed ligt met Imran Khan. Ooh. Mark Darcy bewoog net. Misschien wordt hij zo wakker, dan kunnen we over mijn gedachten praten.

7.30   Mark Darcy is nog niet wakker. Ideetje: opstaan en een heerlijk warm ontbijt voor hem maken met worstjes, roereieren en champignons of misschien eieren à la Benedictine of à la Florentine.

7.31   Afhankelijk van wat eieren à la Benedictine of à la Florentine precies zijn.

7.32   Heb alleen geen champignons en worstjes in huis.

7.33   Ook geen eieren.

7.34   O, ja, en ook geen melk.

7.35   Is nog steeds niet wakker. Mmmm. Hij is zo leuk. Vind het heerlijk om naar Hem te kijken als hij slaapt. Z. sexy brede schouders en behaarde borst. Niet als lustobject of zo. Geïnteresseerd in geest. Mmmm.

7.37 Is nog steeds niet wakker. Mag geen lawaai maken, bedenk ik, maar kan Hem misschien voorzichtig met gedachtenvibraties wakker maken.

7.40 Misschien moet ik... AAAH!

7.50 Was Mark Darcy die rechtop zat te brullen: 'Bridget, wil je. Gvd. Niet naar me kijken als ik slaap. Ga iets nuttigs doen.'

8.45 In Coins Café achter cappuccino, chocoladecroissant en sigaret. Verademing om in openbaar te kunnen roken en me niet voorbeeldig te hoeven gedragen. Blijkt z. gecompliceerd om man in huis te hebben want kan niet naar eigen believen benodigde tijd doorbrengen in wc of er gaskamer van maken want rekening mee houden dat de ander laat is voor werk, heel erg nodig moet plassen enz.; verder verontrustend dat Mark 's avonds z'n onderbroek opvouwt, waardoor het vreemd genoeg gênant wordt om eigen kleren gewoon op een hoop op de grond te gooien. Bovendien komt hij vanavond weer, dus moet voor of na werk naar supermarkt. Nou ja, móet niet, maar gruwelijke waarheid is dat ik graag wil, op bizarre genetisch-atavistische manier die ik nooit aan Sharon zou durven bekennen.

8.50 Mmm. Benieuwd hoe Mark Darcy als vader zou zijn (vader van eigen kroost, welteverstaan. Niet mijn vader. Zou wel erg ziekelijk à la Oedipus zijn.)?

8.55 Ophouden nu met dwangmatig denken en fantaseren.

9.00 Benieuwd of we van Una en Geoffrey Alconbury feesttent mogen opzetten op hun grasveld voor de recep– Aaah!
Was mijn moeder, die hondsbrutaal mijn café kwam binnen struinen in een plooirok van Country Casuals en een appelgroene blazer met glimmende gouden knopen, als een ruimte-

mannetje dat landt in het Lagerhuis, slijm in het rond spuit en rustig op het voorste bankje gaat zitten.

'Hallo, lieverd,' kirde ze. 'Ben op weg naar Debenhams en ik wist dat je hier altijd komt ontbijten. Ik dacht ik ga even langs, dan vraag ik meteen wanneer je naar de kleurenconsulente wilt. Ooh, ik snak naar een kop koffie. Maken ze hier de melk ook warm?'

'Ik heb toch al gezegd dat ik niet naar die kleurenconsulente wil, mam,' bromde ik met een vuurrode kop, aangezien mensen zich omdraaiden en een chagrijnige, afgepeigerde serveerster haastig aan kwam lopen.

'O, ga toch eens met je tijd mee, lieverd. Je moet laten zien wie je bent! Niet steeds als een grijze muis rondlopen in die grauwe modderkleuren. O, dag, kindje.'

Mam ging over op haar bedachtzame, vriendelijke toontje van 'we sluiten vriendschap met het bedienend personeel en zijn om een of andere duistere reden de meest bijzondere persoon in dit café'.

'Goed. Even. Kijken. Hoor. Weet je wat? Ik denk dat ik koffie neem. Ik heb vanochtend al zo veel thee gedronken in Grafton Underwood met mijn man Colin dat de thee gewoon m'n neus uit komt. Maar zou je de melk voor me kunnen opwarmen? Ik kan niet tegen koude melk in mijn koffie. Daar krijg ik maagkramp van. En mijn dochter Bridget zou graag...'

Grr. Waarom doen ouders dit? Waarom? Is het behoefte aan aandacht en belangrijk-zijn van wanhopige volwassene of is onze grootstedelijke generatie gewoon te gestrest en te wantrouwig tegenover elkaar om open en vriendelijk te zijn? Ik weet nog dat ik de eerste tijd dat ik in Londen woonde tegen iedereen glimlachte, tot een man op de roltrap van de metro tegen de rug van mijn jas begon te masturberen.

'Espresso? Filterkoffie? Au lait? Cappu: halfvol of decafé?' snauwde de serveerster, terwijl ze de borden van de tafel ernaast bijeen graaide en me verwijtend aankeek alsof mijn moeder mijn schuld was.

'Halfvolle decafé cappu en een au lait,' fluisterde ik verontschuldigend.

'Wat een chagrijnig meisje, spreekt ze geen Engels?' reageerde mam verontwaardigd tegen haar weglopende rug. 'We leven in een vreemde wereld, vind je niet? Weten ze 's ochtends soms niet wat ze moeten aantrekken?'

Ik volgde haar blik naar de twee modieuze Trustafarian meiden aan de tafel naast ons. De ene was op haar laptop aan het tikken en had Timberland-schoenen aan, een petticoat, een rastafarimuts en een fleecetrui, terwijl de andere, die hooggehakte Prada-schoenen droeg, geitenwollen sokken, een surfshort, een enkellange Afghaanse jas en een Butaanse wollen herderspet met oorkleppen, in haar handsfree mobiele telefoon aan het schreeuwen was: 'Hij zei dat hij de flat zou afpakken als hij me nog een keer betrapte op het roken van wiet. En ik had zoiets van "Jezusmina, papa"'. Ondertussen zat haar kind van zes mismoedig van een bord frietjes te eten.

'Zit dat meisje nou van die taal tegen zichzelf uit te slaan?' vroeg mam. 'Je leeft toch maar in een rare wereld, vind je ook niet? Kun je niet beter in de buurt van normale mensen gaan wonen?'

'Dit zíjn normale mensen,' zei ik nijdig, terwijl ik ter illustratie naar de straat knikte waar helaas net een non in een bruin habijt twee baby's in een kinderwagen voortduwde.

'Daarom lig je natuurlijk zo met jezelf overhoop.'

'Ik lig niet met mezelf overhoop.'

'Wel waar,' zei ze. 'Enfin. Hoe gaat het met Mark?'

'Prima,' zei ik dromerig, waarop ze me indringend aanblikte.

'Je gaat toch niet je-weet-wel met hem, hè? Want hij trouwt toch niet met je.'

Grrr. Grrrr. Ik heb nog geen relatie met de man die ze me al anderhalf jaar zo nodig moest opdringen ('De zoon van Malcolm en Elaine, lieverd, gescheiden, vreselijk eenzaam en rijk') of ik krijg al het gevoel dat ik aan een of andere hindernisbaan voor legerreservisten meedoe en me over muren en netten hijs om een grote zilveren beker met strik voor haar te winnen.

'Weet je wat ze altijd achteraf zeggen,' ging ze verder. '"O, ze was leuk voor de seks." Ik bedoel maar, toen Merle Robertshaw verkering kreeg met Percival zei haar moeder: "Zorg er wel voor dat hij zijn piemeltje alleen gebruikt om te plassen".'

'Moeder –,' sputterde ik tegen. Ik vond het namelijk nogal

kras uit haar mond. Nog geen halfjaar geleden was zij zelf aan het scharrelen met een Portugese reisorganisator met een herenhandtas.

'O, heb ik je al verteld,' onderbrak ze me, vlug van onderwerp veranderend, 'Una en ik gaan naar Kenia.'

'Wat!' riep ik.

'We gaan naar Kenia! Stel je voor, schat! Naar pikzwart Afrika!'

Mijn gedachten begonnen als een gek rond te draaien op zoek naar mogelijke verklaringen, als een fruitautomaat, alvorens tot stilstand te komen: Moeder zendelinge geworden? Moeder weer eens de video *Out of Africa* gehuurd? Moeder opeens bevangen door herinnering aan *Elsa de leeuwin* en besluit genomen leeuwen te gaan houden?

'Ja, lieverd. We willen op safari en de Masaikrijgers ontmoeten, en dan naar een strandhotel!'

De fruitautomaat kwam hortend tot stilstand bij een reeks onsmakelijke beelden van oudere Duitse dames die op het strand seks bedrijven met plaatselijke jongelingen. Doordringend keek ik mam aan.

'Je gaat je toch niet weer misdragen, hè?' vroeg ik. 'Pap is nog maar net over dat gedoe met Julio heen.'

'Ach kom, lieverd! Ik weet werkelijk niet waar al die drukte om was! Julio was gewoon een vriend – een correspondentievriend. We hebben allemaal vrienden nodig, lieverd. Ik bedoel, zelfs in de beste huwelijken is één persoon niet altijd genoeg: vrienden van verschillende leeftijd, ras, afkomst en bevolkingsgroep. Je geest verruimen is iets wat...'

'Wanneer ga je?'

'O, dat weet ik nog niet, schat. Het is nog maar een ideetje. Moet hollen! Daag!'

Godverdegodver. Het is kwart over negen. Kom te laat voor de ochtendbespreking.

11.00   Kantoor van Sit Up Britain. Was gelukkig maar twee minuten te laat voor bespreking, wist bovendien jas tot bal op te rollen zodat bevredigend effect werd bereikt of ik er al uren rondliep en wegens belangrijke interne zaken elders in het gebouw was opgehouden. Schreed op beheerste wijze door weer-zinwekkende kantoortuin bezaaid met veelbetekenende restan-ten van slechte dag-tv – hier een opblaasbaar schaap met een gat in z'n achterwerk, daar een levensgrote foto van Claudia Schiffer met het hoofd van Madeleine Albright, hier een groot kartonnen bord met ALLE POTTEN ERUIT! Eruit! Eruit!' – naar waar Richard Finch, met bakkebaarden en zwarte Jarvis Coc-kerbril op, zijn welgedane figuur onsmakelijk in een jaren ze-ventig retrosafaripak geperst, aan het brullen was tegen het ver-zamelde researchteam van twintigers.

'Kom op, Bridget Slome Slak Alweer te Laat,' riep hij, toen hij me zag aankomen. 'Ik betaal je niet om jassen tot een bal op te rollen en de vermoorde onschuld te spelen, ik betaal je om hier op tijd te zijn en met ideeën te komen.'

Nou ja, zeg. Elke dag maar weer dat gebrek aan respect is meer dan een mens kan verdragen.

'Goed, Bridget!' bulderde hij. 'Ik denk aan New Labourvrou-wen. Ik denk aan imago en identiteit. Ik wil Barbara Follett in de studio. Zorg dat zij Margaret Beckett in de metamorfose doet. Coupe soleil. Koket zwart jurkje. Kousen. Ik wil dat Mar-garet eruitziet als een wandelend lustobject.'

Soms moet ik van Richard Finch echt de belachelijkste din-gen doen. Op een dag moet ik nog eens Harriet Harman en Tes-sa Jowell overhalen om in een supermarkt te gaan staan terwijl ik aan klanten vraag of ze kunnen zeggen wie wie is, of moet ik een jachtmeester zien over te halen om naakt door de bossen te rennen terwijl hij achterna wordt gezeten door een troep bloed-dorstige vossen. Moet nuttiger, bevredigender werk zien te vin-den. Verpleegster misschien?

11.03 Aan bureau. Goed, moest maar eens persbureau van Labour bellen. Mmmm. Krijg steeds flashbacks van neukpartij. Hoop dat Mark Darcy vanochtend niet echt kwaad was. Zou het nog te vroeg zijn om hem op zijn werk te bellen?

11.05 Ja. Zoals staat in *Hoe krijg ik de liefde die ik wil* – of was het nu *De liefde houden die je hebt*? – is het versmelten van man en vrouw een delicate kwestie. Man moet jagen. Zal wachten tot hij mij belt. Moest misschien maar eens kranten lezen voor info over New Labourbeleid voor het geval Margaret Beckett daadwerkelijk gestrikt wordt voor einde van... Aaah!

11.15 Richard Finch was weer aan het brullen. Ben op het vossenjacht-item gezet in plaats van Labourvrouwen en moet ingelaste live-reportage vanuit Leicestershire doen. Moet niet in paniek raken. Ben zelfverzekerde, ontvankelijke, invoelende vrouw met inhoud. Ontleen eigenwaarde niet aan wereldse prestaties maar aan innerlijke kracht. Ben zelfverzekerde, ontvankelijke... O, god. Zeikt van de regen. Heb geen zin om naar buiten te gaan in kruising-tussen-ijskast-en-zwembadwereld.

11.17 Eigenlijk is het z.g. om interview te doen. Grote verantwoordelijkheid – relatief gesproken dan, niet zoiets alsof je moet besluiten om wel of geen kruisraketten op Irak af te schieten of tijdens operatie tourniquet op slagaderlijke klep moet houden – maar kans om Vossenmoordenaar voor de camera het vuur na aan de schenen te leggen en misschien zelfs punt te scoren zoals Jeremy Paxman indertijd met Iraanse – of Iraakse – ambassadeur.

11.20 Wordt misschien nog wel gevraagd om proefuitzending voor *Newsnight* te maken.

11.21 Of serie korte achtergrondreportages. Hoera! Goed, moest knipsels maar eens te voorschijn halen... O. Telefoon.

11.30 Wilde eerst niet opnemen maar bedacht dat het geïnterviewde kon zijn: de hoogwelgeboren sir Hugo Boynton – van Vos tot Moordenaar met aanwijzingen over graansilo's en varkenshokken links van de weg, enz., dus nam op: het was Magda.

'Bridget, hoi! Ik belde even om te zeggen op het potje! Op het potje! Doe het op het potje!'

Er klonk een hard kletterend lawaai gevolgd door het geluid van stromend water en gekrijs als van moslims die door Serviërs worden afgeslacht terwijl op de achtergrond 'Mammie geeft je voor je billen! Je krijgt voor je billen!' met de repeteerknop leek te worden afgespeeld.

'Magda!' riep ik. 'Kom terug!'

'Sorry, schat,' zei ze, toen ze eindelijk terug was. 'Ik belde even om te zeggen... stop je piemeltje in het potje! Als je hem erbuiten laat hangen, komt het allemaal op de grond!'

'Ik ben druk bezig op het moment,' zei ik smekend. 'Ik vertrek over twee minuten naar Leicestershire...'

'Ja, fijn, wrijf het me maar in, jij hebt een interessante glamourbaan terwijl ik hier zit opgescheept met twee mensen die nog niet eens de Engelse taal machtig zijn. Enfin, ik belde even om te zeggen dat ik voor morgen een mannetje heb geregeld dat je planken komt maken. Sorry dat ik je lastig val met mijn saaie huiselijke gedoe. Hij heet Gary Wilshaw. Doei.'

Telefoon ging opnieuw voor ik kans had om terug te bellen. Was Jude, die als een mekkerend schaap aan het huilen was.

'Rustig maar, Jude, rustig maar,' zei ik, terwijl ik de hoorn onder mijn kin stopte en de knipsels in mijn handtas probeerde te schuiven.

'Het is Ranzige Richard, bèèèèh.'

O, lieve hemel. Na de kerst hadden Shaz en ik Jude ervan weten te overtuigen dat als ze nog één verhit gesprek zou hebben met Ranzige Richard over de glibberige paden van zijn Bindingsprobleem ze in een inrichting gestopt zou moeten worden; en ze dan dus geen minitripjes meer konden maken, geen relatietherapie meer konden volgen en sowieso de eerstvolgende jaren geen toekomst samen konden hebben tot ze werd ontslagen uit de inrichting en aan de mantelzorg zou worden overgedragen.

In een indrukwekkend staaltje van eigenliefde had ze hem gedumpt, haar haar laten knippen en verscheen ze voortaan op haar degelijke kantoor in de City in leren jack en heupbroek. Iedere streepjesoverhemd-Hugo, -Johnny of -Jerrers die zich ooit terloops had afgevraagd wat er onder Jude's pakje zat, werd in een staat van fallische opwinding gekatapulteerd en het schijnt dat er elke avond een ander aan de telefoon hangt. Maar op een of andere manier wordt ze nog steeds verdrietig van het onderwerp Ranzige Richard.

'Ik was de spullen aan het uitzoeken die hij heeft achtergelaten, omdat ik ze weg wilde gooien, en toen vond ik een zelfhulpboek... boek dat heet... dat heet...'

'Rustig. Rustig maar. Je kunt het mij wel vertellen.'

'Dat heet *Hoe versier ik een jonge vrouw: tips voor mannen boven de vijfendertig.*'

Jezus.

'Ik voel me zo rot, zo rot...' ging ze verder '... ik vind het zo erg om weer door die vreselijke mannen-leren-kennen-hel te moeten... Het is een onafzienbare zee... Ik zal tot mijn dood alleen blijven...'

Toewerkend naar evenwicht tussen belang van vriendschap en onwaarschijnlijkheid om tegen de klok in op tijd in Leicestershire te zijn, gaf ik alleen beknopt eerstehulpadvies in de trant van: laat je eigenwaarde niet aantasten; had het waarschijnlijk expres laten liggen; nee, dat gebeurt heus niet; enz.

'O, dank je, Bridget,' zei Jude na een tijdje en ze leek weer wat bedaard. 'Zullen we vanavond iets afspreken?'

'Eh, Mark zou langskomen.'

Er viel een stilte.

'Prima,' zei ze koeltjes. 'Prima. Nee, veel plezier.'

O, god, voel me schuldig tegenover Jude en Sharon nu ik vriendje heb, bijna als bedriegende, misleidende, overlopende guerrilla. Heb afspraak met Jude voor morgenavond gemaakt, samen met Shaz, en beloofd vanavond nog even te bellen om alles door te nemen, wat niet op verzet leek te stuiten. Nu moet ik snel even Magda bellen om haar ervan te verzekeren dat ze niet saai is en haar duidelijk maken hoe weinig glamourous baan is.

'Bedankt, Bridge,' zei Magda nadat we wat hadden gebabbeld. 'Ik voel me gewoon erg depri en eenzaam sinds de baby. Jeremy moet morgenavond weer werken. Je hebt zeker geen zin om langs te komen?'

'Eh, tja, ik heb eigenlijk al afgesproken met Jude in 192.'

'En ik ben zeker een te saaie Zelfingenomen Echtgenote om ook te mogen komen?'

'Nee, nee, kom. Kom ook, dat zou hartstikke leuk zijn!' zei ik zwaar overdreven. Wist dat Jude boos zou zijn omdat gesprek niet meer alleen over Richard zou gaan, maar besloot daar later iets op te vinden. Ben nu dus echt te laat en er zit niets anders op dan naar Leicestershire te gaan zonder knipsels over vossenjacht te hebben gelezen. Zou misschien in auto kunnen lezen bij wachten voor stoplicht. Overweeg om Mark Darcy nog even te bellen om te zeggen waar ik heenga.

Hmm. Nee. Slecht idee. Maar als het nou erg laat wordt? Toch maar even bellen.

11.35 Oef. Gesprek verliep als volgt:
Mark: Ja. Met Darcy.
Ik: Met Bridget.
Mark: (korte stilte) Ja. Eh. Alles goed?
Ik: Ja. Het was leuk gisteravond, vond je niet? Ik bedoel, je weet wel, toen we...
Mark: Ik weet wat je bedoelt, ja. Buitengewoon. (Stilte.) Alleen zit ik hier op het ogenblik met de Indonesische ambassadeur, de directeur van Amnesty International en de tweede staatssecretaris van Handel en Industrie.
Ik: O. Sorry. Ik ga nu naar Leicestershire. Dan weet je dat, voor het geval me iets overkomt.
Mark: Voor het geval je iets..? Wat?
Ik: Ik bedoel voor het geval ik... wat later ben (eindigde ik slap).
Mark: Aha. Nou, waarom geef je niet even je verwachte aankomsttijd door als je klaar bent? Heel fijn. Tot ziens.

Hmmm. Geloof niet dat dit slim was. In *Van een gescheiden man houden zonder je verstand te verliezen* staat nadrukkelijk dat ze de grootste hekel hebben aan zonder aanleiding opgebeld worden als ze druk bezig zijn.

19.00 Weer thuis. Rest van dag was nachtmerrie. Na verkeer en regenverstopte autorit te hebben doorstaan, kwam mijn persoon aan in door regen geteisterd Leicestershire, alwaar op deur geklopt van een groot vierkant huis omringd door paardenboxen, met slechts halfuur te gaan tot uitzending. Opeens zwaaide de deur open en daar stond een lange man in corduroybroek en best sexy slobbertrui.

'Hmmm,' zei hij en nam me onderzoekend op. 'Kom maar snel binnen. Die lui van u zijn al achter. Waar bleef u toch, verdomme?'

'Ik was eigenlijk bezig met een uiterst belangrijk politiek item,' zei ik hooghartig, terwijl hij me voorging naar een grote keuken vol honden en stukken zadel. Opeens draaide hij zich om en keek me woedend aan, waarna hij een beuk tegen de tafel gaf.

'Dit is zogenaamd een vrij land. Als ze ons al gaan vertellen dat we op zondag niet eens meer op vossenjacht mogen, waar houdt dat dan op? Bah!'

'Tja, dat zou je ook kunnen zeggen van mensen die slaven houden, of niet?' bromde ik. 'Of het couperen van kattenoren. Ik vind het gewoon zo onbeschaafd, een grote groep mensen en honden die voor hun lol één enkel bang diertje achterna zitten.'

'Hebt u weleens gezien wat zo'n verdomde vos met een kip uithaalt?' bulderde sir Hugo met een roodaangelopen gezicht. 'Als we niet op ze jagen, is binnen de kortste keren de hele natuur ervan vergeven.'

'Schiet ze dan dood,' zei ik en keek hem moordzuchtig aan. 'Op humane wijze. En ga op zondag op iets anders jagen, zoals bij de windhondenrennen. Maak een pluchen beestje doordrenkt met vossengeur vast aan een stuk ijzerdraad.'

'Doodschieten? Hebt u weleens geprobeerd een vos dood te schieten? Wat je dan krijgt, is dat die bange vosjes van u overal liggen te kreperen. Pluchen beestje. Grrrr!'

Opeens pakte hij de telefoon en draaide een nummer. 'Finch, ongelooflijke zak!' bulderde hij. 'Wat heb je me nu op m'n dak gestuurd... een of andere linkse tante? Als je denkt dat je aanstaande zondag met de Quorn kunt meedoen...' Op dat moment stak de cameraman zijn hoofd om de hoek en zei verontwaardigd: 'O, je bent er dus?' Toen keek hij op zijn horloge. 'Heel fijn dat je even wat van je hebt laten horen.'

'Finch wil u spreken,' zei sir Hugo.

Twintig minuten later, met dreigend ontslag boven mijn hoofd, zat ik op een paard te oefenen om stapvoets in beeld te komen en de hoogwelgeboren heer Albedil, eveneens te paard, te interviewen.

'Oké, Bridget, over vijftien seconden ben je in beeld, vooruit, ga,' brulde Richard Finch vanuit Londen in mijn oortje, waarop ik mijn knieën tegen het paard drukte, zoals opgedragen.

'Vooruit dan, verdomme!' brulde Richard. 'Ik dacht dat je zei dat je kon paardrijden.'

'Ik zei alleen dat ik een natuurlijke zit had,' siste ik, terwijl ik uitzinnig met mijn knieën aan het boren was.

'Oké, Leicester, dichter op sir Hugo tot die trut van een Bridget eindelijk in beweging komt, vijf, vier, drie, twee... nu.'

Op dat moment barstte de hoogwelgeboren Paarskop los in een bulderend pro-jacht betoog terwijl ik uitzinnig met mijn hakken porde tot het paard neurotisch begon te steigeren en zijdelings het beeld in galoppeerde met mij om zijn hals vastgeklemd.

'O, kut, afsluiten, afsluiten!' riep Richard.

'Goed, dat was het wat ons betreft. Nu weer terug naar de studio!' kwetterde ik, terwijl het paard zich weer omdraaide en achteruit naar de cameraman liep.

Toen de grinnikende crew weg was, liep ik – dodelijk beschaamd – het huis in om mijn spullen te pakken, maar daar botste ik praktisch tegen de hoogwelgeboren Beukende Reus aan.

'Ha!' gromde hij. 'Het leek me dat die hengst je wel een lesje kon leren. Zin in een rooie rakker?'

'Wat?' zei ik.

'Bloody mary?'

Vechtend tegen mijn instinctieve drang om meteen naar de wodka te grijpen, richtte ik me in mijn volle lengte op. 'Wilt u zeggen dat u mijn reportage expres hebt versjteerd?'

'Misschien.' Hij lachte vuil.

'Maar dat is toch ongehoord,' zei ik. 'Zeker voor iemand van adel.'

'Ha! Pit! Daar hou ik van bij een vrouw,' zei hij schor en toen deed hij een uitval naar me.

'Ga weg!' zei ik en dook voor hem weg. Ik bedoel, neem me niet kwalijk. Wat haalde hij zich in zijn hoofd? Ben vakvrouw, laat me niet zomaar versieren. In welk opzicht ook. Al bewijst dit weer eens hoe leuk mannen het vinden als ze denken dat je geen interesse in ze hebt. Moet dat onthouden voor bruikbaarder gelegenheid.

Ben nu net thuis, na rondgang door Tesco Metro en het naar boven sjouwen van acht boodschappentassen. Ben doodop. Oef. Waarom altijd ik die naar supermarkt gaat? Lijkt wel of ik carrièrevrouw en echtgenote tegelijk ben. Het lijkt wel of ik in zeventiende... Ooh. Antwoordapparaatlampje knippert.

'Bridget,' – Richard Finch – 'morgen om halfnegen verwacht ik je in mijn kantoor. Vóór de bespreking. Dat is dus negen uur 's morgens, niet 's avonds. Ochtend. Daglicht. Ik weet niet hoe ik het verder duidelijk moet maken. Zorg in godsnaam dat je op tijd bent.'

Hij klonk heel erg nijdig. Hoop niet te ontdekken dat het onmogelijk is leuke flat, leuk werk en leuk vriendje te hebben. Ga trouwens Richard Finch eens goed waarheid zeggen over journalistieke integriteit. Oké. Moest maar eens alles in orde maken. Ben zo moe.

20.30 Nieuwe energie gekregen met gebruikmaking van witte wijn, alle rotzooi aan de kant geschoven, open haard aangemaakt en kaarsen aangestoken, in bad geweest, haar gewassen en make-up opgedaan en z. sexy zwarte spijkerbroek plus spaghettibandjeshemdje aangetrokken. Niet bepaald comfortabel, kruis van broek en spaghettibandjes snijden gewoon in huid, maar zie er leuk uit, wat belangrijk is. Zoals Jerry Hall al zei, een vrouw moet een kokkin in de keuken zijn en een hoer in de huiskamer. Of in een andere kamer, dat weet ik niet meer.

20.35 Hoera! Wordt ongelooflijk gezellige, sexy avond met heerlijke pasta – licht doch voedzaam – en vuurgloed. Ben fantastische kruising van carrièrevrouw en minnares.

20.40 Waar blijft hij toch, verdomme?

20.45 Grrr. Wat heeft het voor zin om als verhitte vlo rond te springen als hij gewoon naar eigen believen binnen komt wandelen?

20.50 Vervelende Mark Darcy, ben heel erg... De bel. Hoera! Hij zag er adembenemend uit in zijn zakenkostuum met de bovenste knoopjes van zijn overhemd los. Zodra hij binnen was, liet hij zijn koffertje vallen, sloeg zijn armen om me heen en maakte een sexy rondedansje met me. 'Heerlijk je weer te zien,' mompelde hij in mijn haar. 'Erg genoten van je reportage, fantastische amazonekunst.'

'Hou op,' zei ik en maakte me los. 'Het was verschrikkelijk.'

'Het was geniaal,' zei hij. 'Eeuwenlang rijden mensen te paard alleen vooruit en dan verandert één vrouw met een oorspronkelijke reportage voorgoed het gezicht – of de reet – van de Britse ruiterkunst. Het was baanbrekend, een triomf.' Uitgeput ging hij op de bank zitten. 'Ik ben kapot. Die rotte Indonesiërs. Zij beschouwen het als een doorbraak in mensenrechten als ze iemand meedelen dat hij gearresteerd is terwijl ze een kogel door zijn kop jagen.'

Ik schonk hem een glas witte wijn in dat ik hem bracht in de stijl van James Bondgastvrouw terwijl ik met een kalmerende glimlach zei: 'Het eten is zo klaar.'

'O, mijn god,' zei hij en keek geschrokken om zich heen alsof zich een Aziatisch rebellenleger in de magnetron schuilhield. 'Heb je gekookt?'

'Ja,' zei ik beledigd. Ik bedoel, je zou toch verwachten dat hij blij zou zijn! Bovendien had hij ook nog niets gezegd van het hoerenpakje.

'Kom hier,' zei hij en klopte op de bank. 'Ik plaag je maar. Ik heb altijd al Martha Stewart als vriendinnetje willen hebben.'

Was fijn om te knuffelen, maar vervelende was dat pasta al zes minuten opstond en nu slap zou worden.

'Even naar de pasta kijken,' zei ik, terwijl ik me losscheurde. Op dat ogenblik ging de telefoon en uit aloude gewoonte stormde ik ernaar toe, in de hoop dat hij het misschien was.

'Hoi. Met Sharon. Hoe gaat het met Mark?'

'Die is hier nu,' fluisterde ik terwijl ik mijn tanden en lippen in dezelfde stand probeerde te houden zodat Mark niet zou kunnen liplezen.

'Wat?'

'Ie is ier nu,' siste ik opeengeklemd-tanderig.

'Stoor je niet aan mij,' zei Mark, die geruststellend knikte. 'Ik besef dat ik hier ben. Het lijkt me niet iets wat we voor elkaar verborgen moeten houden.'

'Oké. Even luisteren,' zei Shaz opgewonden. '"We beweren niet dat alle mannen vreemdgaan. Maar alle mannen denken eraan. Mannen worden nu eenmaal verteerd door lust. We proberen onze seksuele driften te beheersen..."'

'Eigenlijk was ik net met de pasta bezig, Shaz.'

'Ooh, "net met de pasta bezig" hè? Ik hoop dat je niet zo'n Zelfingenomen Heb-Vaste-Relatie wordt. Luister even hiernaar want daarna zul je het op zijn voorhoofd willen plakken.'

'Momentje,' zei ik, terwijl ik nerveus richting Mark keek. Ik nam de pasta van het vuur en ging weer terug naar de telefoon.

'Oké,' zei Shaz opgewonden. '"Soms wordt het instinct sterker dan het logische verstand. Een man zal kijken naar, toenadering zoeken tot of de liefde bedrijven met een vrouw met kleine borsten als hij zelf een relatie heeft met een vrouw met grote borsten. U denkt misschien niet dat verandering van spijs doet eten, maar, geloof ons, uw vriend denkt daar heel anders over."'

Mark was inmiddels met zijn vingers op de leuning van de bank aan het trommelen.

'Shaz...'

'Wacht... wacht. Dit komt uit een boek dat *Wat mannen willen* heet. Goed... "Als u een mooie zus of vriendin heeft, kunt u er zeker van zijn dat uw vriend IN GEDACHTEN MET HAAR NAAR BED WIL."'

Er viel een afwachtende stilte. Mark was inmiddels gebaren van keel afsnijden en wc doortrekken aan het maken.

'Vind je dat niet walgelijk? Zijn het niet gewoon...?'

'Shaz, kan ik je straks terugbellen?'

Voor ik het wist, foeterde Shaz me uit dat ik bezeten was van mannen terwijl ik feministe hoorde te zijn. Dus vroeg ik waarom ze een boek las met de titel *Wat mannen willen* als ze eigenlijk niets van mannen moest hebben? Het begon op een vreselijke onfeministische ruzie over mannen uit te lopen tot we inzagen dat het belachelijk was en zeiden dat we elkaar morgen wel zouden zien.

'Zo!' zei ik opgewekt, terwijl ik naast Mark op de bank ging zitten. Moest jammer genoeg weer opstaan want was gaan zitten op iets wat leeg Müller Lite yoghurtpak bleek te zijn.

'Jaaa?' zei hij en veegde de yoghurt van mijn achterwerk. Dacht niet dat er zoveel op kon zitten of dat het zulk hardhandig vegen vereiste maar was heel lekker. Mmm.

'Zullen we aan tafel gaan?' vroeg ik, trachtend me op de lopende taken te concentreren.

Had net pasta in schaal gedaan en potje saus overheen gegoten toen de telefoon weer ging. Besloot niet op te nemen tot na eten maar antwoordapparaat sprong aan en mekkerende stem van Jude barstte los: 'Bridge, ben je daar? Neem op, neem op. Kom nou, Bridge, toeoeoeoeoe.'

Ik nam op, terwijl Mark zich hard tegen zijn voorhoofd sloeg. Het is nu eenmaal zo dat Jude en Shaz jarenlang heel lief voor me zijn geweest toen ik Mark nog niet eens kende, dus het spreekt voor zich dat ik nu niet zomaar het antwoordapparaat aan kan laten staan.

'Hoi, Jude.'

Jude was naar fitness geweest waar ze een artikel had gelezen waarin single meiden van boven de dertig 'spijt-tantes' werden genoemd.

'Die man betoogde dat het soort meisjes dat geen relatie met hem wilde toen ze in de twintig waren nu wel iets met hem willen, alleen heeft hij nu geen trek meer in hen,' zei ze triest. 'Volgens hem waren we alleen nog maar bezig met trouwen en kindertjes krijgen en zijn stelregel met meisjes was nu "niets boven de vijfentwintig".'

'Hou toch op!' lachte ik vrolijk om een golf van onzekerheid in mijn eigen buik te bedwingen. 'Wat een ontzettend gelul. Niemand vindt jou een spijt-tante. Neem nou al die beleggingsbankiers die constant aan de telefoon hangen. En Stacey en Johnny dan?'

'Huh,' zei Jude, al klonk ze wat opgewekter. 'Ik ben gisteravond uit geweest met Johnny en zijn vrienden van Credit Suisse. Iemand vertelde een mop over een man die te veel had gedronken in een Indiaas restaurant en in een karma was geraakt en Johnny is zo fantasieloos dat hij begon van: "Jezus! Wat vreselijk. Ik ken een knaap die ook eens heel veel Indiaas had gegeten en die kreeg er mooi een maagzweer van!'"

Ze lachte. De crisis was duidelijk overgewaaid. Je ziet dat er niets ernstigs aan de hand is, ze wordt alleen af en toe wat paranoïde. Kletsten nog wat en toen haar zelfvertrouwen weer voldoende leek opgekrikt, ging ik terug naar Mark aan tafel om te ontdekken dat pasta niet zoals bedoeld was: rondklotsend in wittig water.

'Ik vind het lekker,' zei Mark bemoedigend, 'ik vind draden lekker, ik vind melk lekker. Mmmm.'

'Zullen we maar een pizza laten komen?' vroeg ik, terwijl ik me een mislukkeling en een spijt-tante voelde.

We bestelden pizza die we voor de open haard opaten. Mark vertelde me alles over de Indonesiërs. Ik luisterde aandachtig en gaf hem mijn mening en advies, die hij erg boeiend en erg 'verfrissend' vond, en ik vertelde hem over afschuwelijke ontslagbespreking met Richard Finch. Hij gaf me heel goede raad over voor mezelf nagaan wat ik van bespreking wilde en Richard allerlei handvatten aanreiken in plaats van me ontslaan. Toen ik hem aan het uitleggen was dat het meer op de win-win-mentaliteit aankwam zoals aanbevolen in *De zeven eigenschappen van effectief leiderschap* ging de telefoon weer.

'Niet opnemen,' zei Mark.

'Bridget. Jude. Neem op. Ik geloof dat ik iets stoms heb gedaan. Belde net Stacey op en hij heeft nog niet teruggebeld.'

Ik nam de hoorn op. 'Ach, misschien is hij er niet.'

'Net als jouw verstand,' zei Mark.

'Hou je kop,' siste ik, terwijl Jude het hele scenario schetste. 'Hoor eens, hij zal vast morgen wel bellen. En zo niet, ga dan een fase terug in de Verkeringsstadia van *Mars en Venus*. Hij trekt naar achteren als een elastiekje van Mars en jij moet hem laten voelen hoe aantrekkelijk hij is en hem weer terug laten springen.'

Toen ik had opgehangen, was Mark naar voetbal aan het kijken.

'Elastiekjes en win-win marsmannetjes,' zei hij meesmuilend. 'Het lijkt wel het opperbevel in het land van de koeterwalen.'

'Praat jij dan niet met je vrienden over emotionele zaken?'

'Ikke niet,' zei hij, terwijl hij met de afstandsbediening van de ene voetbalwedstrijd naar de andere zapte. Ik keek hem geboeid aan.

'Wil je naar bed met Shazzer?'

'Pardon?'

'Wil je naar bed met Shazzer of met Jude?'

'Lijkt me heerlijk. Bedoel je om de beurt? Of allebei tegelijk?'

Ik probeerde me niet te storen aan zijn luchtige toon en vroeg verder. 'Toen je Shazzer na kerst voor het eerst ontmoette, wilde je toen met haar naar bed?'

'Tja. Het vervelende was dat ik al met jou naar bed ging.'

'Maar heb je er weleens aan gedacht?'

'Tja, aan gedácht natuurlijk wel.'

'Wat?' ontplofte ik.

'Ze is heel aantrekkelijk. Het zou juist vreemd zijn als het niet bij me was opgekomen, toch?' Hij grijnsde gemeen.

'En Jude,' zei ik verontwaardigd. 'Naar bed met Jude. Heb je daar ook weleens aan "gedacht"?'

'Tja, af en toe, heel terloops, geloof ik. Maar zo zit de mens in elkaar, niet?'

'De mens? Ik fantaseer nooit over naar bed gaan met Giles of Nigel van jouw werk.'

'Nee,' mompelde hij. 'Ik weet niet of iemand daar sowieso over fantaseert. Triest. Alleen misschien José van de postkamer.'

Net toen we de borden hadden afgeruimd en op het kleed met een vrijpartij waren begonnen, ging de telefoon weer.

'Niet opnemen,' zei Mark. 'Alsjeblieft – in de naam van God en al zijn cherubijnen, serafijnen, heiligen, aartsengelen, wolkenwachters en baardknippers – neem niet op.'

Het antwoordapparaat sprong al aan. Mark beukte met zijn hoofd tegen de grond toen een mannenstem begon te bulderen.

'Ah, hallo. Met Giles Benwick, vriend van Mark. Hij is er zeker niet, hè? Het is alleen zo...' Opeens sloeg zijn stem over. 'Het is zo dat mijn vrouw net heeft gezegd dat ze wil scheiden en...'

'Allemachtig,' zei Mark en greep de hoorn. Zijn gezicht verstarde tot pure paniek. 'Giles. Jezus. Rustig man... eh... ah... eh, Giles, het lijkt me beter als ik je Bridget even geef.'

Mmm. Kende Giles niet maar geloof dat raad best goed was. Wist hem te kalmeren en hem de titels van een paar nuttige boeken aan de hand te doen. Daarna heerlijke wip met Mark en voelde me z. geborgen en knus met mijn hoofd op zijn borst, waardoor alle verontrustende theorieën niet meer toepasselijk leken. 'Ben ik een spijt-tante?' vroeg ik slaperig toen hij zich voorover boog om de kaars uit te blazen.

'Een lijpe tante? Nee, schat,' zei hij terwijl hij me geruststellend op mijn achterste klopte. 'Een beetje vreemd misschien, maar niet lijp.'

2

LOSLOPENDE KWALLEN

57,9 kilo, sigaretten gerookt in bijzijn van Mark: 0 (z.g.), sigaretten stiekem gerookt: 7, sigaretten niet gerookt: 47* (z.g.).

8.00 Flat. Mark is naar eigen flat om te verkleden voor werk zodat ik sigaretje kan roken en innerlijke kracht en win-win-mentaliteit kan ontwikkelen ter voorbereiding op ontslagbespreking. Werk dus naar een gevoel toe van rust en evenwicht en... Aaah! De bel.

8.30 Het was Magda's mannetje, Gary. Kut, kut, kutterdekut. Helemaal vergeten dat hij langs zou komen.

'Ah! Geweldig! Hallo! Kunt u over tien minuten terugkomen? Ik ben net met iets bezig,' tjirpte ik, waarna kreunend ineen duikend in nachtpon. Waar zou ik mee bezig moeten zijn? Seks? Een soufflé? Een vaas aan het draaien op een pottenbakkersschijf die absoluut niet in onvoltooide vorm kon blijven staan omdat hij anders zo zou opdrogen?

Haar nog nat toen bel weer ging maar had tenminste kleren aan. Golf van schuldgevoel bij minachtende blik van Gary om genotzucht van mensen die lui in bed liggen terwijl een compleet andere wereld van eerlijke harde werkers al zo lang op is dat het voor hen praktisch lunchtijd is.

'Hebt u soms zin in thee of koffie?' vroeg ik beleefd.

'Ja. Thee graag. Vier klontjes, maar niet roeren.'

Ik keek hem onderzoekend aan omdat ik me afvroeg of dit een grap was of iets in de trant van roken zonder te inhaleren.

---

* d.w.z. bijna gerookt maar herinnerde me was gestopt, dus die specifieke 47 uitdrukkelijk niet gerookt. Aantal is dus niet aantal sigaretten op hele wereld niet gerookt (zou idioot klein aantal zijn).

'Goed,' zei ik, 'goed,' en ging thee zetten terwijl Gary zich aan de keukentafel installeerde en een sigaret opstak. Kwam er helaas achter toen thee ingeschonken was dat er melk noch suiker in huis was.

Hij keek me ongelovig aan terwijl hij zijn blik over de verzameling lege wijnflessen liet gaan. 'Geen melk en suiker?'

'De melk is helaas, eh, net op en verder ken ik eigenlijk niemand die suiker in zijn thee wil... al is er natuurlijk niets op tegen om... eh... suiker in je thee te doen,' besloot ik. 'Ik ren even naar de winkel.'

Toen ik terugkwam, dacht ik dat hij zijn gereedschap wel uit het busje zou hebben gehaald, maar hij zat er nog steeds en begon aan een lang, ingewikkeld verhaal over karpervissen in stuwmeer bij Hendon. Was net zakenlunch waar iedereen zo lang aan het woord is over ditjes en datjes dat het te pijnlijk wordt om fantasie door te prikken van dolgezellig uitje en je niet meer aan het eigenlijke onderwerp toekomt.

Uiteindelijk knalde ik zijn consequent onbegrijpelijke vis-anekdote binnen met: 'Goed! Zal ik u nu maar laten zien wat er gedaan moet worden?' en besefte meteen botte, kwetsende stommiteit te hebben begaan want gaf blijk van geen belangstelling voor Gary als mens maar alleen als klusjesman, dus moest weer inhaken op vis-anekdote om het goed te maken.

9.15 Kantoor. Rotgehaast naar werk, hysterisch vanwege vijf minuten te laat, maar lul van Richard Finch was nergens te bekennen. Kwam eigenlijk goed uit want meer tijd om mijn verdediging uit te stippelen. Rare is: kantoor volkomen leeg! Dus blijkt dat meeste dagen als ik in paniek ben vanwege te laat en denk dat iedereen hier al de kranten aan het lezen is, iedereen gewoon ook te laat is, zij het ietsje minder laat dan ik.

Goed, ga hoofdpunten opschrijven voor bespreking. Alles helder op een rijtje zetten, zoals Mark zegt.

'Richard, om mijn journalistieke integriteit te ondermijnen door...'

'Richard, zoals je weet, neem ik mijn vak van tv-verslaggever uiterst serieus...'

'Krijg toch de pest en de tering, domme opgeblazen...'

Nee, nee. Zoals Mark zegt, bedenk wat jij wilt en wat hij wil, en denk verder win-win zoals aanbevolen in *De zeven eigenschappen van effectief leiderschap*. Aaah!

11.15 Was Richard Finch gekleed in framboosroze kreukfluwelen Galliano-pak met turquoise voering, die achteruit het kantoor binnen galoppeerde als een paard.

'Bridget! Zo. Je bent waardeloos maar je hebt geluk. Boven vonden ze het geweldig. Geweldig. Geweldig. We hebben een voorstel. Ik denk aan animeermeisje, ik denk aan Gladiator, ik denk aan campagnevoerend kamerlid. Ik denk aan Chris Serle meets Jerry Springer meets Anneka Rice meets Zoe Ball meets Mike Smith in een soort *Late, Late Breakfast Show*.'

'Wat?' vroeg ik verontwaardigd.

Bleek dat ze een vernederend plan hadden verzonnen waarbij ik elke week een ander beroep zou moeten proberen en er dan in werkkleding een puinhoop van maken. Natuurlijk zei ik dat ik een serieuze professionele journalist was en niet van plan mezelf voor zoiets te lenen met het gevolg dat hij vreselijk chagrijnig werd en zei dat hij nog eens moest nadenken over wat mijn bijdrage aan het programma precies was, zo ik al een bijdrage leverde.

20.00 Ongelooflijk stompzinnige dag op werk. Richard Finch probeerde me zover te krijgen om in uitzending te verschijnen in piepklein short naast een vergroting van Fergie in fitnesspakje. Deed mijn best om erg win-win over hele gedoe te zijn door te zeggen dat ik gevleid was maar misschien beter idee om echt model te gebruiken, toen seksgod Matt van vormgeving binnenkwam en zei: 'Zal ik op de computer een rand om de cellulitis maken?'

'Ja, prima, zou je hetzelfde dan ook met Fergie kunnen doen?' zei Richard Finch.

Zo kon die wel weer. Dat was de druppel. Zei tegen Richard dat vernedering op tv niet in contractbepalingen was opgenomen en dat ik er niet over piekerde mee te doen.

Kwam thuis, laat en afgepeigerd, en trof daar nog Gary de Klusjesman aan en huis compleet overgenomen door verbrande toast onder de grill, vuile afwas en overal rondslingerende exemplaren van *Hengelsportnieuws* en *Zoetwatervissen.*

'Wat vindt u?' vroeg Gary, die trots naar zijn verrichte arbeid knikte.

'Prachtig! Prachtig!' riep ik overdreven, terwijl ik mond eigenaardig strak voelde trekken. 'Nog één klein dingetje. Zou je misschien de steunen zo kunnen bevestigen dat ze allemaal recht onder elkaar zitten?'

De planken waren volkomen schots en scheef opgehangen met lukraak geplaatste steunen, bij elke plank op een andere plek.

'Ja, nou, ziet u, het probleem is uw bedrading, want als ik hier een plug in de muur schroef dan krijg je in het hele huis kortsluiting,' begon Gary, waarop de telefoon ging.

'Hallo?'

'Hoi, spreek ik met de generale staf van relatieland?' Was Mark op de mobiele.

'Het enige wat ik kan doen, is ze eraf halen en klinknagels onder de schorren doen,' kromtaalde Gary.

'Is daar iemand bij je?' vroeg Mark krakend boven het verkeer uit.

'Nee, alleen de...' Ik wilde eigenlijk klusjesman zeggen, maar durfde Gary niet te beledigen dus maakte ervan: 'Gary, een vriend van Magda.'

'Wat doet hij daar?'

'Dan heeft u natuurlijk wel een nieuwe verstekstang nodig,' ging Gary verder.

'Zeg, ik ben in de auto. Heb je zin om vanavond met Giles ergens te gaan eten?'

'Ik heb toch gezegd dat ik met de meiden uitga.'

'O, jezus. Ik neem aan dat ik op de snijtafel zal worden gelegd en stukje voor stukje ontleed.'

'Nee, dat word je niet...'

'Wacht even. Ga net onder de Westway door.' Kraak, sputter, kraak. 'Ik heb je vriendin Rebecca laatst ontmoet. Leek me erg aardig.'

'Ik wist niet dat je Rebecca kende,' zei ik heel snel ademend.

Rebecca is niet echt een vriendin, al hangt ze constant met

mij, Jude en Shaz in 192 rond. Het vervelende met Rebecca is dat ze een kwal is. Je denkt heel gezellig met haar aan het praten te zijn tot je plotseling het gevoel hebt dat je wordt gebeten zonder dat je weet waar het vandaan komt. Je hebt het over spijkerbroeken en dan zegt zij: 'Tja, kijk, als je erg last hebt van putten in je dijen, kun je maar het beste iets met een flatteuze snit aantrekken zoals Dolce & Gabbana,' – terwijl ze zelf dijen heeft als een babygiraf – waarna ze zonder een spier te vertrekken overschakelt op kakibroeken van DKNY.

'Bridge, ben je daar nog?'

'Waar... waar heb je Rebecca ontmoet?' vroeg ik met een hoge, verstikte stem.

'Ze was gisteravond op de borrel bij Barky Thompson en kwam zich aan me voorstellen.'

'Gisteravond?'

'Ja, daar ben ik op weg naar huis even aangewipt omdat jij toch later zou zijn.'

'Waar hebben jullie over gepraat?' vroeg ik, me bewust van een gemeen grijzende Gary met een peuk in zijn mond.

'Ach. Je weet wel, ze vroeg naar mijn werk en zei aardige dingen over jou,' zei Mark luchtig.

'Wat zei ze dan?' siste ik.

'Ze zei dat je een vrije geest was...' De verbinding werd eventjes verbroken.

Vrije geest? Vrije geest in Rebeccataal wil zoveel zeggen als: 'Bridget neukt in het rond en slikt hallucinogene drugs.'

'Ik zou natuurlijk ook een rvs steunbalk zwevend kunnen bevestigen,' begon Gary weer alsof er geen telefoongesprek aan de gang was.

'Nou. Ik kan maar beter ophangen, vind je ook niet, als er iemand bij je is,' zei Mark. 'Veel plezier. Zal ik je later terugbellen?'

'Ja, ja, tot straks.'

Ik hing op, mijn hoofd duizelde.

'Heeft hij een oogje op een ander?' vroeg Gary in een zeldzaam en uiterst ongelegen moment van helderheid.

Ik keek hem nijdig aan. 'Hoe zit het nou met die planken...?'

'Tja. Als u ze allemaal recht onder elkaar wilt, dan moet ik uw

voedingskabels verplaatsen en dat betekent weer dat het stuc-
werk gesloopt moet tenzij we er een wartelbekisting in kram-
men. Ik bedoel, had u maar van tevoren gezegd dat u ze sym-
metrisch wou, snapt u? Ik zou het natuurlijk nu even kunnen
doen.' Hij keek de keuken rond. 'Hebt u eten in huis?'
'Ze zijn heel mooi zo, precies goed,' kakelde ik.
'Als u een pan spaghetti zou kunnen klaarmaken, dan...'
Heb Gary zojuist £120 cash betaald voor krankzinnige planken zodat hij maar weg zou gaan. O, god, ben zo laat. Kut, kut,
weer telefoon.

21.05 Was pap – wat vreemd was aangezien hij telefonisch
contact meestal aan mam overlaat.
'Wilde even horen hoe het met je gaat.' Hij klonk erg raar.
'Het gaat goed,' zei ik bezorgd. 'En met jou?'
'Uitstekend, uitstekend. Heel druk bezig in de tuin, snap je,
druk bezig al is er nu in de winter niet veel te doen... Zo, hoe
gaat het verder?'
'Prima,' zei ik. 'En met jou ook alles goed?'
'O, ja, ja, heel goed. Eh, en je werk? Hoe gaat het op je werk?'
'Gaat goed. Eh, rampzalig bedoel ik natuurlijk. Maar alles
goed met jou?'
'Met mij? O, ja, prima. Al zullen binnenkort de sneeuwvlok-
ken natuurlijk wel weer van dwarrel de dwarrel gaan doen. En
met jou gaat ook alles goed?'
'Ja, prima. En hoe gaat het met jou?'
Na nog een paar minuten van deze vicieuze gesprekscirkel
forceerde ik een doorbraak: 'Hoe gaat het met mam?'
'Ach. Nou, die, die is eh...'
Er viel een lange, pijnlijke stilte.
'Ze gaat naar Kenia. Met Una.'
Het erge was namelijk dat het hele gedoe met Julio de Portu-
gese reisorganisator was begonnen toen ze de vorige keer met
Una op vakantie was.
'Ga jij ook?'
'Nee, nee,' tierde pap. 'Ik heb geen enkele behoefte om huid-
kanker op te lopen in een of andere weerzinwekkende enclave
met een glas pina colada voor mijn neus en kijken hoe topless

dansende inboorlingen hun lijf aanbieden aan wellustige smeerlappen bij het ontbijtbuffet de volgende ochtend.'

'Heeft ze je meegevraagd?'

'Ach. Tja. Nee, zie je. Je moeder komt dan aan met het argument dat ze een zelfstandig individu is, dat ons geld haar geld is en dat ze helemaal zelf mag weten of ze de wereld wil ontdekken of haar eigen persoonlijkheid.'

'Ach, zolang het maar bij die twee dingen blijft,' zei ik. 'Ze houdt veel van je, pap. Dat zag je toch – bijna "de vorige keer" gezegd, veranderde het in – 'met kerst. Ze heeft gewoon behoefte aan wat vertier.'

'Dat weet ik, Bridget, maar er is nog iets anders. Iets verschrikkelijks. Blijf je even aan de lijn?'

Ik keek omhoog naar de klok. Ik had eigenlijk al in 192 moeten zijn en was er nog niet aan toegekomen om Jude en Shaz te zeggen dat Magda ook kwam. In het gunstigste geval is het namelijk al een delicate zaak om vriendinnen aan weerszijden van de huwelijkskloof met elkaar te combineren, maar Magda heeft net een kind gekregen. En ik was bang dat dat niet goed zou zijn voor Jude's geestestoestand.

'Sorry voor het oponthoud: moest even de deur dichtdoen.' Pap was terug. 'O, ja,' zei hij samenzweerderig. 'Vandaag hoorde ik je moeder toevallig met iemand bellen. Ik geloof dat het met het hotel in Kenia was. En ze zei, ze zei...'

'Rustig maar, rustig maar. Wat zei ze?'

'Ze zei: "We willen geen smalletjes en we willen niets onder de één meter zestig. We willen hier wel een fijne tijd hebben."'

Christeneziele.

'Ik bedoel,' – arme pap, hij jankte zowat – 'moet ik dan maar toestaan dat mijn eigen vrouw bij aankomst een gigolo inhuurt?'

Even wist ik niet wat ik moest zeggen. Je eigen vader raad geven over de vermoedelijke gigolo-inhuuractiviteiten van je eigen moeder is niet een onderwerp dat ik ooit in een van mijn boeken behandeld heb gezien.

Uiteindelijk opteerde ik voor pap proberen te helpen eigenwaarde op te vijzelen en stelde voor dat hij zich eerst rustig bezon voor hij 's ochtends de kwestie met mam zou bespreken:

advies dat ik zelf nooit van z'n leven zou kunnen opvolgen, besefte ik.

Inmiddels was ik meer dan te laat. Legde pap uit dat Jude een soort crisis had.

'Ga maar, ga maar! Volgende keer, als je meer tijd hebt. Maak je geen zorgen,' zei hij overdreven vrolijk. 'Kan maar beter in de tuin aan de slag nu het niet regent.' Zijn stem klonk vreemd en hees.

'Pap,' zei ik, 'het is negen uur 's avonds. Het is hartje winter.'

'Ach ja, dat is waar ook,' zei hij. 'Uitstekend. Dan neem ik maar een whisky.'

Hoop dat hij het redt.

WOENSDAG 29 JANUARI

58,8 kilo (getver! Maar waarschijnlijk door wijnzak in lijf), sigaretten: 1 (z.g.), banen: 1, woningen: 1, vriendjes: 1 (ga zo door).

5.00   Drink geen druppel meer zolang ik leef.

5.15   Avond komt steeds hinderlijk in brokstukken terug.

Arriveerde na hijgend hollen door regen in 192 waar Magda, godzijdank, nog niet gearriveerd bleek, maar Jude al over toeren, want liet gedachten tot Sneeuwbaleffect culmineren en maakte van onbeduidende voorvallen enorme rampen waar in *Maak van een mug geen olifant* nadrukkelijk voor gewaarschuwd wordt.

'Ik zal nooit kinderen krijgen,' drensde ze, recht voor zich uit kijkend. 'Ik ben een spijt-tante. Die man zei dat vrouwen boven de dertig alleen nog tikkende eierstokken zijn.'

'O, allemachtig!' snoof Shaz, die naar de witte wijn greep. 'Heb je *Backlash* niet gelezen? Hij is gewoon een gewetenloze schooier die achterhaalde onderdrukkende macho-ideeën propageert om te zorgen dat vrouwen *slavinnen* blijven. Ik hoop dat hij vroegtijdig kaal wordt.'

'Maar hoe groot is de kans dat ik nu nog een nieuw iemand ontmoet en tijd heb om een relatie op te bouwen en te zorgen dat hij kinderen wil? Want ze willen nooit kinderen tot ze ze eenmaal hebben.'

Wou dat Jude niet en plein public over biologische klok praatte. Spreekt voor zich dat men over zulke dingen in afzondering piekert en verder probeert te doen of hele onverkwikkelijke toestand niet bestaat. Erover beginnen in 192 zorgt alleen maar voor paniek en geeft gevoel dat je wandelend cliché bent.

Gelukkig begon Shaz toen tirade af te steken. 'Veel te veel vrouwen verpesten hun jonge leven met het opvoeden van kinderen als ze twintig, dertig en begin veertig zijn terwijl ze zich met hun carrière zouden moeten bezighouden,' gromde ze. 'Neem nou die vrouw in Brazilië die er op haar zestigste nog eentje heeft gekregen.'

'Hoera!' zei ik. 'Niemand wil nooit kinderen krijgen maar het is iets wat je altijd pas over twee of drie jaar wilt!'

'Ja doei,' zei Jude somber. 'Magda zei dat toen zij en Jeremy al getrouwd waren hij helemaal zenuwachtig werd als ze over kinderen begon en zei dat ze niet zo serieus moest doen.'

'Wat, ook toen ze al getrouwd waren?' vroeg Shaz.

'Ja,' zei Jude, die haar tas pakte en nijdig naar de plee beende.

'Ik weet iets heel leuks voor Jude's verjaardag,' zei Shaz. 'Laten we een van haar eitjes invriezen.'

'Tss.' Ik giechelde. 'Is dat niet een beetje moeilijk te organiseren als verrassing?'

Op dat moment kwam Magda binnenwandelen, wat heel slecht uitkwam omdat ik (a) de meiden nog niet had ingelicht en (b) enorme schok kreeg want had Magda na geboorte van haar derde kind nog maar één keer gezien en haar buik was niet geslonken. Ze droeg een goudkleurige blouse en fluwelen haarband in niet te negeren tegenstelling tot onze stadse stoere/sportieve kleding.

Schonk Magda net glas witte wijn in toen Jude terugkwam, van Magda's buik naar mij keek en me een vuile blik toewierp. 'Hoi, Magda,' zei ze kortaf. 'Wanneer moet je bevallen?'

'Ik heb haar vijf weken terug gekregen,' zei Magda met deinende kin.

Wist dat het vergissing was om verschillende vriendinnensoorten te combineren, wist het gewoon.

'Zie ik er zo dik uit?' vroeg Magda fluisterend aan mij, alsof Jude en Shaz de vijand waren.

'Nee, je ziet er fantastisch uit,' zei ik. 'Stralend.'

'Echt?' vroeg Magda opgemonterd. 'Het duurt gewoon even om... je weet wel... om dat opgeblazene kwijt te raken. En jullie weten toch dat ik ook mastitis heb gehad...'

Jude en Shaz krompen ineen. Waarom doen Zelfingenomen Getrouwde Meiden dat toch, waarom? Luchtig verhalen opdissen over inknippen, hechten en ladingen bloed, gif, monstertjes en god mag weten wat nog meer alsof ze gewoon gezellig over koetjes en kalfjes aan het babbelen zijn.

'Hoe dan ook,' ging Magda verder, terwijl ze flinke teugen witte wijn nam en glunderend de vriendinnen aankeek als iemand die net uit de gevangenis is, 'volgens Woney moet je een paar koolbladeren in je beha stoppen – het moet wel savooie zijn – en na ongeveer vijf uur is de infectie dan weggetrokken. Het wordt natuurlijk wel een beetje soppig, met al dat zweet en die melk en afscheiding. En Jeremy werd een beetje kribbig dat ik in bed lag met een bloedende je-weet-wel en een beha vol natte bladeren, maar ik voel me reuze opgeknapt! Ik heb zowat een hele kool gebruikt!'

Er viel een verbijsterde stilte. Ik blikte bezorgd de tafel rond maar Jude leek opeens compleet opgebeurd, ze streek haar korte Donna Karantruitje glad, waarbij we een verleidelijke glimp opvingen van navelpiercing en perfect getrimd plat middenrif terwijl Shazzie haar wonderbra rechttrok.

'Nou ja. Genoeg over mij. Hoe gaat het nou met jóu?' vroeg Magda alsof ze zo'n boek had gelezen waarvoor in de krant advertenties staan met een tekening van een merkwaardige man met een jaren vijftig uiterlijk en de slogan HOE VOER IK EEN GOED GESPREK? 'Hoe gaat het met Mark?'

'O, die is fantastisch,' zei ik gelukkig. 'Hij maakt me zo vreselijk...' Jude en Shazzer wisselden een blik. Besefte dat ik wellicht iets te voldaan klonk. 'Het enige is...' veranderde ik van koers.

'Wat?' vroeg Jude, die zich voorover boog.

'Het is misschien niets. Maar hij belde vanavond en zei dat hij Rebecca had ontmoet.'

'Wáááttt?'ontplofte Shazzer. 'Hoe durft die schoft? Waar?'

'Gisteravond op een borrel.'

'Wat deed hij gisteravond op een borrel?' gilde Jude. 'Met Rebecca, zonder jou?'

Hoera! Was opeens weer als vanouds. Zorgvuldig hele toon van telefoongesprek geanalyseerd, gevoelens over en eventuele betekenis van feit dat Mark rechtstreeks *van de borrel* naar mijn huis moet zijn gekomen, maar pas 24 uur later borrel en Rebecca ter sprake bracht.

'Het is Noemenitis,' beweerde Jude.

'Wat is dat?' vroeg Magda.

'O, je weet wel, als iemands naam de hele tijd maar valt zonder dat er een echte aanleiding voor is: "Rebecca zegt dit" of "Rebecca heeft ook zo'n auto".'

Magda viel stil. Ik wist precies waarom. Vorig jaar zei ze steeds dat ze dacht dat er iets aan de hand was met Jeremy. Toen kwam ze er uiteindelijk achter dat hij iets had met een meisje in de City. Ik gaf haar een Silk Cut.

'Ik weet precies wat je bedoelt,' zei ze, terwijl ze de sigaret in haar mond stopte en me dankbaar toeknikte. 'Waarom komt hij trouwens altijd naar jouw huis toe? Ik dacht dat hij in Holland Park een prachtige grote villa had.'

'Eh, dat klopt, maar hij schijnt liever naar...'

'Hmm,' zei Jude. 'Heb je *Niet meer afhankelijk van een man met bindingsangst* gelezen?'

'Nee.'

'Kom straks mee naar mijn huis. Dan laat ik het je zien.'

Magda keek op naar Jude als Knorretje die hoopt dat hij mee mag op een uitstapje met Poeh en Teigetje. 'Hij probeert waarschijnlijk onder het boodschappen doen en schoonmaken uit te komen,' zei ze gretig. 'Ik heb nog nooit een man ontmoet die niet stiekem vindt dat er voor hem gezorgd moet worden net zoals zijn moeder voor zijn vader zorgde, hoe geëmancipeerd ze zich ook voordoen.'

'Precies,' snibde Shazzer, waarop Magda trots glunderde. Jammer genoeg kwam het gesprek toen meteen op het feit dat Jude's Amerikaan haar niet had teruggebeld, waarop Magda haar goede werken meteen weer tenietdeed.

'Jeetje, Jude!' zei Magda. 'Ik begrijp gewoon niet dat jij wel de ineenstorting van de roebel en een staande ovatie op de beursvloer aankunt maar helemaal over je toeren raakt van zo'n stomme man.'

'Tja, zie je, Mag,' legde ik uit, in een poging een ruzie in de kiem te smoren, 'de roebel is veel makkelijker in de omgang dan een man. Het gedrag van de roebel wordt bepaald door duidelijke, vastomlijnde regels.'

'Ik zou het een paar dagen aankijken,' zei Shaz bedachtzaam. 'Probeer je niet sappel te maken en als hij belt, doe dan luchtig en druk bezig en zeg dat je nu geen tijd hebt om te praten.'

'Wacht eventjes,' knuppelde Magda tussenbeide. 'Als je hem wilt spreken, wat heeft het dan voor zin om drie dagen te wachten en dan zeggen dat je geen tijd hebt om te praten? Waarom bel jíj hém niet?'

Jude en Shazzer keken haar stomverbaasd aan, omdat ze deze krankzinnige Zelfingenomen Echtgenotesuggestie onvoorstelbaar vonden. Iedereen weet dat Anjelica Huston nooit ofte nimmer Jack Nicholson belde, en dat mannen het niet kunnen uitstaan als ze niet de jager kunnen spelen.

Hele gesprek verliep van kwaad tot erger, met Magda die met onschuldige ogen zat te beweren dat als Jude de juiste man zou ontmoeten 'alles gewoon van een leien dakje zou gaan'. Om halfelf sprong Magda op en zei: 'O, ik moet weg! Jeremy komt om elf uur thuis!'

'Waarom had je Magda er ook bij gevraagd?' vroeg Jude zodra ze ons niet meer kon horen.

'Ze was eenzaam,' zei ik slapjes.

'Ja, dag. Omdat ze twee uur alleen zonder Jeremy moest doorbrengen,' zei Shazzer.

'Het is kiezen of delen. Ze kan niet én bij een Zelfingenomen Getrouwde Familie zitten én klagen dat ze niet bij een Vrijstaande Vrouw Grotestad Familie zit,' zei Jude.

'Echt, als die meid ooit in de kaken van de moderne datingwereld wordt geworpen, wordt ze levend verslonden,' bromde Shaz.

'ALARM, ALARM, REBECCA IN AANTOCHT,' atoomaanvalsireende Jude.

We volgden haar blik naar de andere kant van het raam, waar een Mitsubishi stadsjeep aan het parkeren was met daarin Rebecca die haar ene hand aan het stuur had en met de andere een telefoon tegen haar oor hield.

Rebecca liet langzaam haar lange benen uit de auto zakken, keek verontwaardigd naar iemand die het lef had om langs haar te lopen terwijl ze aan het telefoneren was, stak over zonder op de auto's te letten dus iedereen moest boven op zijn remmen staan, maakte toen een kleine pirouette alsof ze wilde zeggen 'Rot toch op allemaal, dit is mijn persoonlijke leefsfeer', waarna ze tegen een zwerfster met een boodschappenwagentje opbotste zonder acht op haar te slaan.

Ze stormde het café binnen, terwijl ze haar lange haar naar achteren uit haar gezicht zwiepte waardoor het onmiddellijk weer terugzwiepte tot een springerig, glanzend gordijn. 'Oké, moet ervandoor. Kusje. Doei!' zei ze in haar mobiele. 'Hoi, hoi,' zei ze, terwijl ze ons allemaal zoende, ging zitten en de ober om een glas wenkte. 'Hoe gaat het? Bridge, hoe gaat het met Mark? Je zult wel blij zijn dat je eindelijk een vriendje hebt.'

'Eindelijk.' Grrr. Eerste kwallenbeet van de avond. 'Ben je in de zevende hemel?' kirde ze. 'Neemt hij je vrijdag mee naar het etentje van de Vereniging van Advocaten?'

Mark had niets gezegd over een etentje van de Vereniging van Advocaten.

'O, sorry, heb ik nu mijn mond voorbijgepraat?' zei Rebecca. 'Hij zal het vast vergeten zijn. Of misschien vindt hij het niet eerlijk tegenover jou. Maar ik denk dat je je best zal redden. Iedereen vindt je vast heel lief.'

Zoals Shazzer na afloop zei, ze is niet een gewone kwal, maar een Portugees oorlogsschip, dat vissers in hun boten omsingelen om het aan land te kunnen slepen.

Rebecca stoof weg naar een of ander feestje, dus strompelden we uiteindelijk met z'n drieën naar Jude's huis.

'"De Man Die Zich Niet Durft Te Binden wil je niet in zijn eigen domein toelaten",' las Jude voor terwijl Shaz met de video van *Pride and Prejudice* aan het klooien was, op zoek naar het fragment waarin Colin Firth het meer induikt.

'"Hij komt graag naar jouw toren toe, als een dolende ridder zonder verantwoordelijkheden. En dan gaat hij weer terug naar zijn eigen kasteel. Daar kan hij zoveel bellen als hij wil zonder dat jij ervan weet. Hij kan zijn huis – en zichzelf – voor zich alleen houden.'"

'Zo is het maar net,' bromde Shaz. 'Oké, kom op, hij gaat duiken.'

We vielen allemaal stil terwijl we toekeken hoe Colin Firth kletsnat uit het meer oprees, in het doorschijnende witte hemd. Mm. Mmmm.

'Nou ja,' zei ik verdedigend, 'Mark is geen Man Met Bindingsangst – hij is al getrouwd geweest.'

'Nou, dan betekent het misschien dat jij voor hem een "Leuk Voor Even Vrouw" bent,' hikte Jude.

'Hufter!' zei Shazzer met dikke tong. 'Sjtomme hufters! Sjeesj, moet je dat zien!'

Ten slotte wankelend naar huis, hoopvol op antwoordapparaat afgestormd maar bleef ontzet staan. Geen rood lampje. Mark had niet gebeld. O, god, het is al zes uur en moet nog wat zien te slapen.

8.30   Waarom heeft hij niet gebeld? Waarom? Oei. Ben zelfverzekerde, ontvankelijke, invoelende vrouw met inhoud. Ontleen eigenwaarde aan eigen persoon en niet aan... Wacht even, Misschien doet telefoon het niet.

8.32   Gesprekstoon klinkt normaal, maar zal ter controle vanaf mobiele bellen. Als telefoon niet werkt, betekent misschien alles in orde.

8.35   Oei. Telefoon doet het wel. Toch heeft hij uitdrukkelijk gezegd dat hij zou bellen gister... O, joepie, telefoon!

'Hallo, lieverd. Heb je toch niet wakker gebeld, hè?'

Was mijn vader. Instant schuldgevoel dat ik vreselijke, egoïstische dochter ben, meer geïnteresseerd in eigen relatie van vier weken oud dan in bedreiging van ouders' drie decennia oude huwelijk lang door Keniaanse gigolo's die geen smalletjes zijn en niet kleiner dan één meter zestig.

'Hoe ging het?'

'Het is in orde.' Pap lachte. 'Ik heb haar naar het telefoongesprek gevraagd en – oeps – daar heb je d'r.'

'Echt, lieverd!' zei mam, die de telefoon afpakte. 'Ik weet werkelijk niet hoe papa aan die rare ideeën komt. We hadden het over bedden!'

Ik lachte in mezelf. Het is wel duidelijk dat pap en ik een geest als een riool hebben.

'Nou ja,' ging ze verder, 'het gaat allemaal door. We gaan acht februari weg! Kenia! Stel je voor! Alleen heeft het reisbureau ons wel een jodenstreek geleverd...'

'Moeder!' ontplofte ik.

'Wat, schat?'

'Je kunt niet "jodenstreek" zeggen. Dat is racistisch.'

'Er wonen toch helemaal geen joden in Kenia, gekkie! Ik weet niet wat ze wél geloven, maar joods zijn ze niet.'

'Als zulke uitdrukkingen in de omgangstaal blijven bestaan, heeft dat een negatief effect op de algemene mentaliteit en...'

'Tsss! Je kunt ook niks meer zeggen tegenwoordig. Ooh, heb ik je dat al verteld? Julie Enderbury is weer in blijde!'

'Zeg, ik moet nu echt weg, dus...'

Wat is dat toch met moeders en telefoons? Zodra je hebt gezegd dat je weg moet, komen ze met negentien volkomen overbodige dingen aanzetten die ze per se nu moeten vertellen.

'Ja. Het is haar derde,' zei ze beschuldigend. 'O, en nog wat, Una en ik hebben besloten om over het Net te gaan skiën.'

'Volgens mij heet het "surfen", maar ik moet...'

'Skiën, surfen, snowboarden – wat maakt het uit, lieverd! Merle en Percival zitten er ook op. Je weet wel: was vroeger hoofd van de afdeling brandwonden van de Northampton Infirmary. O, en dan nog wat, komen jij en Mark thuis met Pasen?'

'Mam, ik moet nu echt weg. Ik kom te laat op mijn werk!' zei ik. Eindelijk, na nog eens tien minuten overbodigheid wist ik haar af te poeieren en liet me dankbaar achterover in het kussen vallen. Voel me toch een beetje slap dat moeder wel on line is en ik niet. Ik was het ook maar een bedrijf dat GBH heet, stuurde me per vergissing 677 identieke junkmails en sindsdien kan ik er geen chocola meer van maken.

59,3 kilo (alarm: kanten broekjes beginnen patroon achter te laten op lijf), aantal stuks prachtig sexy satijnen ondergoed aangepast: 17, aantal stuks enorm incontinentieslipachtig foeilelijk eng ondergoed aangeschaft: 1, vriendjes: 1 (maar geheel afhankelijk van verbergen eng nieuw ondergoed voor bovengenoemde).

9.00   Coins Café. Aan de koffie. Hoera! Het leven is mooi. Hij heeft net gebeld! Blijkt dat hij me wel gisteravond heeft gebeld maar geen bericht ingesproken omdat hij later zou terugbellen, maar is toen in slaap gevallen. Tikje achterdochtig, maar hij vroeg of ik morgen meeging naar dat advocatengedoe. Verder zei Giles van zijn werk dat ik zo aardig was geweest aan de telefoon.

9.05   Toch best beetje eng, dat advocatenetentje. Avondkleding verplicht. Vroeg Mark wat er van me werd verwacht en hij zei: 'O, niks. Maak je geen zorgen. We zitten gewoon aan een tafel en eten iets met mensen van kantoor. Het zijn mijn vrienden maar. Je valt vast heel erg in de smaak.'

9.11   'Je valt vast heel erg in de smaak.' Dat is al stilzwijgende erkenning dat ik op proef word gesteld. Dus erg belangrijk dat ik een goede indruk maak.

9.15   Oké, ga dit positief benaderen. Ga geweldig zijn: elegant, sprankelend, prachtige kleren. Bedenk opeens iets. Heb geen lange jurk. Kan misschien eentje lenen van Jude of Magda.
Oké:

Grote Aftellen voor Diner Vereniging Advocaten
Dag 1 (vandaag)
Voorgenomen voedselinname:
1   Ontbijt: fruitshake, bevattende sinaasappels, bananen, peren, meloenen en andere seizoensvruchten. (NB: pre-ontbijt cappuccino en chocoladecroissant reeds geconsumeerd).

2 Tussendoortje: fruit, maar niet vlak voor lunch want afbreken enzymen kost één uur.

3 Lunch: salade met proteïne.

4 Tussendoortje: selderij of broccoli. Ga na werk naar fitness.

5 Après-fitness tussendoortje: selderij.

6 Avondeten: gegrilde kip en gestoomde groenten.

18.00 Kom net van werk. Ga vanavond met Magda op zoek naar ondergoed dat op korte termijn figuurproblemen kan oplossen. Magda leent me haar sieraden en z. elegante lange, donkerblauwe jurk die, volgens haar, een beetje 'geholpen' moet worden en kennelijk dragen alle filmsterren e.d. corrigerend ondergoed bij premières. Betekent dat ik niet naar fitness kan, maar stevig ondergoed veel effectiever op korte termijn dan bezoek fitness.

Heb bovendien heel in het algemeen besloten om dagelijks fitnessbezoek te laten schieten voor nieuw programma dat morgen met beoordeling conditie begint. Kan uiteraard niet verwachten dat lichaam op tijd voor diner opvallend getransformeerd kan worden, wat precies bedoeling is van jacht op ondergoed, maar zal tenminste opgepept worden. O, telefoon.

18.15 Was Shazzer. Vertelde haar vlug over pre-advocatenfeestprogramma (waaronder ongelukkige pizza-voor-lunch-debacle), maar toen conditiebeoordeling ter sprake kwam, leek ze haast door de hoorn te spugen:

'Doe het niet,' waarschuwde ze op een fluisterende begrafenistoon.

Bleek dat Shaz eerder al dergelijke beoordeling had ondergaan met gigantische vrouw à la *Gladiators* met vuurrood haar die 'Carborundum' heette en haar voor een spiegel midden in de zaal had gezet en gebruld had: 'Het vet van je kont is naar beneden gezakt, waardoor het vet op je heupen opzij is gedrukt in de vorm van zadeltassen.'

Idee van vrouw à la *Gladiators* staat me vreselijk tegen. Altijd vaag vermoeden dat programma *Gladiators* op een dag uit de hand zal lopen en dat Gladiators kannibalen worden en producers christenen voor Carborundum en de haren zullen werpen.

Shaz zegt dat ik echt af moet zeggen, maar mijn punt is dat als, zoals Carborundum beweert, vet in staat is zich op een dergelijke glibbermanier te gedragen het toch ook mogelijk moet zijn om bestaand vet in mooiere vorm te modelleren en te kneden – of zelfs in verschillende vormen als situatie dat vereist. Vraag me onwillekeurig af of ik mijn hoeveelheid vet zou willen verminderen als ik eigen vet naar eigen inzicht zou mogen verplaatsen? Denk dat ik voor enorme borsten en heupen zou kiezen en smalle taille. Maar zou er zo te veel vet zijn om uit de weg te ruimen? En waar moet je het overschot laten? Zou het erg zijn om dikke voeten of oren te hebben terwijl de rest van je lichaam volmaakt is?

'Dikke lippen zou prima zijn,' zei Shazzer, 'maar niet...' ze liet haar stem tot een fluistertoon van walging dalen '... dikke schaamlippen.'

Gatver. Soms kan Shazzer echt walgelijk zijn. Goed. Moet weg. Heb om halfzeven met Magda afgesproken in Marks & Sparks.

21.00 Weer thuis. Winkelgebeuren is misschien nog het beste als leerzaam te omschrijven. Magda moest zo nodig met een weerzinwekkende reusachtige enge onderbroek naar me zwaaien. 'Kom op, Bridget: de Nieuwe Korsetgeneratie! Denk aan de jaren zeventig, denk aan Cross Your Heart, denk aan de step-in,' zei ze, terwijl ze een soort wielrenners-seriemoordenaarsoutfit in zwarte lycra, bestaande uit een broekje met pijpjes, beugels en een stevige beha, ophield.

'Dat ga ik niet aandoen,' siste ik uit mijn mondhoek. 'Leg terug.'

'Waarom niet?'

'Stel nou dat iemand het, eh, voelt?'

'Kom nou, Bridget. Ondergoed moet een taak vervullen. Als je een nauwsluitend jurkje draagt of een lange broek – voor je werk, bijvoorbeeld – wil je een vloeiende lijn creëren. Op je werk gaat er toch niemand aan je zitten?'

'Nou, dat weet ik nog zo net niet,' zei ik verdedigend, terwijl ik dacht aan wat er vroeger in de lift op mijn werk gebeurde toen ik 'een relatie had' – als je die bindingsfobie-nachtmerrie als zodanig kunt omschrijven – met Daniel Cleaver.

'En deze dan?' vroeg ik hoopvol, terwijl ik een prachtig setje ophield van hetzelfde spul als dunne zwarte kousen alleen dan in de vorm van een beha en slipje.

'Nee! Nee! Zó jaren tachtig. Dit is meer wat voor jou,' zei ze, zwaaiend met iets wat eruitzag als mams gaine gekruist met haar lange, warme onderbroek.

'Maar, stel nou dat iemand zijn hand op mijn rok legt?'

'Bridget, je bent te erg voor woorden,' zei ze luid. 'Sta je echt iedere morgen op met het idee dat een of andere man zomaar zijn hand op je rok zal leggen? Heb je zelf dan niets te zeggen over je seksuele lot?'

'Ja, dat heb ik wel,' zei ik uitdagend en liep naar de paskamer met een hele arm vol flinke onderbroeken. Probeerde me op het laatst in een zwarte rubberachtige koker te persen, die tot vlak onder mijn borsten kwam en zich steeds aan beide kanten afwikkelde als een weerspannig condoom. 'Stel dat Mark me hierin ziet of het voelt?'

'Op een club ga je niet zitten vrijen. Je gaat naar een officieel diner waar hij een goede indruk op zijn collega's moet maken. Daar zal hij mee bezig zijn – hij zal je heus niet gaan betasten.'

Niet zeker of Mark ooit bezig is om goede indruk op wie dan ook te maken, want zeer zelfverzekerd. Maar Magda heeft gelijk over ondergoed. Je moet met je tijd meegaan, niet vasthouden aan bekrompen ondergoedideeën.

Goed, moet vroeg naar bed. Afspraak fitness is om acht uur 's morgens. Denk zelfs dat hele persoonlijkheid wereldschokkende verandering zal ondergaan.

VRIJDAG 31 JANUARI: D-DAY

58,8 kilo, alcohol: 6 (2)* eenheden, sigaretten: 12 (0), calorieën: 4284 (1500), leugens verteld aan conditiebeoordelaar: (14).

---

* Getallen tussen haakjes zijn gegevens die aan conditiebeoordelaar zijn opgegeven

9.30 Typerend voor de nieuwe louche fitnessclubcultuur is dat persoonlijke trainers zich als dokters mogen gedragen zonder enige eed van Hippocrates.

'Hoeveel eenheden alcohol drinkt u per week?' vroeg 'Rebel', Brad Pittachtige snotjongen van een conditiebeoordelaar, terwijl ik daar in beha en onderbroek zat en mijn buik probeerde in te houden.

'Veertien à eenentwintig,' loog ik makkelijk, waarop hij het lef had verschrikt achteruit te deinzen.

'En rookt u?'

'Mee gestopt,' bromde ik.

Daarop keek Rebel nadrukkelijk naar mijn tas, waar, toegegeven, een pakje Silk Cut Ultra in zat, maar wat dan nog?

'Wanneer bent u gestopt?' vroeg hij stijfjes, terwijl hij iets in de computer intikte dat natuurlijk meteen naar het Hoofdkwartier van de Conservatieven gaat om ervoor te zorgen dat ik de eerstvolgende keer dat ik een parkeerboete krijg naar een strafkamp wordt gestuurd.

'Vandaag,' zei ik ferm.

Op het laatst moest ik gaan staan en Rebel mat met knijpers mijn vet op.

'Die tekens breng ik aan zodat ik kan zien wat ik opmeet,' zei hij bazig, terwijl hij met een viltstift over mijn hele lijf rondjes en kruisen maakte. 'Ze gaan er met wat terpentine wel weer af.'

Daarna moest ik naar de fitnessruimte en oefeningen doen met allerlei niet nader uitgelegd oogcontact en aanraken met Rebel – bijvoorbeeld tegenover elkaar staan met handen op elkaars schouders terwijl Rebel diepe kniebuigingen maakte, energiek op mat op en neer sprong en ik onbeholpen pogingen deed om knieën klein beetje te buigen. Aan het einde van het hele gedoe voelde ik me alsof ik een lange, intieme vrijpartij met Rebel had gehad en we min of meer vaste verkering hadden. Ging na afloop onder douche en kleedde me aan en wist niet goed wat te doen – leek alleen maar logisch om weer naar binnen te gaan en te vragen wanneer hij thuis kwam met eten. Maar heb uiteraard etentje met Mark Darcy.

Z. opgewonden over etentje. Heb geoefend in outfit en zie er werkelijk geweldig uit, slanke vloeiende lijnen, dankzij eng ondergoed, waar hij absoluut niet achter hoeft te komen. Bovendien ook geen enkele reden waarom ik niet z.g. gezelschapsdame zal zijn. Ben vrouw van wereld met goede baan enz.

Middernacht. Toen ik eindelijk in Guildhall aankwam, was Mark buiten in smoking en grote overjas aan het ijsberen. Tjee. Heerlijk als je met iemand uitgaat en hij lijkt opeens uiterst aantrekkelijke vreemde en je alleen nog met hem naar huis wilt rennen om hem keihard te neuken alsof je elkaar pas kent. (Niet dat iedereen dat doet als ze elkaar pas kennen, natuurlijk.) Toen hij me zag, keek hij ronduit geschrokken, lachte, trok zijn gezicht weer in de plooi en wenkte me op beleefde kostschoolmanier naar de deuren toe.

'Sorry dat ik te laat ben,' zei ik buiten adem.

'Je bent niet te laat,' zei hij, 'ik heb gelogen over de aanvangstijd.' Opnieuw keek hij me weer op een vreemde manier aan.

'Wat?' vroeg ik.

'Niks, niks,' zei hij iets te rustig en vriendelijk, alsof ik een gek was die op een auto stond met in de ene hand een bijl en in de andere het hoofd van zijn vrouw. Hij loodste me door de deur, die door een portier in uniform werd opengehouden.

Binnen was een hoge hal met donkere lambrisering waar veel oude mensen in avondkleding ruisend rondliepen. Zag vrouw in korstig bovengeval met pailletten die me raar aankeek. Mark knikte haar vriendelijk toe en fluisterde in mijn oor: 'Ga eens even naar de wc en kijk in de spiegel.'

Ik ging als een haas naar de plee. Had helaas in het donker van de taxi donkergrijze oogschaduw van Mac op mijn wangen aangebracht in plaats van rouge: had uiteraard iedereen kunnen overkomen, want verpakking identiek. Toen ik uit het toilet kwam, keurig schoongeboend en jas afgegeven, bleef ik als aan de grond genageld staan. Mark was met Rebecca aan het praten.

Ze droeg een mokkabruin, laag uitgesneden satijnen geval met blote rug, dat als gegoten zat om haar vleesloze botten, duidelijk zonder korset. Voelde me net mijn vader toen hij voor de Grafton Underwoodbraderie een taart had ingediend die na de beoordeling door de jury het predikaat 'voldoet niet aan wedstrijdnormen' had gekregen.

'Het was gewoon te dol voor woorden,' zei Rebecca net en lachte hartelijk recht in Marks gezicht. 'O, Bridget,' zei Rebecca, toen ik erbij kwam staan. 'Hoe gaat het, mooie meid!' Ze zoende me waarbij ik onwillekeurig vies gezicht trok. 'Beetje zenuwachtig?'

'Zenuwachtig?' zei Mark. 'Waarom zou ze zenuwachtig moeten zijn? Ze is de vleesgeworden innerlijke rust, niet dan, Bridge.'

Een fractie van seconde zag ik iets van ergernis over Rebecca's gezicht trekken alvorens ze zich herstelde en zei: 'O, wat schattig! Ik ben zo blij voor je!' Toen schreed ze weg met een kokette blik achterom naar Mark.

'Ik vind haar erg aardig,' zei Mark. 'Altijd ontzettend aardig en intelligent.'

Altijd? dacht ik. Altijd? Ik dacht dat hij haar pas twee keer had ontmoet. Hij schoof zijn arm gevaarlijk dicht tegen mijn korset, zodat ik een sprong opzij moest doen. Een paar ballerige praatjesmakers kwamen naar ons toe en begonnen Mark te feliciteren met iets wat hij met een Mexicaan had gedaan. Hij babbelde even vriendelijk met hen waarna hij ons behendig losscheurde en naar de eetzaal leidde.

Was z. stijlvol: donker hout, ronde tafels, kaarslicht en fonkelend kristal. Het vervelende was dat ik steeds weg moest springen van Mark als hij zijn arm om mijn middel legde.

Onze tafel stroomde al vol met een bonte verzameling koel zelfverzekerde advocaten van in de dertig, die bulderend lachten en elkaar probeerden af te troeven met het soort bijtende geestige kwinkslagen dat overduidelijk topjes van enorme ijsbergen van juridische en eigentijdse kennis vormt:

'Hoe weet je of je verslaafd bent aan Internet?'

'Als je ontdekt dat je niet weet van welk geslacht je drie beste vrienden zijn.' Woeha. Hoehoehoe. Haha.

'Als je niet eens meer een punt kunt schrijven zonder er co.uk aan toe te voegen.' BAAAAAAAAA!

'Als je al je werkopdrachten in HTM-protocol maakt.' Boehoehoe, haha. Hoho. Hoehoehoe.

Terwijl de zaal voorzichtig aan het eten begon, begon een zekere Louisa Barton-Foster (ongelooflijk eigengereide advocate, zo'n vrouw van wie je je kunt voorstellen dat ze je dwingt lever te eten) een vreselijk lulverhaal af te steken dat wel drie maanden leek te duren.

'Maar in zekere zin,' zei ze, terwijl ze woest naar het menu staarde, 'zou je kunnen betogen dat de hele Er Emeuro Proto een partijpolitieke kwestie is.'

Voelde me tiptop – zat gewoon rustig dingen te eten en te drinken – tot Mark opeens zei: 'Ik vind dat je helemaal gelijk hebt, Louise. Als ik weer Tory stem, wil ik wel weten of mijn opvattingen (a) worden onderzocht en (b) vertegenwoordigd.'

Ik staarde hem ontzet aan. Voelde me zoals mijn vriend Simon zich eens voelde toen hij op een partijtje met een paar kinderen aan het spelen was en hun grootvader verscheen die Robert Maxwell bleek te zijn – en opeens keek Simon naar de peuters en zag dat het allemaal mini-Robert Maxwells waren met borstelige wenkbrauwen en enorme kinnebakken.

Besef dat als je relatie begint met nieuw iemand er verschillen tussen jullie zullen zijn, verschillen waaraan je zult moeten wennen en die als scherpe kantjes moeten slijten, maar had never nooit in de verste verte kunnen denken dat ik met een man naar bed ga die Tory stemt. Had plotseling het idee dat ik Mark Darcy eigenlijk helemaal niet kende en dat hij voor hetzelfde geld al die weken dat we iets hadden stiekem miniatuur aardewerk beestjes met hoedjes van de achterpagina van de zondagbijlage aan het verzamelen was, of in een bus stapte om naar rugbywedstrijden te gaan en door het achterraam de andere automobilisten zijn blote kont liet zien.

Gesprek werd almaar snoeveriger en met de minuut bralleriger.

'En hoe weet jij dat het 4,5 tot 7 is?' blafte Louise tegen een man die eruitzag als prins Andrew in een streepjesoverhemd.

'Ik heb toevallig economie gestudeerd in Cambridge.'

'En van wie heb je college gehad?' snibde een ander meisje, alsof daarmee het pleit beslecht kon worden.

'Gaat het?' fluisterde Mark uit zijn mondhoek.

'Ja,' bromde ik, hoofd omlaag.

'Je... trilt helemaal. Wat is er?'

Ik moest het uiteindelijk wel vertellen.

'Wat geeft dat nou dat ik Tory stem?' vroeg hij en keek me ongelovig aan.

'Sssst,' fluisterde ik, terwijl ik nerveus rond de tafel keek.

'Wat is daar mis mee?'

'Alleen dat,' begon ik, wensend dat Shazzer bij me was, 'ik bedoel, als ik Tory zou stemmen, was ik een sociale paria. Het zou zoiets zijn als in Café Rouge verschijnen op een paard met een meute beagles achter me aan, of dineetjes geven op glanzende tafels met bijbordjes.'

'Ongeveer zoals hier?' Hij lachte.

'Eh, ja,' bromde ik.

'En wat stem jij dan?'

'Labour, natuurlijk,' siste ik. 'Iedereen stemt Labour.'

'Nou, volgens mij staat het onomstotelijk vast dat dat tot nu toe niet het geval is,' zei hij. 'Maar waarom, als ik mag vragen?'

'Wat?'

'Waarom stem je Labour?'

'Eh,' ik zweeg even peinzend, 'omdat Labour stemmen, wil zeggen dat je links bent.'

'Aha.' Hij leek dit op een of andere manier ontzettend grappig te vinden. Iedereen luisterde inmiddels.

'En socialistisch,' voegde ik eraan toe.

'Socialistisch. Op die manier. Socialistisch in de betekenis van...?'

'Dat arbeiders solidair zijn.'

'Nou, Blair is niet bepaald een voorstander van de macht van de vakbonden, of wel?' zei hij. 'Neem nou wat hij zegt over het privatiseren van overheidsbedrijven en de rijkdom gelijkelijk onder de arbeiders verdelen.'

'Nou, de Tory's zijn anders ook goed waardeloos.'

'Waardeloos?' zei hij. 'De economie heeft er in zeven jaar nog niet zo goed voorgestaan.'

'Nee, niet waar,' zei ik met klem. 'En ze hebben hem waarschijnlijk gewoon opgekrikt omdat er verkiezingen komen.'

'Wat opgekrikt?' vroeg hij. 'De economie opgekrikt?'

'Waar staat Blair ten opzichte van Europa vergeleken met Major?' deed Louise een duit in het zakje.

'Wat je zegt. En waarom is hij niet met een concreet tegenbod gekomen voor de belofte van Tory om de jaarlijkse uitgaven voor gezondheidszorg te verhogen?' vroeg prins Andrew.

Nou ja! En daar begonnen ze weer opnieuw tegen elkaar op te bieden. Op het laatst werd het me te gortig.

'Het punt is dat je juist moet stemmen voor het principe, niet voor het gemekker over hier een procentje bij en daar een procentje af. En het is zonneklaar dat Labour staat voor het principe van delen, medemenselijkheid, homo's, alleenstaande moeders en Nelson Mandela en níet voor brallende machomannen die verhoudingen hebben en hem er links, rechts, overal in laten hangen en dan naar de Ritz in Parijs gaan om de presentators van *Today* op hun nummer te zetten.'

Er viel een doodse stilte rond de tafel.

'Tja, dat vat de hele boel wel min of meer samen,' zei Mark, die lachte en over mijn knie wreef. 'Daar kunnen we niet tegenop.'

Iedereen keek naar ons. Maar toen, in plaats van dat iemand ging pissen – zoals zou zijn gebeurd in de normale wereld – deden ze net of er niets aan de hand was en gingen weer verder met tinkelen en tetteren.

Kon niet peilen hoe erg of anderszins voorval was. Was zoiets als bij stam op Papoea-Nieuw-Guinea te zijn beland en op de hond van het stamhoofd trappen en niet weten of het geprevel betekent dat het niet erg was of dat ze nu bespreken hoe ze jouw hoofd tot frittata moeten verwerken.

Iemand trommelde op tafel om stilte te vragen voor de toespraken, die echt heel erg, verpletterend, om te huilen zo saai waren. Zodra ze waren afgelopen, fluisterde Mark: 'Zullen we maar weggaan?'

We namen afscheid en liepen de zaal door. 'Eh... Bridget,' zei hij. 'Ik wil je niet zenuwachtig maken, maar er zit iets raars om je middel.'

Mijn handen schoten meteen ter controle omlaag. Eng korset had zich aan beide kanten op een of andere manier weten af te wikkelen waardoor er nu om mijn middel een uitpuilende rol zat, als een enorme reserveband.

'Wat is dat?' vroeg Mark, knikkend en lachend naar mensen terwijl we ons een weg langs de tafels baanden.

'Niets,' mompelde ik. Zodra we uit de zaal waren, speerde ik naar de plee. Was hele toer om jurk uit te krijgen en de enge onderbroek af te stropen en vervolgens het hele nachtmerrie-ensemble weer aan te hijsen. Wilde maar dat ik thuis zat in slobberbroek en trui.

Toen ik de hal inkwam, maakte ik weer bijna rechtsomkeert naar de plees. Mark was met Rebecca aan het praten. Alweer. Ze fluisterde iets in zijn oor, waarop ze in een afgrijselijk blatend gelach uitbarstte.

Ik liep naar hen toe en ging onbeholpen erbij staan.

'Daar is ze!' zei Mark. 'Alles in orde?'

'Bridget!' zei Rebecca, die net deed of ze blij was me te zien. 'Ik hoor dat je grote indruk hebt gemaakt met je politieke opvattingen!'

Wou dat ik iets z. gevats kon bedenken, maar stond daar beetje dom vanonder gefronste wenkbrauwen te kijken.

'Het was echt geweldig,' zei Mark. 'Ze heeft ons duidelijk gemaakt dat wij een stelletje arrogante hufters zijn. Goed, moeten er vandoor, leuk je gezien te hebben.'

Rebecca kuste ons alle twee overdreven in een wolk Gucci Envy waarna ze terug naar de eetzaal heupwiegde op een manier die er geen misverstand over liet bestaan dat ze hoopte dat Mark keek.

Wist niets te zeggen toen we naar de auto liepen. Hij en Rebecca hadden me dus achter mijn rug zitten uitlachen en hij probeerde dat te verdoezelen. Wou dat ik Jude en Shaz om goede raad kon bellen.

Mark gedroeg zich of er niets was gebeurd. Zodra we wegreden, probeerde hij zijn hand omhoog naar mijn dij te schuiven. Hoe komt het dat hoe minder je geïnteresseerd lijkt in seks met mannen hoe meer ze willen?

'Moet je je handen niet aan het stuur houden?' vroeg ik, terwijl ik angstvallig wegdeinsde om de rand van rubber gainegeval bij zijn vingers vandaan te houden.

'Nee. Ik wil je bruut nemen,' zei hij en ramde zowat een verkeerspaaltje.

Wist ongeschonden te blijven door verkeersveiligheidsneurose voor te wenden.

'O, ja. Rebecca vroeg of we binnenkort bij haar kwamen eten,' zei hij.

Ik geloofde mijn oren niet. Ik ken Rebecca al vier jaar en ze heeft me nog nooit te eten gevraagd.

'Ze zag er leuk uit, vond je niet? Mooi jurkgeval.'

Het was Noemenitis. Het was Noemenitis die vlak voor mijn eigen oren plaatsvond.

We waren bij Notting Hill gekomen. Bij het stoplicht, zonder het me te vragen, sloeg hij gewoon af in de richting van mijn huis, bij zijn huis vandaan. Hij hield zijn kasteel ongeschonden. Het lag waarschijnlijk vol met berichten van Rebecca. Ik was maar een Leuk Voor Even-Vrouw.

'Waar gaan we heen?' vroeg ik onbeheerst.

'Jouw huis. Hoezo?' vroeg hij, terwijl hij zich ontsteld opzij draaide.

'Precies. Hoezo?' vroeg ik woedend. 'We gaan al vier weken en zes dagen met elkaar. En we zijn nog nooit naar jouw huis gegaan. Niet één keer. Nooit! Waarom niet?'

Mark werd helemaal stil. Hij deed zijn richtingaanwijzer aan, sloeg linksaf, waarna hij zonder een woord te zeggen koers zette naar Holland Park.

'Wat is er?' vroeg ik na een tijdje.

Hij keek recht voor zich uit en zette de richtingaanwijzer aan. 'Ik hou niet van geschreeuw.'

Stemming was om te snijden toen we bij zijn huis kwamen. Zwijgend liepen we het stoepje op. Hij deed de deur open, pakte de post en deed de lampen in de keuken aan.

Keuken heeft hoogte van dubbeldekker en is zo'n naadloze roestvrijstalen waar je niet kunt zien wat de ijskast is. Een vreemde afwezigheid van rondslingerende spullen en midden op de vloer drie plassen koud licht.

Hij beende naar de andere kant van de kamer, waarbij zijn voetstappen hol weerklonken als in een grot op schoolreisje, staarde bezorgd naar de roestvrijstalen deuren en zei: 'Heb je zin in een glaasje wijn?'

'Ja, graag, lekker,' zei ik beleefd. Er stonden een paar modern ogende krukken voor een roestvrijstalen ontbijtbar. Onhandig klom ik op een kruk en voelde me net Des O'Connor die zo een duet met Anita Harris gaat zingen.

'Goed,' zei Mark. Hij deed een van de roestvrijstalen kastdeuren open, zag dat er een afvalbak aanhing, deed hem weer dicht, deed een ander deurtje open en keek verwonderd omlaag in een afwasmachine. Ik keek ook omlaag en wilde lachen.

'Rood of wit?' vroeg hij kortaf.

'Wit, graag.' Opeens voelde ik me doodmoe, mijn schoenen deden pijn, mijn enge onderbroek sneed in mijn vel. Ik wilde alleen nog naar huis.

'Aha.' Hij had de ijskast gelokaliseerd.

Blikte om me heen en zag op een van de aanrechten antwoordapparaat staan. Het rode lampje knipperde. Keek op en zag Mark voor mijn neus staan met in zijn hand een wijnfles in een Conranachtige karaf van geborsteld staal. Hij zag er ook doodongelukkig uit.

'Luister, Bridget, ik...'

Ik gleed van de kruk en sloeg mijn armen om hem heen, maar toen schoten zijn handen direct naar mijn middel. Ik trok me los. Ik moest dat onding zien te lozen.

'Ik ga eventjes naar boven,' zei ik.

'Waarom?'

'Naar de plee,' zei ik plompverloren, waarna ik in de inmiddels martelende schoenen naar de trap wankelde. Ging eerste de beste kamer binnen, die Marks kleedkamer bleek te zijn, een hele kamer vol pakken en overhemden en rijen schoenen. Wurmde me uit de jurk en, met reusachtige opluchting, begon enge onderbroek af te stropen, in de veronderstelling dat ik kamerjas aan kon trekken en het misschien toch nog gezellig werd en alles uitpraten maar opeens stond Mark op de drempel. Ik stond verstijfd in vol eng-ondergoed-ornaat en begon toen als een gek alles uit te trekken, terwijl hij ontzet toekeek.

'Wacht, wacht,' zei hij en ik greep naar de kamerjas. Hij keek ingespannen naar mijn buik. 'Heb je soms boter-kaas-en-eieren op jezelf getekend?'

Probeerde Mark uit te leggen van Rebel en op vrijdagavond niet meer aan terpentijn kunnen komen, maar hij zag er zo vreselijk moe en verward uit.

'Het spijt me, ik kan je niet volgen,' zei hij. 'Ik moet gaan slapen. Zullen we maar naar bed gaan?'

Hij duwde een andere deur open, deed het licht aan. Ik wierp één blik op de kamer en liet een luide kreet ontsnappen. Daar, op het enorme witte bed, zat een sierlijke Aziatische jongen, poedelnaakt, vreemd lachend, die twee houten ballen aan een touwtje en een jong konijntje omhoog hield.

3

WAT EEN ELLENDE

58,4 kilo, alcohol: 6 eenheden (maar met tomatensap, bijz. voedzaam), sigaretten: 400 (volkomen begrijpelijk), aantal konijnen, herten, fazanten of ander wild in bed aangetroffen: 0 (grote verbetering na gisteren), aantal vriendjes: 0, aantal vriendjes van ex-vriendje: I, aantal resterende normale potentiële vriendjes: 0.

00.15 Waarom overkomt dit soort dingen mij toch altijd? Waarom? WAAROM? Uitgerekend die ene keer dat iemand eens echt een leuke, verstandige indruk maakt, een man waar mijn moeder het mee eens zou zijn, niet getrouwd, krankzinnig of alcoholistisch en ook geen emotioneel geblokkeerde hufter, blijkt hij allerlei enge afwijkingen te hebben en doet hij het met jongens en dieren. Geen wonder dat ik niet bij hem thuis mocht komen. Niet omdat hij last heeft van bindingsangst of Rebecca leuk vindt of omdat ik voor hem een Leuk-Voor-Even-Vrouw ben. Maar omdat hij Aziatische jongens in zijn slaapkamer houdt, benevens enige inheemse diersoorten.

Was wel een gruwelijke schok. Gruwelijk. Heb zo'n twee seconden met open mond naar die jongen staan kijken, ben toen de kleedkamer weer ingerend, in mijn jurk gesprongen en de trap afgehold, terwijl in de slaapkamer achter me een geschreeuw losbarstte dat deed denken aan Amerikaanse soldaten die door de Vietcong worden afgeslacht, ben de straat op gewankeld en heb daar als een bezetene naar taxi's staan zwaaien als een callgirl die een klant heeft getroffen die op haar hoofd wil schijten.

Is misschien wel waar wat Zelfingenomen Echtelieden zeggen, dat alleenstaande mannen alleen zijn gebleven omdat er iets heel erg mis met ze is. Daarom is alles ook zo kut kut kut... Niet dat het per definitie mis is om homo te zijn, maar wel als je doet alsof het niet zo is en er een vriendin op nahoudt. Zit dus op Valentijnsdag alweer voor vierde keer in mijn eentje, lig volgend jaar kerst weer in eenpersoonsbed bij ouders thuis. Alweer. Dit komt nooit meer goed.

Kon ik Tom maar bellen. Net iets voor hem om naar San Francisco te gaan, uitgerekend als ik advies nodig heb vanuit homo-invalshoek, dat zal je nou altijd zien. Ik moet hem altijd urenlang van advies dienen als hij in de zoveelste crisis zit met een medehomo, maar wat doet hij als ik eens advies nodig heb bij een crisis met een homo? Dan gaat hij verdomme naar SAN FRANCISCO.

Rustig, rustig. Weet wel dat het fout is om Tom schuld van hele incident te geven, temeer daar incident niets met Tom te maken heeft. Moet afleren anderen de schuld te geven om me zelf beter te voelen. Ben zelfverzekerde, ontvankelijke, invoelende vrouw met inhoud die verder niemand nodig heeft... Aaah! Telefoon.

'Bridget. Met Mark. Wat vervelend. Wat vervelend nou allemaal. Vreselijk, wat er is gebeurd.'

Hij klonk verschrikkelijk.

'Bridget?'

'Wat?' zei ik terwijl ik probeerde het trillen van mijn handen te bedwingen om een Silk Cut te kunnen opsteken.

'Ik weet wel wat je waarschijnlijk dacht. Ik ben net zo geschrokken als jij. Ik had hem nog nooit eerder gezien.'

'Wie was het dan?' barstte ik uit.

'Het blijkt de zoon van mijn huishoudster te zijn. Ik wist niet eens dat ze een zoon hád. Hij is blijkbaar schizofreen.'

Er klonk geschreeuw op de achtergrond.

'Ik kom eraan, ik kom eraan. O god. Luister, ik moet hier even iets aan doen. Het klinkt alsof hij haar probeert te wurgen. Kan ik je straks terugbellen?' – Weer geschreeuw – 'Wacht even, eh... Bridget, ik bel je morgenochtend.'

Snap er niets meer van. Wou dat ik Jude of Shaz kon bellen of excuus volgens hun hout snijdt, maar het is midden in de nacht. Probeer misschien maar wat te slapen.

9.00 Aaah! Aaah! Telefoon. Hoera! Nee! Komt nooit meer goed. Herinner me net wat er gebeurd is.

9.30 Was niet Mark maar mijn moeder.

'Lieverd, ik ben des duivels.'

'Mam,' onderbrak ik resoluut, 'mag ik je zo terugbellen op de mobiele?'

Het schoot me allemaal weer te binnen, in golven. Ik moest snel zorgen dat ze neerlegde, voor het geval dat Mark me probeerde te bereiken.

'De mobile, schat? Doe niet zo raar – die heb je al niet meer sinds je tweede. Weet je nog? Met al die visjes? O. Papa wil je even spreken... Goed, hier komt hij.'

Ik wachtte en keek zenuwachtig heen en weer tussen de mobiele en de klok.

'Dag lieverd,' zei pa vermoeid. 'Ze gaat niet naar Kenia.'

'Geweldig, goed zo,' zei ik, blij dat er tenminste iemand niet in een crisis zat. 'Hoe heb je dat voor elkaar gekregen?'

'Ik hoefde niets te doen. Haar paspoort is verlopen.'

'Ha! Prachtig. Vertel haar maar niet dat je ook een nieuw paspoort kunt aanvragen.'

'O, dat weet ze wel,' zei hij. 'Maar dan moet je een nieuwe foto laten maken. Het was dus niet omdat ze rekening met mij wilde houden, maar puur een kwestie van flirten met de douane.'

Ma nam hem de telefoon af. 'Volslagen belachelijk, schat. Ik had foto's laten maken en daar stond ik zó oud op. Una zei: probeer dan eens zo'n cabine, maar dat was nog erger. Dus ik hou mijn oude paspoort en daarmee uit. Maar goed, hoe is het met Mark?'

'Prima,' zei ik met een hoog, geknepen stemmetje, en ik zei er nog nét niet bij: hij doet het met oosterse jongens en konijnen, leuk hè?

'Ja. Papa en ik dachten, misschien kunnen jij en Mark morgen bij ons komen lunchen. We hebben jullie nog nooit samen gezien. Dan maak ik lasagna met bonen.'

'Kan ik je straks terugbellen? Anders kom ik te laat... voor yoga!' zei ik in een vlaag van inspiratie.

Slaagde erin haar af te schudden nadat ze nog een kwartier –

uitzinnig kort voor haar doen – had doorgerateld, waarbij geleidelijk duidelijk werd dat de voltallige Dienst Uitgifte Paspoorten niet tegen ma en haar oude foto was opgewassen, pulkte toen nog een Silk Cut uit het pakje, troosteloos en in de war. Huishoudster? Ja, ik weet wel dat hij een huishoudster heeft, maar... En dan dat gedoe met Rebecca. En hij stemt op de Tory's. Denk dat ik maar een stuk kaas pak. Aaah! Telefoon.

Shazzer.

'O Shaz,' zei ik diep ongelukkig en gooide het hele verhaal eruit.

'Hé, wacht even,' zei ze, voordat ik zelfs maar aan de oosterse jongen was toegekomen. 'Wacht. Ik zeg het maar één keer, dus luister goed.'

'Wat dan?' vroeg ik en dacht: als er iemand niet in staat is om iets maar één keer te zeggen – afgezien van mijn moeder – dan is het Sharon.

'Kap ermee.'

'Maar...'

'Kap ermee. Je hebt een waarschuwing gehad, hij stemt op de Tory's. Je moet er nu mee kappen, voordat het te moeilijk wordt.'

'Maar wacht nou eens even, dat is niet...'

'In godsnaam,' gromde ze. 'Het blijkt toch uit alles? Hij komt altijd naar jouw huis, laat alles voor zich doen. Jij komt piekfijn gekleed opdraven voor zijn enge Tory-vriendjes en wat doet hij? Flirt met Rebecca. Doet neerbuigend tegen jou. En stemt op de Tory's. Het is allemaal even manipulerend, paternalistisch...'

Ik keek zenuwachtig op de klok. 'Eh, Shaz, mag ik je zo terugbellen op de mobiele?'

'Wat? Voor het geval dat hij jou wil bellen? Nee!' ontplofte ze.

Op dat moment ging de mobiele.

'Shaz, ik moet ophangen. Ik bel je straks.'

Pakte de mobiele en drukte gretig op OK.

Jude. 'O, o, wat heb ik een kater. Ik geloof dat ik moet kotsen.' Ze begon aan ellenlang verhaal over feest in de Met Bar, maar ik moest haar in de rede vallen want vond geschiedenis met oosterse jongen echt urgenter. Vond ik echt. Was geen egoïsme.

'O god, Bridge,' zei Jude toen ik klaar was. 'Arme stakker. Dat heb je echt ongelooflijk goed aangepakt. Dat vind ik echt. Wat ben jij vooruitgegaan.'

Ik zwol van trots, maar vond het toen toch wel vreemd.

'Wat heb ik dan gedaan?' vroeg ik en keek de kamer in, heen en weer geslingerd tussen zelfvoldane grijns en niet-begrijpend geknipper.

'Precies wat er in *Vrouwen die te veel liefhebben* staat. Niets. Afstandelijk blijven. We kunnen hun problemen niet voor ze oplossen. Gewoon afstand houden.'

'Precies, precies,' zei ik en knikte ernstig.

'We hebben het niet slecht met ze voor. Maar we hebben het ook niet goed met ze voor. We bellen niet. We gaan niet langs. We houden afstand. De zoon van de huishoudster, m'n reet. Als hij een huishoudster heeft, waarom zit hij dan altijd bij jou en laat jou de afwas doen?'

'Maar als het nou echt de zoon van de huishoudster was?'

'Bridget,' zei Jude streng, 'dat heet nou de Ontkenningsfase.'

11.15 Afgesproken met Jude en Shazzer te gaan lunchen bij 192. Geen zin in de Ontkenningsfase.

11.16 Ja. Ben helemaal afstandelijk. Zie je wel?

11.18 Niet te geloven dat hij god god godverdomme nog niet heeft gebeld. Ik heb zo de pest aan die passief-agressieve rol van de telefoon in het moderne sociale verkeer, dat communiceren door niet te communiceren. Vreselijk, vreselijk: bellen of niet bellen is het verschil tussen liefde en gewoon aardig tegen elkaar doen, tussen geluk en weer in de genadeloze loopgravenoorlog van het afspraakjescircuit te worden gegooid, net als eerst, maar dan met een nog erger kutgevoel dan de vorige keer.

12.00 Niet te geloven. Daar ging zowaar de telefoon terwijl ik er gebiologeerd naar zat te kijken, alsof ik hem door mijn energievibraties had gedwongen over te gaan, en deze keer was het Mark.

'Hoe gaat het?' vroeg hij moe.

'Prima,' zei ik in een poging afstandelijk te blijven.

'Zal ik je komen halen, zullen we ergens gaan lunchen en praten?'

'Eh, ik ga al met de dames lunchen,' zei ik, buitengewoon afstandelijk.

'O gód.'

'Wát?'

'Bridget. Besef je wel wat voor nacht ik achter de rug heb? Die jongen probeerde in de keuken zijn moeder te wurgen, de politie en de mensen van de ambulance over de vloer, verdovingspijltjes, naar het ziekenhuis, het hele huis vol hysterische Filipino's. Ik bedoel, ik vind het echt heel erg dat je dat allemaal moest meemaken, maar ik zat er ook maar mee en het was toch echt niet mijn schuld.'

'Waarom heb je niet eerder gebeld?'

'Omdat je verdomme steeds in gesprek was, ook op de mobiele, steeds als ik even de kans kreeg om te bellen!'

Hmm. Dat afstandelijke ging me toch niet zo goed af. Hij heeft echt vreselijke dingen meegemaakt. Heb afgesproken vanavond met hem te gaan eten en hij zegt dat hij vanmiddag wil slapen. In zijn eentje, hoop ik vurig en oprecht.

ZONDAG 2 FEBRUARI

57,9 kilo (uitstekend: word net een oosters jongetje), aantal sigaretten: 3 (z.g.), calorieën: 2100 (z. besch.), aantal vriendjes: weer 1 (hoera!), aantal zelfhulpboeken door in ere hersteld vriendje op ongelovige, afwijzende toon hardop geteld: 37 (maar dat is vandaag de dag alleen maar verstandig).

10.00   Thuis. Alles weer in orde. Etentje aanvankelijk een beetje stroef, maar dat werd beter toen ik besloot dat ik zijn verhaal werkelijk geloofde, vooral omdat hij zei dat ik vandaag maar mee moest gaan als hij zijn huishoudster ging opzoeken.

Maar toen, bij de chocolademousse, zei hij: 'Bridge? Gisteravond, nog voor dat hele gedoe, kreeg ik al zo'n gevoel dat er iets niet goed zat.'

De schrik sloeg me om het hart. Eigenlijk wel ironisch als je bedenkt dat ikzelf ook het gevoel had dat er iets niet goed zat. Al is het natuurlijk wel zo dat je zelf best kunt vinden dat er iets niet goed zit in een relatie, maar als de ander dat heeft, is het net zoiets als wanneer er iemand op je moeder zit af te geven. Bovendien ga je dan denken dat je ieder moment gedumpt kunt worden, wat afgezien van de pijn, het verlies, het gebroken hart enz. ook nog eens heel vernederend is.

'Bridge? Ben je in trance?'

'Nee. Waarom kreeg je het gevoel dat er iets niet goed zat?' fluisterde ik.

'Nou, steeds als ik je probeerde aan te raken, deinsde je terug alsof je me een ouwe viezerik vond.'

Enorme opluchting. Vertelde over die enge onderbroek, waarop hij echt begon te lachen. Dessertwijn besteld, werden allebei een beetje aangeschoten en gingen uiteindelijk naar mijn huis, alwaar fantastisch geneukt.

Vanochtend, toen we voor de open haard de kranten lagen te lezen, begon ik te overwegen of ik Rebecca te berde zou brengen, en de vraag waarom we altijd naar mijn huis gaan. Maar Jude had gezegd dat ik dat beter niet kon doen, want jaloezie is bijz. onaantrekkelijk voor het andere geslacht.

'Bridget,' zei Mark, 'het lijkt wel alsof je in trance bent. Ik vroeg wat de bedoeling is van dat nieuwe kastsysteem. Mediteer je? Is het een boeddhistisch systeem of zo?'

'Nee, dat is vanwege de bedrading,' zei ik vaag.

'Wat zijn dat allemaal voor boeken?' vroeg hij terwijl hij opstond om ze te bekijken. '*Hoe versier ik een jonge vrouw: een gids voor mannen boven de vijfendertig? Boeddha op vrijersvoeten? Ga ervoor*, door Victor Kyam?'

'Dat zijn mijn zelfhulpboeken!' zei ik beschermend.

'*Wat willen mannen? Niet meer afhankelijk van een man met bindingsangst. Van een gescheiden man houden zonder je verstand te verliezen?* Besef je wel dat je zowat het grootste corpus theoretische kennis van het westelijk halfrond over het gedrag van het andere geslacht aan het aanleggen bent? Ik begin me een soort proefdier te voelen!'

'Eh...'

Hij grinnikte. 'Is het de bedoeling dat je ze paarsgewijs leest?

67

Om jezelf aan beide kanten in te dekken? *Alleengaand en geluk-kig* samen met *Hoe vind je een perfecte partner in dertig dagen*? *Boeddhisme voor beginners* naast *Ga ervoor* van Victor Kyam?'

'Nee,' zei ik verontwaardigd. 'Je leest ze afzonderlijk.'

'Waarom koop je die troep in godsnaam?'

'Nou, daar heb ik een theorie over,' begon ik opgewonden (want ik heb er inderdaad een theorie over). 'Als je naar andere wereldgodsdiensten kijkt, zoals...'

'Andere wereldgodsdiensten? Anders dan wat?'

Grrr. Soms wou ik dat Mark niet zo getraind was in juridisch denken.

'Dan zelfhulpboeken.'

'Ja, ik dacht al dat je dat ging zeggen. Bridget, zelfhulpboeken zijn geen godsdienst.'

'O jawel! Het is een nieuwe vórm van godsdienst. Het gedrag van mensen kun je een beetje vergelijken met een waterstroom: als er een obstakel op hun pad komt, stromen ze eromheen en zoeken een andere weg.'

'Stromen ze eromheen?'

'Ik bedoel, als een georganiseerde religie afbrokkelt, gaan mensen ergens anders naar regels zoeken. En zoals ik al zei, als je naar zelfhulpboeken kijkt, zie je dat ze veel ideeën gemeen hebben met andere godsdiensten.'

'Zoals...?' zei hij met een aanmoedigend cirkelend handge-baar.

'Nou, het boeddhisme en...'

'Nee, welke ideeën?'

'Nou,' begon ik, enigszins in paniek, want mijn theorie is he-laas nog niet zo ver ontwikkeld, 'positief denken. In *Emotionele intelligentie* staat bijvoorbeeld dat optimisme, het idee dat alles uiteindelijk goed komt, het belangrijkste is. En dan natuurlijk het geloof in jezelf, wat je ziet in *Emotioneel zelfvertrouwen*. En als je naar het christendom kijkt...'

'Jaaaa...?'

'Je weet wel, dat bijbelgedeelte dat ze bij huwelijksvoltrekkin-gen voorlezen, dat is precies hetzelfde: "Deze drie dingen, ge-loof, hóóp en liefde." En leven in het moment – dat staat in *The Road Less Traveled* en je vindt het ook in het boeddhisme.'

Mark keek me aan alsof ik gek geworden was.

'... en vergiffenis: in *Je kunt je leven helen* staat dat het koesteren van rancune schadelijk voor je is en dat je mensen moet kunnen vergeven.'

'Waar komt dat dan uit? Toch niet uit de islam, hoop ik. Ik geloof niet dat je veel vergiffenis vindt bij een geloof dat het afhakken van handen propageert bij mensen die een broodje hebben gestolen.'

Mark zat me hoofdschuddend aan te kijken. Ik had niet de indruk dat hij de theorie echt begreep. Maar dat kwam misschien doordat Mark in spiritueel opzicht niet zo ontwikkeld is, wat ook een probleem in onze relatie zou kunnen worden.

'Vergeef ons onze schulden, zoals ook wij vergeven onze schuldenaren!' zei ik verontwaardigd. Op dat moment ging de telefoon.

'Dat zal het hoofdkwartier van de generale staf van relatieland zijn,' zei Mark. 'Of anders misschien de aartsbisschop van Canterbury!'

Het was mijn moeder. 'Wat, zit je nog thuis? Waar blijf je nou? Ik dacht dat jij en Mark kwamen lunchen.'

'Maar mam...' Ik wist zeker dat ik niet had gezegd dat we kwamen lunchen, echt heel zeker. Mark sloeg zijn ogen ten hemel en zette het voetballen aan.

'Hè, Bridget. Ik heb drie pavlova's gemaakt – hoewel, drie pavlova's maken is net zo veel moeite als één, en ik heb lasagna uit de vriezer gehaald en...'

Ik hoorde pa op de achtergrond: 'Laat haar met rust, Pam', terwijl zij op aangebrande toon doorratelde over de gevaren van het opnieuw invriezen van vlees, en toen nam hij de telefoon over.

'Maak je geen zorgen, kind. Je hebt vast niet gezegd dat je zou komen. Maar dat heeft ze zich nu eenmaal in haar hoofd gezet. Ik probeer haar wel te kalmeren. Hoe dan ook, het slechte nieuws is dat ze nu tóch naar Kenia gaat.'

Ma greep de telefoon weer. 'Die kwestie met het paspoort is helemaal opgelost. We hebben een prachtige foto laten maken bij die bruidsfotograaf in Kettering, weet je wel, waar Ursula Collingwood die foto's van Karen heeft laten maken.'

'Hebben ze het met de airbrush gedaan?'

'Nee!' zei ze verontwaardigd. 'Tenminste, misschien hebben ze iets op de computer gedaan, maar niets met een penseel of zo. Maar hoe dan ook, Una en ik gaan volgende week zaterdag. Tien daagjes maar. Afrika! Stel je voor!'

'En pa dan?'

'Hè, Bridget! Je leeft maar één keer! Als papa zijn leven wil slijten tussen de golfbaan en de achtertuin, dan moet hij dat zelf maar weten.'

Eindelijk slaagde ik erin haar af te poeieren, aangemoedigd door Mark, die naast me was komen staan met een opgerolde krant in zijn ene hand terwijl hij met de andere op zijn horloge tikte. Zijn naar zijn huis gegaan en ik geloof hem nu echt, want de huishoudster was de keuken aan het schoonmaken, samen met vijftien familieleden die Mark allemaal als een god leken te aanbidden. Toen zijn we bij hem thuis gebleven en hebben allemaal kaarsen in de slaapkamer aangestoken. Hoera! Geloof dat alles goed is. Ja. Alles is echt goed. Hou van Mark Darcy. Hij lijkt soms wel een beetje engig, maar in de kern is hij erg lief en attent. En dat is een goede zaak. Vind ik.

Vooral gezien het feit dat het over twaalf dagen Valentijnsdag is.

MAANDAG 3 FEBRUARI

57,5 kilo (z.g.), alcohol: 3 eenheden, sigaretten: 12, aantal dagen tot Valentijnsdag: 11, aantal minuten besteed aan ergernis vanwege ongeëmancipeerde obsessie met Valentijnsdag: ± 162 (slecht).

8.30 Hoop dat pa zich redt. Als ma zaterdag vertrekt, houdt dat in dat ze hem op Valentijnsdag in zijn eentje laat zitten, wat niet erg aardig van haar is. Misschien stuur ik hem een kaartje en doe alsof het van een onbekende aanbidster is.

Wat zou Mark gaan doen? Hij zal toch tenminste wel een kaart sturen.

Ik bedoel, dat doet hij beslist.

En misschien gaan we uit eten of iets anders leuks doen.

Mmm. Bijz. fijn om eens een keer niet op Valentijnsdag zonder vriendje te zitten. Ah, telefoon.

8.45 Was Mark. Hij gaat morgen voor veertien dagen naar New York. Hij klonk zelfs een beetje kortaf en zei dat hij het te druk had om iets af te spreken voor vanavond, want hij moest zijn papieren in orde maken en alles.

Heb het kunnen opbrengen om aardig te blijven en alleen gezegd: 'O, leuk,' en gewacht tot hij had neergelegd voordat ik gilde: 'Maar vrijdag over een week is het Valentijnsdag, het is Valentijnsdag. Bèèèèh!'

Nou ja. Onvolwassen gedoe. Het gaat tenslotte om de relatie, niet om de cynische bedenksels van de commercie.

DINSDAG 4 FEBRUARI

8.00 In café, achter een cappuccino met een chocolade-croissant. Nou, zie je wel! Heb mezelf aan mijn haren uit het moeras van het negatieve denken getrokken en het is eigenlijk waarschijnlijk zelfs heel goed dat Mark weggaat. Zo kan hij wegspringen als een elastiekje, zoals in *Mars, Venus en hun relatie* staat, en zich goed realiseren hoezeer hij zich tot me aangetrokken voelt. En ondertussen heb ik gelegenheid om aan mezelf te werken en mijn eigen leven op orde te brengen.

PLANNEN VOOR ALS MARK WEG IS:
1 elke dag naar fitness
2 veel gezellige avonden met Jude en Shazzer
3 iets nuttigs doen: huis opruimen
4 met pa optrekken zolang ma weg is
5 hard werken om positie op werk te verbeteren

O ja, en drie kilo kwijtraken natuurlijk.

12.00 Kantoor. Rustige ochtend. Moest een itempje over groene auto's doen. 'Groen in de zin van milieuvriendelijk, Bridget,' zei Richard Finch. 'Niet de kleur.'

Werd al snel duidelijk dat het item over groene auto's het niet zou halen, zodat ik gelegenheid had te dagdromen over Mark Darcy en een nieuw briefhoofd voor mezelf te ontwerpen met verschillende lettertypes en kleuren en ondertussen na te denken over ideeën voor nieuwe items waarmee ik echt op de voorgrond van... Aaah!

12.15 Die zak van een Richard Finch: 'Bridget. We hebben het verdomme niet over de Zorgzame Samenleving. Dit is een productievergadering voor een tv-programma. Als je dan toch per se uit het raam moet kijken, probeer het dan tenminste te doen zonder die pen in en uit je mond te laten glijden. Nou, is dat mogelijk?'

'Ja hoor,' mokte ik en legde de pen neer.

'Nee, niet of je die pen uit je mond kunt halen, maar of je een gemiddelde Engelse kiezer kunt vinden, middenklasse, vijftig plus, eigen huis, die vóór is?'

'Ja hoor, geen probleem,' zei ik luchtig, terwijl ik dacht dat ik straks wel aan Patchouli kon vragen waar die kiezer eigenlijk vóór moest zijn.

'Vóór wat?' vroeg Richard Finch.

Ik schonk hem een goed gelukte raadselachtige glimlach. 'Misschien is het je opgevallen dat je net je eigen vraag hebt beantwoord,' zei ik. 'Man of vrouw?'

'Allebei,' zei Richard sadistisch. 'Van allebei één.'

'Homo of hetero?' schoot ik terug.

'Ik zei gemiddeld,' grauwde hij vernietigend. 'En nu bellen, en probeer er in het vervolg aan te denken dat je een rok aantrekt, je leidt mijn mensen af.'

Nou já, alsof ze daarop letten, ze zijn allemaal totaal geobsedeerd met hun carrière en zo kort was die rok nu ook weer niet, hij was alleen wat opgekropen.

Patchouli zegt dat het over de munteenheid ging, een algemene Europese of de eigen nationale. En ze gelooft dat het óf het een óf het ander moest zijn. Kut o kut. Tja. Ah, telefoon. Dat zal de voorlichter van het Schaduwministerie van Financiën zijn.

12..25 'O, dag schat.' Grrr. Mijn moeder. 'Zeg, heb jij nog een "tietentopje"?'

'Mam, nou heb ik nog zó gezegd dat je me hier alleen moet bellen als het dringend is,' siste ik.

'Ja, weet ik, maar we gaan zaterdag al weg en in de winkels hebben ze alleen nog maar winterspullen.'

Plotseling kreeg ik een ingeving. Het duurde even voordat ze het begreep.

'Ja, zeg, Bridget,' zei ze toen ik het had uitgelegd. 'Straks komen ze 's nachts nog met vrachtwagens uit Duitsland onze hele goudvoorraad weghalen.'

'Maar mam, je zei toch zelf dat je maar één keer leeft! Je moet alles een keer proberen.'

Stilte.

'Het zou wel goed voor de wisselkoersen in Afrika zijn.' Weet niet of dat eigenlijk wel klopt, maar goed.

'Nou ja, dat kan wel zijn, maar ik heb geen tijd om op tv te komen, ik moet pakken.'

'Luister,' siste ik, 'wou je nou een tietentopje of niet?'

12.40 Hoera! Heb niet één, niet twee, maar drie gemiddelde Engelse kiezers. Una komt met ma mee, dan kunnen ze meteen mooi in mijn klerenkasten snuffelen en nog even naar Dickens en Jones, en Geoffrey wil op tv. Wat ben ik toch een topresearcher.

'Wat hebben we het weer druk.' Richard Finch na de lunch, helemaal zwierig en zweterig van het tafelen. 'Ben je de universele munteenheid volgens Jones aan het ontwerpen?'

'Niet precies,' mompelde ik met een coole glimlach van let-maar-niet-op-mij. 'Maar ik heb wel een paar gemiddelde Engelse kiezers voor je gevonden die vóór zijn. Drie zelfs,' voegde ik er nonchalant aan toe terwijl ik in mijn 'aantekeningen' bladerde.

'O, hadden ze dat dan nog niet gezegd?' zei hij met een valse grijns. 'Dat laten we vallen. We doen nu iets over bommeldingen. Kun je een paar gemiddelde Tory-forenzen voor me vinden die begrip hebben voor het standpunt van de IRA?'

20.00 Bèèèh. Heb net drie uur op een tochtig Victoria Station mijn best staan doen om forenzen in de richting van het standpunt van de IRA te manipuleren, tot ik bang begon te worden dat ik straks nog werd gearresteerd en afgevoerd naar de Maze-gevangenis. Terug naar kantoor, tobbend over wat ma en Una in mijn kleerkast zouden aantreffen en over mogelijk gesprek met snuivende Richard Finch, in de sfeer van: 'Had je nou echt gedacht dat je iemand zou vinden? Zielige trut!'

Ik moet, moet echt ander werk zien te vinden. Ha, telefoon. Tom. Hiep hoi. Hij is terug!

'Bridget! Wat ben jij afgevallen!'

'Echt?' zei ik verrukt, voordat het tot me doordrong dat deze opmerking telefonisch werd gemaakt.

Daarop begon Tom aan een lang, enthousiast verhaal over zijn bezoek aan San Francisco.

'Die jongen van de douane was echt een schatje. Hij zei: 'Hebt u iets aan te geven?' en ik zei: 'Alleen dit waanzinnig bruine kleurtje!' Nou ja, toen heeft hij me zijn telefoonnummer gegeven en ik heb hem in een sauna gepakt!'

Voelde een vertrouwde vlaag van afgunst over de ontspannen manier waarop ze in homokringen met seks omgaan en kennelijk zomaar meteen aan het neuken slaan, gewoon omdat ze er allebei zin in hebben, en niemand erover loopt te tobben dat je eigenlijk eerst drie keer met elkaar uit moet zijn geweest of hoe lang je na afloop moet wachten voordat je de ander belt.

Nadat hij drie kwartier lang had zitten uitweiden over steeds uitzinniger escapades, zei hij: 'Nou ja, je weet hoe vreselijk ik het vind om het over mezelf te hebben. Hoe gaat het met jóú? En hoe gaat het met die Mark met zijn strakke kontje?'

Ik zei dat Mark in New York zat, maar besloot het Konijnenjong voor later te bewaren uit angst dat hij anders te opgewonden raakte. Begon in plaats daarvan door te drenzen over mijn werk.

'Ik moet echt een andere baan zien te vinden, dit ondermijnt mijn menselijke waardigheid en mijn zelfbeeld. Ik moet iets hebben waarin ik mijn talenten en vaardigheden kan gebruiken.'

'Hmmm. Ik snap wat je bedoelt. Heb je weleens overwogen het leven in te gaan?'

74

'Hè hè, wat geestig.'

'Ga anders wat journalistiek werk doen, gewoon ernaast. Interviews doen in je vrije tijd.'

Dat was een briljant idee. Tom zei dat hij het er met zijn vriend Adam van de *Independent* over zou hebben of ik misschien een interview of een recensie voor hen kon doen!

Word nu dus topjournalist, krijg geleidelijk steeds meer werk en extra inkomsten, tot ik baan kan opzeggen en met laptop op schoot op de bank kan blijven zitten. Hoera!

WOENSDAG 5 FEBRUARI

Net pa gebeld hoe het ging en of hij zin had om op Valentijnsdag samen iets leuks te gaan doen.

'Dat is heel lief van je, kind. Maar je moeder zegt dat ik mijn bewustzijn moet verruimen.'

'Dus?'

'Dus ga ik naar Scarborough, golfen met Geoffrey.'

Mooi zo. Fijn dat hij zich goed voelt.

DONDERDAG 13 FEBRUARI

57,5 kilo, alcohol: 4 eenheden, sigaretten: 19, aantal bezoeken aan fitness: 0, reeds ontvangen Valentijnskaarten: 0, aantal vermeldingen van Valentijnsdag door vriendje: 0, nut van Valentijnsdag als vriendje er met geen woord over rept: 0.

Bijz. balen. Morgen is het al Valentijnsdag en Mark heeft er nog met geen woord over gerept. Snap trouwens niet waarom hij het hele weekend in New York moet blijven. Alle advocatenkantoren zijn dan toch dicht.

BEREIKTE DOELEN TIJDENS MARKS AFWEZIGHEID:

Aant. bezoeken aan fitness: o

Aantal avonden met Jude en Shazzer: 6 (en waarschijnlijk morgen weer)

Aantal minuten met pa: o. Gesprekken met pa over zijn emotionele toestand: o minuten. Gesprekken met pa over golf met geschreeuw van Geoffrey op de achtergrond: 287. Interviews en/of artikelen van mijn hand: o. Kilo's afgevallen: o. Kilo's aangekomen: 1.

Heb Mark toch maar Valentijnskaartje gestuurd. Hart van chocola. Nog voor zijn vertrek naar hotel gestuurd met de mededeling: 'niet openmaken voor 14 febr.'. Hij zal wel begrijpen dat het van mij afkomstig is.

VRIJDAG 14 FEBRUARI

57,7 kilo, aantal bezoeken aan fitness: 0, Valentijnskaarten: 0, bloemen, cadeautjes, attenties: 0, nut van Valentijnsdag: 0, verschil tussen Valentijnsdag en andere dagen: 0, zin van het bestaan: onzeker, mogelijkheid dat ik ramp van niet-Valentijnsgebeuren overdrijf: enigszins aanwezig.

8.00 Kan me echt niet meer druk maken over iets als Valentijnsdag. Over het geheel genomen niet zo belangrijk.

8.20 Ga toch maar even beneden kijken of er post is.

8.22 Post nog niet geweest.

8.27 Post nog steeds niet geweest.

8.30 De post! Hoera!

8.35 Rekeningafschrift. Niets van Mark, niets, niets, niets, niets, niets. Niets.

8.40 Niet te geloven dat ik op Valentijnsdag wéér alleen zit. Twee jaar geleden was het het ergst, toen ik met Jude en Shaz naar Gambia was en een dag eerder moest vertrekken vanwege vluchtschema. Toen ik ging eten, hing alles vol met hartjes. Aan alle tafeltjes zaten stellen hand in hand en ik zat daar in mijn eentje *Hou van jezelf* te lezen.

Ben heel verdrietig. Hij moet het toch geweten hebben. Het kan hem gewoon niets schelen. Het betekent vast dat ik voor hem gewoon een meisje tussendoor ben, want volgens mij, en dat staat ook in *Mars, Venus en hun relatie*, geeft een man altijd cadeautjes in de sfeer van lingerie en sieraden als hij serieus in je geïnteresseerd is, en geen boeken of stofzuigers. Misschien is dit zijn manier om me te laten weten dat het afgelopen is, en gaat hij dat ook zeggen als hij terug is.

8.43 Misschien hadden Jude en Shaz gelijk en had ik ermee moeten kappen toen ik de eerste waarschuwingssignalen kreeg. Als ik vorig jaar, toen Daniel me bij het eerste afspraakje al liet zitten, afstand had gehouden en ermee was gekapt in plaats van alles te willen ontkennen, had ik nooit die naakte vrouw op die stretcher op zijn dakterras gezien. Wat was die relatie Dan Iel, eigenlijk!

Het is een patroon. Ik tref steeds maar naakte mensen bij mijn vriendjes thuis aan. Een telkens weerkerend patroon.

8.45 O god. Ik sta 200 pond rood. Hoe kan dat nou? Hoe kan dat nou?

8.50 Zie je wel. Alles heeft toch wel een bepaald nut. Ben op rekeningoverzicht een rare afschrijving van 149 pond tegengekomen waar me niets van bijstaat. Ben ervan overtuigd dat het de cheque van 14 pond 90 of daaromtrent is die ik voor de stomerij had uitgeschreven.

9.00 De bank gebeld om te vragen welke naam er op de cheque stond, bleek ene 'Monsieur S.F.S.' te zijn. Stomerijen zijn oplichtersbendes. Zal Jude, Shazzer, Rebecca, Tom en Simon bellen dat ze niet meer naar Duraclean moeten gaan.

9.30 Há. Ben naar Duraclean gegaan om die 'Monsieur S.F.S.' eens na te trekken, met als smoes dat ik een zwart zijden nachthemdje wilde laten stomen. Het viel me mijns ondanks op dat het personeel niet zozeer Frans als wel Indiaas leek te zijn. Misschien Indo-Frans.

'Hoe heet u eigenlijk?' vroeg ik aan de man die mijn nachthemd in ontvangst nam.

'Salwani,' zei hij met een verdacht vriendelijk lachje.

S. Aha!

'En u?' vroeg hij.

'Bridget.'

'Bridget. Schrijf adres hier alsjeblieft, Bridget.'

Dat was wel heel verdacht. Besloot het adres van Mark Darcy op te geven, want die heeft personeel en een inbraakalarm.

'Kent u een Monsieur S.F.S.?' vroeg ik, waarop hij bijna dartel werd.

'Nee, maar jou ken ik wel ergens van,' zei hij.

'Ik heb het heus wel in de gaten, hoor,' zei ik en vloog de winkel uit. Zie je wel. Ik kan best mijn eigen boontjes doppen.

10.00   Dit is echt niet te geloven. Om halfelf kwam er een jongen onze kamer in met een enorme bos rode rozen, die hij naar mijn bureau bracht. Voor mij! Je had de gezichten van Patchouli en Harold de Hufter moeten zien. Zelfs Richard Finch was met stomheid geslagen en kwam niet verder dan een zielig: 'Jezelf een bloemetje gestuurd?'

Kaartje opengemaakt, waarop stond:

Een fijne Valentijnsdag voor het lichtpuntje in mijn saaie bestaan. Kom morgen om 08.30 uur naar Heathrow, Terminal 1, om bij de balie van British Airways (ref: P23/R55) ticket op te halen voor *magical mystery tour*. Maandagmorgen op tijd voor werk weer terug. Zie je aan de andere kant.

(Zie of je ergens een skipak en wandelschoenen kunt lenen.)

Ongelooflijk. Echt ongelooflijk. Mark nodigt me uit voor een Valentijns-skireisje! Een wonder. Hoera! Wordt heel romantisch in kerstkaartachtig dorpje met twinkelende lichtjes enz., nonchalant hand in hand hellingen afdalen als sneeuwkoning en sneeuwkoningin.

Voel me vreselijk schuldig dat ik me zo heb laten gaan met dat obsessief negatieve gedoe, maar dat kan de beste overkomen. Beslist.

Jude gebeld, mag ski-uitrusting lenen: zwarte overall, zoiets als Michelle Pfeiffer als Catwoman. Probleem is alleen dat ik maar één keer heb geskied, op school, en dat ik toen meteen mijn enkel heb verstuikt. Nou ja. Valt vast ontzettend mee.

ZATERDAG 15 FEBRUARI

75 kilo (zo voelt het althans, ben een reusachtige ballon vol fondue, hotdogs, warme chocolademelk enz.), grappa's: 5, sigaretten: 32, warme chocola: 6 koppen, 8257 calorieën, aantal voeten: een stuk of drie, aantal bijna-doodervaringen: 8.

13.00 Op rand van afgrond. Niet te geloven dat dit mij overkomt. Boven op berg werd ik overvallen door een verlammende angst, dus zei tegen Mark Darcy dat hij maar vast moest gaan terwijl ik mijn ski's aandeed, keek hoe hij van 'woesjj woesjj' de helling afdaalde als een exocetraket of een levensgevaarlijk verboden soort vuurpijl of zoiets. Hoewel bijz. dankbaar dat hij me mee uit skiën neemt, vond ik het alleen al een nachtmerrie om zelfs maar naar boven te gaan en kon ik met de beste wil van de wereld niet inzien wat het nut was van je te laten optakelen door een gigantische concentratiekampachtige betonnen constructie met rasters en kettingen, met half gebogen knieën en een soort gips aan je voeten, onhandelbare ski's die de hele tijd met de punten naar buiten wilden, en door een tourniquet te worden geduwd als een schaap dat geschoren moet worden, terwijl je lekker in bed had kunnen liggen. Het ergste is nog wel dat ik op die hoogte niets met mijn haar kan beginnen, het staat alle kanten op, met overal wilde pieken en horentjes als een suikerspin die in de centrifuge heeft gezeten, en mijn Catwomanpak is ontworpen voor lange slanke mensen zoals Jude, zodat ik wel een Michelinvrouwtje lijk of een dikke tante in een klucht. En kinderen van drie jaar zoeven zomaar zonder stokken voorbij, op één been, en maken salto's enz.

Skiën is echt een levensgevaarlijke sport, dat is geen verbeelding. Je kunt verlamd raken, onder een lawine worden bedolven, enz. enz. Shazzer zei dat een vriend van haar aan een hele enge afdaling was begonnen, buiten de gewone pistes, en dat hij toen bang werd, zodat de *pisteurs* hem moesten komen halen op een brancard *en dat ze die brancard toen niet meer konden houden.*

14.30 Café in de bergen. Mark kwam 'woesjj zoeff' naar me toe skiën en vroeg of ik zover was.

Legde fluisterend uit dat het een vergissing van me was geweest die helling op te gaan omdat skiën eigenlijk een bijz. gevaarlijke sport is – zo gevaarlijk dat je er niet eens een reisverzekering voor kunt krijgen. Een onvoorzien ongeluk is één ding, maar jezelf willens en wetens in een levensgevaarlijke situatie begeven en tegen beter weten in flirten met de dood of met verminking, zoals bij bungeejumpen, de Mount Everest beklimmen of iemand een appel van je hoofd af laten schieten, is weer iets heel anders.

Mark luisterde zwijgend en bedachtzaam. 'Ik begrijp wat je bedoelt, Bridget,' zei hij. 'Maar dit is de kinderpiste. Het is hier praktisch horizontaal.'

Zei tegen Mark dat ik met de skilift naar beneden wilde, maar hij zei dat je in een skilift alleen naar boven kunt, niet naar beneden. Drie kwartier later lukte het Mark me de helling af te krijgen door me een eindje te duwen en toen snel vooruit te gaan om me op te vangen. Eenmaal beneden leek het me opportuun de mogelijkheid te opperen per kabelbaan terug te gaan naar het dorp om even uit te rusten met een cappuccino.

'Weet je wat het is, Bridget,' zei hij, 'skiën is net zoals alle andere dingen in het leven. Gewoon een kwestie van durven. Kom op. Volgens mij kun jij wel een grappa gebruiken.'

14.45 Mmm. Heerlijk, die grappa.

15.00 Grappa is echt ongelooflijk lekker. Mark heeft gelijk. Ben waarsch. natuurtalent op gebied van skiën. Hoef alleen wazig zelfvertrouwen wat op te poetsen.

15.15 **Boven aan kinderpiste.** Een makkie. Wazig, maar dood-simpel. Daar gaat-ie. Woesjj!

16.00 Kan fantastisch, geweldig goed skiën. Heb net samen met Mark een perfecte afdaling gemaakt: 'woesjj zoeff', hele lijf meebuigend, haast instinctief in volmaakte harmonie met hem. Wild opgetogen gevoel! Er is een wereld voor me opengegaan. Ben net zo'n sportvrouw als prinses Anne! Vol nieuwe levenskracht en positieve gedachten! Zelfvertrouwen! Hoera! Er ligt een nieuw, zelfverzekerd leven voor me! Grappa! Hoera!

17.00 Gingen uitrusten in skicafé, waar Mark plotseling werd begroet door hele troep advocaat/bankiersachtige mensen, onder wie lang, slank, blond meisje in wit skipak en met pluizige oorwarmers en een Versace-zonnebril, dat met haar rug naar me toe stond. Ze gierde van het lachen. Als in slowmotion schudde ze haar haar uit haar gezicht en terwijl het als een zacht gordijn weer naar voren viel, begon het tot me door te dringen dat ik die lach herkende, en toen keerde ze haar gezicht naar ons toe. Het was Rebecca.

'Bridget!' zei ze en kwam kletterend naar me toe om me te zoenen. 'Zo, mooie meid! Wat geweldig om je te zien. Wat toevallig!'

Ik keek naar Mark, die helemaal sprakeloos was en met zijn hand door zijn haar streek.

'Eh, zo toevallig is het nou ook weer niet, hè?' zei hij schutterig. 'Jij zei toch zelf dat ik hier met Bridget heen moest? Ik bedoel, het is natuurlijk leuk om jullie te zien, maar ik had geen idee dat jullie hier ook allemaal zouden zitten.'

Het echt goede van Mark is dat ik hem altijd geloof, maar wanneer had ze dat dan gezegd? Wanneer?

Rebecca leek even van haar apropos gebracht, maar toen glimlachte ze ontwapenend. 'Ja, weet ik, maar toen bedacht ik hoe prachtig het in Courchevel is, en de anderen gingen ook, dus... hooo!' Toen 'verloor ze haar evenwicht' – kwam dat even goed uit – en moest door een van haar bewonderaars worden 'opgevangen'.

'Hmmm,' zei Mark. Hij leek hier helemaal niet blij mee. Ik

stond naar de grond te kijken en probeerde uit te knobbelen wat hier aan de hand was.

Kon ten slotte de inspanning van het normaal doen niet meer opbrengen en fluisterde tegen Mark dat ik nog even ging oefenen op de kinderpiste. Kwam veel makkelijker dan eerst in rij voor skilift, dankbaar aan dit rare scenario te kunnen ontsnappen. Miste eerste paar zittingen door misgrijpen, maar slaagde erin volgende te pakken.

Alleen leek het niet helemaal in orde toen ik er eenmaal op zat, alles hotste en botste alsof er iets aanliep. Merkte opeens dat kind aan zijkant naar me zwaaide en in het Frans iets tegen me riep. Keek ontzet naar caféterras, waar alle vrienden van Mark ook al stonden te roepen en te zwaaien. Wat was er toch? Toen zag ik dat Mark panisch kwam aanrennen uit de richting van het café. 'Bridget!' riep hij zodra hij binnen gehoorbereik was. 'Je bent vergeten je ski's aan te doen.'

'Rund,' brulde Nigel toen we het café weer binnenkwamen. 'Zoiets stoms heb ik in geen jaren meegemaakt.'

'Zal ik even bij haar blijven?' vroeg Rebecca aan Mark, één en al onschuldige bezorgdheid – alsof ik een lastige peuter was. 'Dan kun jij voor het eten nog even lekker skiën.'

'Nee, nee hoor, dat hoeft niet,' zei hij, maar ik zag aan zijn gezicht dat hij dolgraag nog een afdaling wilde maken, en ik wilde ook dat hij ging, want hij is gek op skiën. Maar de gedachte aan een skiles van die vreselijke Rebecca was meer dan ik kon verdragen.

'Ik wou eigenlijk even uitrusten,' zei ik. 'Ik neem een warme chocola om een beetje tot mezelf te komen.'

De chocola in dat café was fantastisch, het leek wel een enorme bak warme chocoladesaus, en dat was maar goed ook, want dat leidde me even af van de aanblik van Mark en Rebecca samen in de stoeltjeslift. Zag hoe ze helemaal speels en vrolijk werd en zijn arm aanraakte.

Ten slotte zag ik ze weer, pijlsnel omlaagzoevend als een sneeuwkoning met zijn sneeuwkoningin – hij in het zwart, zij in het wit – ze zagen eruit als zo'n stel yuppen in een brochure voor een duur, hip chalet, waarbij wordt gesuggereerd dat je daar niet alleen acht zwarte pistes, 400 skiliften en halfpension maar ook geweldige seks kunt verwachten, zoals die twee straks.

'Wat is dat toch een kick,' zei Rebecca, die haar skibril omhoogschoof en Mark toelachte. 'Zeg, hebben jullie zin om vanavond met ons te gaan eten? We gaan fondue eten, op de berg, en dan skiën we in het donker met fakkels terug – ja, sorry Bridget, jij zou dan met de kabelbaan terug moeten.'

'Nee,' zei Mark abrupt. 'Ik was er niet op Valentijnsdag, dus Bridget heeft nog een etentje van me tegoed.'

Het leuke van Rebecca is dat ze zich altijd een onderdeel van een seconde in de kaart laat kijken door een verschrikkelijk pissig gezicht te trekken.

'Oké jongens, tuurlijk, veel plezier,' zei ze met een snelle tandpastaglimlach, zette haar skibril weer op en skiede zwierig omlaag naar het stadje.

'Wanneer heb je haar dan gesproken?' vroeg ik. 'Wanneer stelde ze Courchevel voor?'

Hij fronste zijn wenkbrauwen. 'Zij was ook in New York.'

Ik werd duizelig en liet een skistok vallen. Mark begon te lachen, raapte hem op en knuffelde me.

'Kijk niet zo,' zei hij tegen mijn wang. 'Ze was daar met een heel stel mensen, ik heb haar maar tien minuten gesproken. Ik zei dat ik iets leuks wilde doen om het goed te maken dat ik op Valentijnsdag weg was, en toen stelde zij dit voor.'

Ik liet een onduidelijk geluidje ontsnappen.

'Bridget,' zei hij, 'ik hou van je.'

ZONDAG 16 FEBRUARI

Gewicht: kan me niet schelen (er is hier trouwens geen weegschaal), aantal keren dat ik sublieme IHVJ-moment in hoofd opnieuw heb afgespeeld: exorbitant astronomisch vaak.

Ben zo gelukkig. Helemaal niet kwaad vanwege Rebecca maar genereus en vergevensgezind. Ze is eigenlijk best aardig, voor een wandelende tak/aanstellerige trut. Mark en ik hebben ontzettend gezellig gegeten, vreselijk gelachen en steeds gezegd dat we elkaar zo hebben gemist. Heb hem een cadeautje gege-

83

ven, een sleutelhanger van Newcastle United en een Newcastle Unitedboxer, die hij echt leuk vond. Zijn Valentijnscadeautje aan mij was een roodzijden nachthemdje, een beetje aan de krappe kant, maar dat leek hij niet erg te vinden, integendeel eerlijk gezegd. En na afloop vertelde hij ook wat er allemaal in New York op werkgebied was gebeurd, ik gaf mijn mening en hij vond mijn commentaar heel geruststellend en 'uniek'!

P.S. Dit mag niemand lezen, want het is nogal gênant. Was zo opgetogen dat hij nu al IHVJ had gezegd dat ik in vlaag van verstandsverbijstering Jude en Shaz heb gebeld en het verhaal op hun antwoordapparaat heb ingesproken. Zie nu wel in hoe oppervlakkig en dom dat was.

MAANDAG 17 FEBRUARI

59,3 kilo (bèèèh! bèèèh! al die chocolademelk), alcohol: 4 eenheden (maar met vliegreis meegeteld dus z.g.), sigaretten: 12, pijnlijke neokolonialistische acties van moeder: 1 hele erge.

Minivakantie was fantastisch, afgezien van Rebecca, maar vanmorgen op Heathrow ben ik nogal geschrokken. Stonden net in aankomsthal naar bordje 'taxi's' uit te kijken toen ik stem hoorde: 'Maar schat! Je had me niet hoeven afhalen, gekkerd. Geoffrey en papa staan al buiten te wachten. We willen alleen nog even een cadeautje voor papa kopen. Kom eens mee, dan stel ik je voor aan Wellington!'

Het was mijn moeder, helemaal oranje van de zon, met haar haar in Bo Derekvlechtjes met kraaltjes onderaan en gehuld in een zeer ruime oranje gebatikte Winnie Mandelaoutfit.

'Ja, je denkt vast dat hij Masai is, maar hij is Kikuyu! Kikuyu! Stel je voor!'

Ik volgde haar blik naar de plek waar Una Alconbury, eveneens oranje verbrand en van top tot teen in het batik gestoken, maar met haar leesbril op en een groenleren handtas met een grote gouden sluiting in haar hand en haar portemonnee in de aanslag bij de toonbank van de Sock Shop stond. Ze stond verrukt omhoog te kijken naar een boomlange zwarte jongeman met gigantische oorlellen, door één waarvan hij een filmrolletje droeg, en een felblauwe geruite schoudermantel.

'*Hakuna Matata. Don't worry, be happy*! Dat is Swahili. Geweldig hè? Una en ik hebben het fantastisch gehad en Wellington komt logeren! Hallo Mark,' zei ze plichtmatig, alsof hij haar nu pas opviel. 'Loop even mee, schat, dan kun je *Jambo* tegen Wellington zeggen!'

'Hou je kop, ma, hou je kop,' siste ik uit mijn mondhoek terwijl ik zenuwachtig om me heen keek. 'Je kunt toch niet zomaar een Afrikaan te logeren vragen. Dat is ontzettend neokolonialistisch en pa is nog maar net over Julio heen.'

'Wellington,' zei mijn moeder terwijl ze zich in haar volle lengte verhief, 'is niet zomaar een Afrikaan. Nou ja, hij is natuurlijk wel een Afrikaan, schat, een echte Afrikaan! Dat wil zeggen, hij woont in een hut van gedroogde mest! Maar hij wilde zelf mee! Hij wil een wereldreis maken, net als Una en ik!'

In de taxi naar huis was Mark wat zwijgzaam. Verdomme, die ma ook. Had ik maar een gewone moeder, net als iedereen, zo'n moeder met grijs haar die van die lekkere hachee maakt.

Goed, zal pa maar even bellen.

9.00 Pa heeft zich teruggetrokken in zijn ergst denkbare typisch Engelse emotionele blokkade en klonk weer volslagen dronken.

'Hoe gaat het nou?' waagde ik toen ik eindelijk mijn opgewonden moeder had kunnen bewegen hem aan de telefoon te roepen.

'O, best, prima hoor. Zoeloekrijgers in de rotstuin. En de sleutelbloemen komen al op. En met jou, ook alles goed?'

O god, ik weet niet of hij al die gekte wel weer aankan. Heb gezegd dat hij me altijd mag bellen, maar dat valt niet mee als hij zich zo groot loopt te houden.

DINSDAG 18 FEBRUARI

59 kilo (noodtoestand), sigaretten: 13, masochistische fantasieën dat Mark verliefd is op Rebecca: 42.

19.00 Toestanden. Nachtmerrieachtige werkdag achter de rug, net haastig thuisgekomen, (Shaz heeft om onbegrijpelijke redenen besloten dat ze gek is op voetbal, dus nu gaan Jude en ik naar haar toe om te kijken hoe de Duitsers de Turken verslaan, of de Belgen of wie het ook zijn) twee berichten op antwoordapparaat, geen van beide van pa.

Eerst Tom, die zei dat zijn vriend Adam van de *Independent* zegt dat hij me best een interview wil laten doen, als ik maar een echt beroemd iemand kan vinden en geen geld vraag.

Maar zo gaat dat toch niet bij een krant? Hoe kan iedereen daar dan zijn hypotheek en zijn drankprobleem bekostigen?

Toen een boodschap van Mark. Zei dat hij vanavond met Amnesty en de Indonesiërs de stad in moest en of hij me bij Shazzer kon bellen voor een verslag van de wedstrijd. Toen viel er een soort stilte, waarna hij zei: 'O, en eh, Rebecca heeft ons en de hele "troep" volgend weekend uitgenodigd voor een groot feest bij haar ouders in Gloucestershire. Wat vind jij ervan? Ik bel je straks.'

Ik weet precies wat ik daarvan vind. Ik vind dat ik liever bij pa en ma in de rotstuin in een gat in de grond kruip om het hele weekend gezellig bij de wormen te zitten dan dat ik naar dat feest bij Rebecca ga en dat geflirt met Mark moet aanzien. Ik bedoel, waarom belt ze mij niet als ze ons wil uitnodigen?

Noemenitis. Een typisch geval van Noemenitis. Geen twijfel mogelijk. Telefoon. Is vast Mark. Wat moet ik nou zeggen?

'Bridget, neem op, leg neer, leg neer. LEG NEER!'

Verward neem ik op. 'Magda?'

'O, Bridget! Hoi! Lekker geskied?'

'Geweldig, maar...' Vertelde haar het hele verhaal over Rebecca en New York en het feest. 'Ik weet niet of ik nu moet gaan of niet.'

'Natuurlijk moet je gaan, Bridge,' zei Magda. 'Als Mark iets met Rebecca wilde, dan had hij nu heus wel iets met Rebecca, je zegt gewoon – kom eraf, kom eraf, Harry, kom van de rug van die stoel af of mama geeft je een tik. Jullie zijn totaal verschillend.'

'Hmmm. Weet je, ik gelóóf dat Jude en Shazzer zouden zeggen...'

Jeremy nam de telefoon over. 'Zeg Bridge, als je naar de relatieadviezen van Jude en Shazzer gaat luisteren, kun je net zo goed advies aannemen van een diëtiste die zelf tweehonderd kilo weegt.'

'Jeremy!' bulderde Magda. 'Hij speelt gewoon voor advocaat van de duivel, Bridget. Niet naar luisteren. Elke vrouw heeft haar eigen aura. Hij heeft jou gekozen. Gewoon meegaan, er prachtig uitzien en haar goed in de gaten houden. Neee! Niet op de grond!'

Ze heeft gelijk. Zal me als zelfverzekerde, ontvankelijke, invoelende vrouw met inhoud op dat feest geweldig amuseren en gewoon mijn aura uitstralen. Hoera! Ga pa even bellen en dan naar voetballen kijken.

0.00 Weer thuis. Buiten in de vrieskou was de zelfverzekerde volwassen vrouw al snel verdampt tot een onzeker mens. Moest langs gemeentewerkers die bij fel licht aan de gasleiding bezig waren. Had heel kort jasje en laarzen aan dus zette me al schrap voor gefluit en pijnlijke opmerkingen en voelde me compleet voor gek staan toen die niet kwamen.

Moest denken aan die keer toen ik vijftien was en door een stil straatje naar de stad liep en gevolgd werd door een man die me op gegeven moment bij mijn arm pakte. Draaide me om teneinde belager geschrokken aan te kijken. Was toen heel dun & had strakke spijkerbroek aan. Droeg echter ook vlinderbril en beugel. Man wierp één blik op mijn gezicht en rende toen weg.

Bij aankomst Jude en Sharon gevoelens meegedeeld aangaande de werklui.

'Precies, daar gaat het om, Bridget,' explodeerde Shazzer. 'Die mannen behandelen vrouwen als objecten, alsof het bij vrouwen alleen om lichamelijke aantrekkelijkheid gaat.'

'Maar dat deden zij nou juist niet,' zei Jude.

'Ja, en daarom is het allemaal ook zo kwalijk. Nou, vooruit, we zaten toch naar de wedstrijd te kijken?'

'Mmm. Ze hebben wel lekkere gespierde dijen, hè?' zei Jude.

'Mmm,' zei ik instemmend en vroeg me ondertussen af of Shaz kwaad zou worden als ik tijdens de wedstrijd over Rebecca begon.

'Ik heb eens iemand gekend die een keer met een Turk naar

bed is geweest,' zei Jude. 'En die had zo'n grote dat hij met niemand naar bed kon.'

'Wat? En je zegt net dat zij met hem naar bed is geweest,' zei Shazzer met één oog op de tv.

'Ja, ze is wel met hem naar bed geweest, maar ze hebben het niet gedaan,' legde Jude uit.

'Dat ging niet omdat zijn dinges te groot was,' bevestigde ik Judes anekdote. 'Wat vreselijk. Zou het nationaliteitsgebonden zijn? Ik bedoel, denk je dat de Turken...?'

'Kop dicht, kijken,' zei Shazzer.

Even waren we allemaal stil en dachten aan al die penissen, keurig weggestopt in hun shorts, en aan alle wedstrijden van al die verschillende nationaliteiten in het verleden. Stond net op het punt iets te zeggen toen Jude, die om onnaspeurlijke redenen nogal op dat onderwerp gefixeerd leek, plotseling piepte: 'Wat moet het raar zijn om een pik te hebben.'

'Ja,' stemde ik in, 'heel raar, zo'n actief onderdeel. Als ik zoiets had, zou ik er de hele tijd aan lopen denken.'

'Ja, je zou de hele tijd benieuwd zijn wat hij nu weer zou gaan doen,' zei Jude.

'Ja, precies,' beaamde ik. 'Misschien kreeg je wel plotseling een gigantische erectie, midden onder een voetbalwedstrijd.'

'Hè jezus, jongens!' riep Sharon.

'Ja, ja, rustig maar,' zei Jude. 'Bridge, is er iets? Je lijkt een beetje terneergeslagen.'

Ik wierp een zenuwachtige blik op Shaz en besloot toen dat dit te belangrijk was om te laten liggen. Ik schraapte mijn keel om de aandacht te trekken en deelde toen mee: 'Rebecca heeft Mark opgebeld om ons uit te nodigen voor een logeerpartijtje, dit weekend.'

'Wáaát? barstten Jude en Shaz simultaan uit.

Was erg blij dat de ernst van de situatie ten volle tot ze doordrong. Jude stond op om de bonbons te pakken en Shaz haalde nog een fles uit de ijskast.

'Waar het om gaat,' vatte Sharon samen, 'is dat we Rebecca nu al vier jaar kennen. Maar heeft ze in al die tijd ooit een van ons uitgenodigd voor zo'n duur logeerfeestje bij haar thuis?'

'Nee.' Ik schudde plechtig het hoofd.

'Waar het om gaat,' zei Jude, 'is: wat gaat hij doen als jij niet meegaat? Je kunt het niet zover laten komen dat Rebecca hem in haar klauwen krijgt. En bovendien moet een man in zijn positie ook een partner hebben aan wie hij in sociaal opzicht iets heeft.'

'Hmmf,' snoof Shazzer. 'Dat is achterhaald gelul. Als Bridget zegt dat ze geen zin heeft en hij gaat er alleen heen en krijgt iets met Rebecca, dan is hij gewoon een tweederangs oplichter die je kunt missen als kiespijn. Een partner aan wie hij in sociaal opzicht iets heeft – hou toch op. We leven niet meer in de jaren vijftig. Ze loopt niet in een puntbeha de hele dag het huis te poetsen om dan 's avonds een goede gastvrouw voor zijn collega's te zijn, als zo'n *Stepford wife*. Je zegt gewoon dat je best weet dat Rebecca hem probeert te versieren en dat je daarom geen zin hebt.'

'Maar dan voelt hij zich gevleid,' zei Jude. 'Mannen vinden niets aantrekkelijker dan vrouwen die verliefd op ze zijn.'

'Wie zegt dat?' vroeg Shaz.

'De barones in *The Sound of Music*,' zei Jude schaapachtig.

Tegen de tijd dat we ons weer op de wedstrijd wilden gaan concentreren, bleek die helaas afgelopen te zijn.

Toen belde Mark.

'En?' vroeg hij gespannen.

'Eh...' zei ik en maakte wilde gebaren naar Jude en Shazzer, die uitdrukkingsloos terugkeken.

'Je hebt toch wel gekeken?'

'Ja, natuurlijk. O, *wat zijn die moffen stil, o, wat zijn...*' zong ik, want ik herinnerde me vaag dat dat iets met een wedstrijd tegen Duitsland te maken had.

'Waarom weet je dan niet hoe het is afgelopen? Ik geloof je niet.'

'Ja, maar we...'

'Wat?'

'We hebben zitten praten,' besloot ik lamlendig.

'O god.' Er viel een lange stilte. 'Ga je trouwens mee naar dat feest van Rebecca?'

Ik keek paniekerig van Jude naar Shaz. Eén ja. Eén nee. En een ja van Magda.

'Ja,' zei ik.

'O, fijn. Het wordt heel leuk, denk ik. Ze zei dat we een bad-pak moesten meenemen.'

Een badpak! O, nee. O, nee hè.

Op weg naar huis zag ik dezelfde werklui straalbezopen uit pub komen. Stak neus in lucht en besloot dat het me niets kon schelen of ze floten of niet, maar toen ik langsliep steeg er een enorm waarderend gebrul op. Wilde net lekker vernietigend omkijken, maar zag toen dat ze allemaal de andere kant opke-ken en dat er één een baksteen door de ruit van een Volkswa-gen had gegooid.

ZATERDAG 22 FEBRUARI

58,3 kilo (verschrikkelijk), alcohol: 3 eenheden (keurig), sigaretten: 2 (jaja), aantal calorieën: 10.000 (waarschijnlijk, verdenk Rebecca van sabotage), hondenneuzen onder rok: 1 (voortdurend).

Gloucestershire. Het 'buitenhuisje' van Rebecca's ouders blijkt te zijn voorzien van stallen, bijgebouwen, een zwembad, een complete staf personeel en een eigen kerk in de 'tuin'. Toen we over het grind kwamen aanknerpen, was Rebecca – haar gespij-kerbroekte kontje leek wel uit twee biljartballen te bestaan, net als op die reclamefoto van Ralph Lauren – te midden van een vloot Saabs en BMW Cabrio's met een hond aan het spelen, ter-wijl er plekjes zonlicht in heur haar dansten.

'Emma! Af! Hallo!' riep ze, waarop hond wegstoof en neus vastberaden onder mijn jas stak.

'Mwah, kom mee iets drinken,' verwelkomde ze Mark terwijl ik met de hondenkop worstelde.

Mark redde me door te roepen: 'Emma! Hier!' en de stok weg te gooien, die de hond kwispelend apporteerde.

'O, ze vindt je zo leuk, hè schat? Já, hè? Já? Já? Já?' koerde Re-becca terwijl ze de hond over zijn bol aaide alsof het haar en Marks eerstgeboren kindje was.

Mijn mobiele ging. Probeerde het te negeren.

'Dat ben jij geloof ik, Bridget,' zei Mark.

Ik haalde de telefoon te voorschijn en drukte op de knop.

'O dag schat, moet je horen!'

'Ma, waarom bel je me in vredesnaam op mijn mobiele?' siste ik en zag hoe Rebecca Mark meenam.

'We gaan volgende week vrijdag allemaal naar *Miss Saigon*! Una en Geoffrey en papa en ik en Wellington. Hij is nog nooit naar een musical geweest. Een Kikuyu bij *Miss Saigon*. Leuk hè? En we hebben ook kaartjes voor jou en Mark, dan kunnen jullie mee!'

Bèèèh! Musicals. Rare mannen die wijdbeens liedjes voor zich uit staan te galmen.

Tegen de tijd dat ik eindelijk bij het huis was, bleken Mark en Rebecca verdwenen en was er niemand meer behalve de hond, die zijn neus weer onder mijn jas stak.

16.00 Net terug van wandeling door 'tuin'. Rebecca zorgde telkens dat ik met allerlei mannen in gesprek kwam en nam Mark dan mee, kilometers voor alle anderen uit. Bleef tenslotte naast Rebecca's neef lopen: een sub-Leonardo DiCaprio *lookalike* die er in zijn armoedig ogende jas opgejaagd uitzag en door iedereen werd aangeduid als 'die zoon van Johnny'.

'Ik heb ook nog een naam, hoor,' mopperde hij.

'Ga wèèèg!' imiteerde ik Rebecca. 'Hoe heet je dan?'

Hij zweeg even gegeneerd. 'St John.'

'Ach,' zei ik meelevend.

Hij lachte en bood me een sigaret aan.

'Beter van niet,' zei ik met een knikje in de richting van Mark. 'Is dat je vriend of je vader?'

Hij trok me mee het pad af, naar een vijvertje, waar hij een sigaret voor me aanstak.

Was heel leuk, stiekem roken en ondeugend giechelen. 'We moesten maar weer eens terug,' zei ik terwijl ik de sigaret uittrapte met mijn kaplaars.

De anderen waren al kilometers verderop, dus we moesten rennen: jong, wild en vrij, zoals in spotje van Calvin Klein. Toen we Mark inhaalden, sloeg hij zijn armen om me heen. 'Wat heb jij uitgevoerd?' zei hij in mijn haar. 'Gerookt, stoute meid?'

'Ik heb in geen vijf jaar een sigaret gerookt!' kwinkeleerde Rebecca.

19.00 Mmm. Mmm. Mark werd net voor het eten opeens ontzettend geil. Mmmmm.

0.00 Rebecca zette me aan tafel ostentatief naast 'die zoon van Johnny' – 'Jullie kunnen zóóóó goed met elkaar opschieten!!' – en zichzelf naast Mark.

Ze zagen er in smoking samen perfect uit. In smoking! Zoals Jude al zei was het er allemaal om begonnen dat Rebecca haar figuur kon showen in vrijetijds- en avondkleding, zoals bij de Miss Worldverkiezingen. En ja hoor, precies op het juiste moment ging ze van: 'Zullen we nu ons badpak gaan aantrekken?' en trippelde weg om zich te gaan verkleden en enkele ogenblikken later in een onberispelijk gesneden zwart badpak weer te verschijnen, met benen tot aan het plafond.

'Mark,' zei ze, 'kun jij me even helpen? Het zeil moet van het zwembad af.'

Mark keek bezorgd naar mij.

'Ja, natuurlijk,' zei hij schutterig en liep achter haar aan.

'Ga jij ook zwemmen?' vroeg de snotneus.

'Ach,' begon ik, 'je moet niet denken dat ik geen fitte, energieke sportvrouw ben, maar om elf uur 's avonds, na een vijfgangendiner, denk ik niet in de eerste plaats aan zwemmen.'

We bleven nog wat babbelen, tot het me opviel dat de laatsten van onze disgenoten de kamer uit liepen.

'Zullen we koffie gaan drinken?' stelde ik voor en stond op.

'Bridget.' Plotseling stortte hij zich wankel op me en probeerde me te kussen. Op dat moment vloog de deur open. Het waren Rebecca en Mark.

'Oeps! Sorry!' zei Rebecca en deed de deur weer dicht.

'Zeg, wat is de bedoeling?' siste ik vol afgrijzen tegen de snotneus.

'Maar... Rebecca zei dat je mij zo leuk vond, en, en...'

'En?'

'En ze zei dat jij en Mark op het punt stonden uit elkaar te gaan.'

Ik moest me aan de tafel vastgrijpen. 'Van wie had ze dat dan gehoord?'

'Ze zei...' hij keek zo berouwvol dat ik medelijden met hem kreeg – 'van Mark, zei ze.'

ZONDAG 23 FEBRUARI

90 kilo (waarschijnlijk), alcohol: 3 eenheden (na middernacht, en het is pas 7 uur 's ochtends), sigaretten: 100.000 (zo voelt het tenminste), calorieën: 3275, positieve gedachten: 0, vriendjes: 1 (maar dat is helemaal niet zeker).

Toen ik terug op kamer kwam, zat Mark in bad, dus ging ik in mijn nachthemd mijn verdediging zitten voorbereiden.

'Het was niet wat je dacht,' zei ik bijzonder origineel toen hij te voorschijn kwam.

'O nee?' zei hij, met een glas whisky in zijn hand. Hij begon te ijsberen op zo'n advocatenmanier, slechts gekleed in een handdoek. Daar kreeg ik de zenuwen van, al was het wel ongelooflijk sexy. 'Zat er een knikker in je keel?' vroeg hij. 'En is "Sinjun" niet zoals iedereen denkt een veel te rijke puberale nietsnut, maar een eersteklas KNO-arts, en probeerde hij die knikker met zijn tong eruit te halen?'

'Nee,' zei ik ernstig en bedachtzaam. 'Zo zat het ook niet.'

'Had je dan soms last van hyperventilatie? En was "Sinjun" erin geslaagd de grondregels van de EHBO in zijn door wiet aangetaste brein te stampen – misschien van een poster in een van de vele afkickcentra die hij in zijn korte, maar verder weinig avontuurlijke bestaan heeft bezocht – en probeerde hij je te beademen? Of zag hij je gewoon aan voor een lekker stuk "skunk" en was hij niet in staat...'

Ik begon te lachen. Toen begon hij ook te lachen, we begonnen te zoenen en van het een kwam het ander en na afloop vielen we in elkaars armen in slaap.

De volgende ochtend werd ik helemaal rozig wakker in de veronderstelling dat alles in orde was, maar keek toen op en zag dat hij al aangekleed was en begreep dat er helemaal niets in orde was.

'Ik kan het uitleggen,' zei ik en ging dramatisch rechtop zitten. Even keken we elkaar aan en begonnen weer te lachen. Maar toen werd hij serieus.

'Ik luister.'

'Het kwam door Rebecca,' zei ik. 'St John zei dat Rebecca had gezegd dat ik had gezegd dat ik hem zo leuk vond en...'

'En jij geloofde die verbijsterende opsomming van via-via's?'

'En dat jij tegen haar had gezegd dat we...'

'Ja?'

'Op het punt stonden uit elkaar te gaan.'

Mark ging zitten en begon heel langzaam met zijn vingers over zijn voorhoofd te wrijven.

'Was dat waar?' fluisterde ik. 'Heb je dat tegen Rebecca gezegd?'

'Nee,' zei hij na een lange stilte. 'Dat heb ik niet tegen Rebecca gezegd, maar...'

Ik durfde hem niet aan te kijken.

'Maar misschien moeten we...'

Het leek donkerder te worden in de kamer. Dat vind ik nou zo vreselijk van dat relatiegedoe. Het ene moment sta je elkaar nader dan wie ook, het volgende moment hoeven ze maar iets te zeggen over 'elkaar wat minder vaak zien', 'eens ernstig met je praten' of 'misschien zou je...' en je ziet elkaar nooit meer en voert het eerstkomende halfjaar van die denkbeeldige gesprekken waarbij ze je smeken terug te komen en je begint al te huilen als je hun tandenborstel in huis tegenkomt.

'Wou je dan uit elkaar...?'

Er werd op de deur geklopt. Was Rebecca, stralend in oudroze kasjmier. 'Komen jullie nog ontbijten, jongens?' koerde ze en ging niet meer weg.

Zat ten slotte met ongewassen piekhaar aan het ontbijt terwijl Rebecca haar glanzende manen liet dansen en *kedgeree* serveerde.

Op weg naar huis zaten we zwijgend in de auto terwijl ik me geweld aan moest doen om niet te laten merken hoe ik me voelde en om geen verkeerde dingen te zeggen. Weet uit eigen ervaring hoe vreselijk het is als je iemand ervan probeert te overtuigen dat het geen goed idee is om uit elkaar te gaan terwijl die ander zijn besluit al heeft genomen, en dan denk je terug aan de dingen die je hebt gezegd. En dan voel je je zó belachelijk.

'Niet doen!' wilde ik roepen toen we bij mij voor de deur stopten. 'Ze probeert je van me af te pakken, ze heeft het allemaal voorgekookt. Ik heb St John niet gekust. Ik hou van je.'

'Nou, tot ziens dan,' zei ik waardig en dwong mezelf uit te stappen.

'Tot ziens,' mompelde hij zonder me aan te kijken.

Keek hoe hij snel en met piepende banden keerde. Toen hij wegreed, zag ik dat hij nijdig over zijn wang wreef, alsof hij iets wilde afvegen.

4

PERSUASION

100 kilo (combinatie van eigen gewicht en gewicht van ellende),
alcohol: 1 eenheid – d.w.z. ikzelf, sigaretten: 200.000, aantal calorieën:
8477 (chocola niet meegeteld), aantal theorieën over wat er aan de
hand is: 447, aantal keren dat ik van mening ben veranderd over wat
ik nu moet doen: 448.

3.00 Weet niet wat ik gisteren zonder de meiden had moeten
beginnen. Heb ze meteen gebeld toen Mark was weggereden
en ze waren er binnen een kwartier en zeiden niet één keer 'wat
heb ik je gezegd'.

Toen Shazzer binnen kwam stormen met armen vol flessen
en boodschappentassen en blafte: 'Heeft hij gebeld?' leek het
wel ER op het moment dat dokter Greene binnenkomt.

'Nee,' zei Jude terwijl ze een sigaret in mijn mond stak alsof
het een thermometer was.

'Kwestie van tijd,' zei Shaz opgewekt en pakte een fles witte
wijn uit, drie pizza's, twee bakken Häagen-Dasz Pralines &
Cream en een zak mini-Twixen.

'Yup,' zei Jude en legde de band van *Pride and Prejudice* op de
video, samen met *Zelfrespect door liefde en verlies,* het werk-
boek bij *Een goede relatie in vijf stappen* en *Haat Helpt: gene-*
zing bij pijn. 'Hij komt wel weer terug.'

'Vind je dat ik hem moet bellen?' vroeg ik.

'Nee!' riep Shaz.

'Ben je nou gek geworden?' brulde Jude. 'Hij komt van Mars,
hij is een elastiekje. Bellen is wel het laatste wat je moet doen.'

'Weet ik,' zei ik hooghartig. Ze denkt toch zeker niet dat ik
mijn klassieken niet ken.

'Je láát hem teruggaan naar zijn hol om te voelen hoe jij hem
aantrekt, en dan val je terug van Exclusiviteit naar Onzekerheid.'

'Maar als hij nou...?'

'Trek de stekker er maar uit, Shaz,' zuchtte Jude. 'Anders zit ze de hele nacht te wachten tot hij belt in plaats van aan haar zelfrespect te werken.'

'Neeee!' riep ik alsof ze had voorgesteld mijn oor eraf te snijden.

'Nou, hoe dan ook,' zei Shaz zonnig terwijl ze de stekker van de telefoon met een klikje uit het contact trok, 'het zal hem goed doen.'

Twee uur later was ik totaal in de war.

'"Hoe meer een man op een vrouw gesteld is, hoe meer hij zijn best zal doen om niet te betrokken te raken"!' las Jude triomfantelijk voor uit *Mars, Venus en hun relatie*.

'Dat klinkt echt als mannenlogica!' zei Shaz.

'Dus als hij me laat zitten, zou dat juist een teken kunnen zijn dat hij onze relatie echt serieus neemt?' vroeg ik opgewonden.

'Wacht even.' Jude tuurde in *Emotionele intelligentie*. 'Bedroog zijn vrouw hem?'

'Ja,' mompelde ik met een mond vol Twix. 'Toen ze net een week getrouwd waren. Met Daniel.'

'Hmmm. Ik kreeg namelijk de indruk dat hij óók een Emotionele Blackout had, waarschijnlijk door een vroeger emotioneel trauma waar jij hem per ongeluk weer aan herinnerde. Natuurlijk! Natuurlijk! Dat is het! Daarom deed hij zo overdreven toen hij jou met die jongen zag zoenen. Dus maak je geen zorgen, zodra dat trauma zijn hele zenuwstelsel niet meer in de war stuurt, beseft hij wel dat hij zich heeft vergist.'

'En dat hij met iemand anders uit moet omdat hij zo gek op jou is!' zei Sharon terwijl ze monter een Silk Cut opstak.

'Hou je kop, Shaz,' siste Jude. 'Hou je kop.'

Maar het was al te laat. De schim van Rebecca doemde op en vulde de hele kamer als een opblaasbaar monster.

'O, o, o,' zei ik en sloeg mijn ogen ten hemel.

'Vlug, geef haar wat te drinken, geef haar wat te drinken,' riep Jude.

'Ach, sorry, sorry. Zet *Pride and Prejudice* maar aan,' brabbelde Shaz terwijl ze onverdunde cognac in mijn mond goot. 'Zoek dat stukje met dat natte hemd op. Zullen we de pizza's opwarmen?'

Het deed een beetje aan kerstmis denken, of aan het soort situatie als er iemand is overleden en je door de begrafenis en al het gedoe eromheen zo wordt afgeleid dat je het verlies niet voelt. Pas als het leven weer gewoon doorgaat, maar dan zonder de overledene, slaat de ellende toe. Zoals nu bijvoorbeeld.

19.00 Wilde blijdschap! Zag bij thuiskomst het lampje van het antwoordapparaat knipperen.

'Bridget, hoi, met Mark. Ik weet niet waar je gisteravond zat, maar ik meld me maar even. Ik probeer het straks nog wel een keer.'

Probeert het straks nog wel een keer. Hmmm. Dat betekent waarschijnlijk dat ik hem niet moet bellen.

19.13 Hij heeft niet meer gebeld. Weet niet precies wat nu de juiste handelwijze is. Zal Shaz maar even bellen.

Alsof het allemaal nog niet erg genoeg was, staat mijn haar nu ook nog alle kanten uit, alsof het met me meevoelt. Eigenaardig toch, dat je haar zich wekenlang normaal gedraagt en dan plotseling in een tijd van vijf minuten krankzinnig wordt en laat weten dat het geknipt moet worden, net als een baby die begint te krijsen omdat het voedingstijd is.

19.30 Heb Shaz gebeld, haar zijn bericht laten horen en gevraagd: 'Moet ik hem nou terugbellen?'

'Nee! Laat hem maar even lijden. Als hij je eerst dumpt en zich dan weer bedenkt, moet hij eerst maar eens bewijzen dat hij je wel verdient.'

Shaz heeft gelijk. Ik ben wat Mark Darcy betreft in zeer assertieve stemming.

20.35 Hoewel, aan de andere kant. Misschien is hij verdrietig. Ik vind het een naar idee dat hij in zijn Newcastle United-T-shirt verdrietig zit te zijn. Misschien moet ik hem even bellen om alles uit te praten.

20.50 Stond net op het punt Mark te bellen en eruit te flappen hoe dol ik op hem ben en dat het een grote reeks misverstanden was, maar gelukkig belde Jude voordat ik de kans kreeg de telefoon te pakken. Vertelde haar van de kortstondige, maar zorgelijk positieve stemming.

'Wou je zeggen dat je weer aan het ontkennen was?'

'Ja,' zei ik onzeker. 'Zal ik hem misschien morgen bellen?'

'Nee, als je het weer goed wilt maken, moet je niet alles bederven met een scène. Wacht dus liever vier, vijf dagen tot je weer wat tot jezelf bent gekomen, en ja, dán kun je hem best heel luchtig en vriendelijk bellen om hem te laten weten dat alles oké is.'

23.00 Hij heeft niet meer gebeld. Kut. Weet het echt niet meer. Dat hele dating-circuit is één groot afschuwelijk blufcircus, waarbij mannen en vrouwen elkaar van achter stapels zandzakken beschieten. Het lijkt wel alsof er een reglement is waar je je aan hoort te houden, maar niemand weet wat daarin staat, dus stelt iedereen zijn eigen regels maar op. En uiteindelijk word je dan gedumpt omdat je je niet precies aan het reglement hebt gehouden, maar hoe had je dat gekund als je het helemaal niet kent?

DINSDAG 25 FEBRUARI

Aantal keren dat ik langs huis Mark Darcy ben gereden om te zien of er licht brandde: 2 (of 4 als je de terugweg meetelt). Aantal keren 141 gedraaid (zodat hij mijn nummer niet kan traceren als hij 1471 belt) en daarna zijn antwoordapparaat gebeld om stem te horen: 5 (kwalijk) (maar geen boodschap ingesproken – z.g.). Aantal keren dat ik Mark Darcy's nummer in telefoonboek heb opgezocht om mezelf te bewijzen dat hij nog bestaat: 2 (z. besch.), percentage uitgaande gesprekken op mobiele om lijn vrij te houden voor als hij belt: 100. Percentage bellers die woede en ergernis wekten omdat ze Mark Darcy niet waren – tenzij ze belden om het over Mark Darcy te hebben – en die werden verzocht om het kort te houden voor het geval dat er een gesprek van Mark Darcy binnenkwam: 100.

20.00   Magda belde net om te vragen hoe het weekend was verlopen. Heb ten slotte het hele verhaal eruitgegooid.

'Zeg luister, als je het nog één keer van hem afpakt, zet ik je in de hoek! Harry! Sorry, Bridge. En, wat vond hij ervan?'

'Ik heb hem niet meer gesproken.'

'Wat? Waarom niet?'

Vertelde over boodschap op antwoordapparaat en de hele theorie over het elastiekje/het emotionele trauma/dat hij te dol op me is.

'Bridget, jij bent echt niet te geloven. Uit dat hele verhaal blijkt echt nergens dat hij je gedumpt heeft. Hij was alleen uit zijn humeur omdat hij je met iemand anders zag zoenen.'

'Maar ik wás niet met iemand anders aan het zoenen. Dat overkwam me gewoon, dat wilde ik helemaal niet!'

'Hij kan toch geen gedachten lezen? Hoe moet hij nou weten wat jij voelt? Je moet communiceren. Haal dat uit zijn mond! Ga jij maar eens mee. Wij gaan naar boven, jij gaat in de hoek!'

20.45   Misschien heeft Magda gelijk. Misschien dácht ik alleen maar dat hij me wilde dumpen en bedoelde hij het helemaal niet zo. Misschien was hij in de auto gewoon wat ontstemd over die zoentoestand en wilde hij dat ík iets zei, en denkt hij nu dat ik hem ontloop!! Ik ga hem bellen. Dat is het hele probleem met moderne (of ex-) relaties, er wordt te weinig gecommunicéérd.

21.00   Ja. Dat ga ik doen.

21.01   Vooruit.

21.10   Mark Darcy neemt op en blaft: 'Já?' op een ongelooflijk ongeduldige toon en ik hoor allemaal lawaai op de achtergrond.

Uit het veld geslagen fluisterde ik: 'Met mij, met Bridget.'

'Bridget! Ben je nou gek geworden? Weet je niet wat er aan de hand is? Twee dagen hoor ik niets van je en nu bel je midden onder de belangrijkste, cruciaalste – Neeeee! Neeeee! O, verdomme, stomme... Jezus Christus. Stomme – vlak langs de scheids. Overtreding! Je... hij krijgt de rode kaart. Hij moet eruit. O Jezus – hé, ik bel je wel als het afgelopen is.'

21.15 Ik wist natuurlijk wel dat er de een of andere Trans-Universefinale was of zoiets, was het alleen vergeten door dat emotionele getob. Kan de beste overkomen.

21.30 Hoe heb ik zo stom kunnen zijn? Nou? Nou?

21.35 O yesss – telefoon. Mark Darcy!
Was Jude. 'Wat?' zei ze. 'Hij wilde niet met je praten omdat hij naar *het voetballen zat te kijken*? Ga de deur uit. Ga nu met-een de deur uit. Zorg dat je niet thuis bent als hij belt. Hoe durft hij!'
Realiseerde me meteen dat Jude gelijk had en dat het voetbal-len niet voor zou gaan als Mark echt om me gaf. Shaz leefde nog meer met me mee.
'De enige reden dat mannen zo geobsedeerd zijn door voet-bal is dat ze niks anders aan hun hoofd hebben,' ontplofte ze. 'Als ze maar voor een bepaald elftal zijn en een hoop lawaai ma-ken, denken ze dat ze zelf zo'n wedstrijd hebben gewonnen en recht hebben op applaus en gejuich alsof ze ik weet niet wat zijn.'
'Ja. Kom jij ook naar Jude?'
'Eh, nee...'
'Waarom niet?'
'Ik zit met Simon naar de wedstrijd te kijken.'
Simon? Shazzer en Simon? Maar Simon is gewoon een vriend van ons.
'Maar je zei toch net...'
'Dat is iets anders. Ik hou gewoon van voetbal omdat het een heel interessante sport is.'
Hmm. Wilde net de deur uit gaan toen de telefoon weer ging.
'O, dag schat. Met mama. Het is zo leuk allemaal. Iedereen is weg van Wellington! We zijn met hem naar de Rotary geweest en...'
'Mam,' siste ik. 'Je kunt Wellington niet als een soort jachttro-fee overal mee naar toe slepen.'

'Zeg schat,' zei ze ijzig, 'als ik érgens een hekel aan heb is het wel aan racisme en intolerantie.'

'Wát?'

'Ja. Toen de Robertsons uit Amersham overkwamen, hebben we hen ook mee naar de Rotary genomen, maar daar zei je niets van, hè?'

Ik hapte naar adem en probeerde het web van omgekeerde logica te ontwarren.

'Jij moet altijd iedereen in een hokje plaatsen, hè, met je 'Zelfingenomen Echtelieden', en je 'Vrijstaanden', en donkere mensen en homo's. Maar goed, ik belde eigenlijk over *Miss Saigon*, aanstaande vrijdag. Het begint om halfacht.'

O Christus. 'Eh...!' begon ik paniekerig. Ik wist toch zeker dat ik geen ja had gezegd, echt helemaal zeker.

'Je gaat gewoon mee, Bridget. We hebben de kaartjes al.'

Stemde berustend in met het bizarre uitstapje en brabbelde een smoes dat Mark moest werken, waarop ze helemaal niet meer te houden was.

'Werken, ja hoor. Hoezo, op vrijdagavond werken? Vind je eigenlijk niet dat hij te hard werkt? Ik geloof echt niet dat werken...'

'Mam, ik moet nu echt ophangen, anders kom ik te laat bij Jude,' zei ik resoluut.

'Jaja, altijd haasten. Jude, Sharon, yoga. Het verbaast me nog dat jij en Mark tijd hebben om elkaar te zien!'

Eenmaal bij Jude thuis ging het gesprek uiteraard al snel over Shazzer en Simon.

'Nu we het er toch over hebben...' Jude boog zich vertrouwelijk naar me toe, al was er verder niemand bij, 'ik liep ze zaterdag tegen het lijf, in de Conran Shop. En ze stonden samen te giechelen bij het bestek als een stel Zelfingenomen Echtelieden.'

Wat is dat toch met moderne Vrijstaanden, dat ze alleen een normale relatie kunnen hebben als het niet officieel een relatie is? Neem nou Shaz, die niet echt iets met Simon heeft, maar wel de dingen doet die stellen doen, en Mark en ik, die geacht worden wél iets met elkaar te hebben, maar elkaar helemaal nooit zien.

'Als je het mij vraagt zou je niet moeten zeggen: "we zijn alleen maar goede vrienden", maar "we hebben alleen maar een relatie met elkaar", zei ik somber.

'Precies,' zei Jude. 'Misschien is platonische vriendschap in combinatie met een vibrator wel de oplossing.'

Vond bij thuiskomst berouwvol bericht van Mark dat hij had geprobeerd me direct na de wedstrijd te bellen maar was doorlopend in gesprek en nu was ik er niet. Vroeg me net af of ik zou terugbellen toen hij weer belde.

'Sorry van daarnet,' zei hij. 'Maar ik vind het echt heel naar, jij niet?'

'Ja,' zei ik teder. 'Dat voel ik precies zo.'

'Ik vraag me steeds maar af: waarom?'

'Precies,' straalde ik, overspoeld door een golf van liefde en opluchting.

'Zo dom, zo onnodig,' zei hij gekweld. 'Een zinloze uitbarsting met desastreuze gevolgen.'

'Ja, weet ik,' knikte ik en dacht, verrek, hij gaat er nog meer onder gebukt dan ik.

'Hoe kan een mens hiermee leven?'

'Ach, een mens is maar een mens,' zei ik peinzend. 'Je moet elkaar kunnen vergeven... en jezelf ook.'

'Ha! Dat is makkelijk gezegd,' zei hij. 'Maar als hij er niet uit was gestuurd, hadden wij die vernedering van die strafschoppenbeslissing niet hoeven verduren. We hebben als leeuwen gevochten, maar dat heeft ons de kop gekost!'

Ik slaakte een gesmoorde kreet en het duizelde me even. Het kan toch niet zo zijn dat bij mannen voetbal in de plaats van emoties komt? Besef best dat voetbal spannend is en dat het de natie bindt door middel van gemeenschappelijke doelen en vijandschappen, maar nationale pijn, depressie en rouw tot uren na een wedstrijd, dat gaat toch wel een beetje...

'Bridget, wat is er? Het is maar een spelletje. Dat zie ik zelfs in. Toen je me onder de wedstrijd belde, ging ik zo op in mijn gevoelens dat... Maar het is maar een spelletje, hoor.'

'Ja, zo is het,' zei ik en keek verdwaasd om me heen.

'Maar goed, hoe gaat-ie? Ik heb in geen dagen iets van je gehoord. Ik hoop dat je niet weer met allerlei tienerjochies hebt zitten... O, wacht, wacht even, de herhaling. Zal ik morgen langskomen, of nee, wacht even, dan moet ik squashen – donderdag?'

'Eh... ja,' zei ik.

'Geweldig, dan zie ik je om een uur of acht.'

WOENSDAG 26 FEBRUARI

58,8 kilo, alcohol: 2 eenheden (z.g.), sigaretten: 3 (z.g.), calorieën 3845 (minder), minuten niet doorgebracht met piekeren over Mark Darcy: 24 (gaat goed vooruit), variaties op pieken-en-horentjeskapsel dat haar spontaan aanneemt: 13 (alarmerend).

8.30 Juist. Alles is waarschijnlijk in orde (afgezien van haar, natuurlijk), al is het mogelijk dat Mark het onderwerp omzeilde omdat hij niet aan de telefoon over emotionele kwesties wil praten. Morgenavond is dus cruciaal.

Belangrijkste is zelfverzekerd, ontvankelijk en invoelend te zijn en nergens over te klagen, een Stapje Terug doen en... eh, er heel sexy uitzien. Zal zien of ik in lunchpauze haar kan laten knippen. En ga voor kantoor naar fitness. Neem misschien stoombad, dan zie ik er helemaal stralend uit.

8.45 Brief! Hoera! Misschien verlate Velantijnskaart van stille aanbidder, verkeerd bezorgd door onjuiste postcode.

9.00 Was brief van bank over debetstand. Cheque aan M.S.F.S. zat er ook bij. Ha! Was ik helemaal vergeten. Oplichtersbende stomerij wordt ontmaskerd en ik krijg mijn 149 pond terug. Ooh, er valt een briefje uit.

Er stond op: 'Deze cheque is uitgeschreven aan Marks & Spencer's Financial Services.'

Was voor betaling op M&S klantenkaart afgelopen kerst. O jee. Voel me nu beetje schuldig dat ik onschuldige stomerij inwendig heb beschuldigd en zo raar tegen die jongen heb gedaan. Hmm. Is nu te laat voor fitness, ben ook niet in de stemming. Ga wel na kantoor.

14.00 Kantoor. Op wc. O, wat een ramp. Kom net van de kapper. Zei tegen Paolo dat er een klein stukje af moest, dat ik af wilde van woeste chaos en net zulk haar wilde als Rachel uit *Friends*. Hij begon met zijn handen in mijn haar te wroeten en ik had meteen het gevoel dat ik onder behandeling was van genie dat mijn innerlijke schoonheid volkomen begreep. Paolo leek de zaak volledig in de hand te hebben, gooide mijn haar alle kanten op, föhnde het helemaal bol en wierp me blikken van verstandhouding toe alsof hij wilde zeggen: 'Wij gaan eens even een super*babe* van jou maken.'

Toen hield hij plotseling op. Haar zag er volslagen krankzinnig uit – als schooljuffrouw die een permanentje had gehad en haar haar toen in bloempotmodel had laten knippen. Hij keek me vol verwachting en met een zelfverzekerde grijns aan, en zijn assistent kwam aangelopen en begon meteen te slijmen: 'Ooo, wat bééldig'. Keek paniekerig en vol afgrijzen naar spiegelbeeld, maar had inmiddels zo'n band van wederzijdse bewondering met Paolo opgebouwd dat de hele zaak als een gênant soort kaartenhuis in zou storten als ik zei dat ik het monsterlijk vond. Slijmde ten slotte maar driftig mee over het afschuwelijke kapsel en gaf Paolo zelfs nog 5 pond fooi. Op kantoor zei Richard Finch dat ik op Ruth Madoc uit *Hi-de-Hi* leek.

19.00 Thuis. Haar lijkt wel een griezelpruik met afgrijselijke korte pony. Heb net drie kwartier met opgetrokken wenkbrauwen in spiegel staan kijken om pony langer te laten lijken, maar kan morgen toch moeilijk de hele avond zitten kijken zoals Roger Moore als de schurk met de kat net heeft gedreigd hem, de wereld en het kistje met de computers van MI5 op te blazen.

19.15 Poging gedaan vroege Linda Evangelista te imiteren door pony met gel in schuine lijn te kammen maar leek ten slotte meer op Paul Daniels.

Ben pisnijdig op die stomme Paolo. Waarom doen mensen een ander zoiets aan? Waarom? Ik heb toch wel zo de pest aan sadistische kappers met grootheidswaanzin. Ik sleep Paolo voor de rechter. Ik geef hem aan bij Amnesty International, Esther

Rantzen, Penny Junor of zo en zal zijn praktijken op tv aan de kaak stellen.

Ben te depri om naar fitness te gaan.

19.30 Heb Tom gebeld over trauma en hij zei dat ik niet zo oppervlakkig moet doen en liever eens aan Mo Mowlam met haar kale hoofd moet denken. Schaam me dood. Ga er niet meer over tobben. En Tom vroeg ook of ik al iemand wist om te interviewen.

'Nou, ik heb het de laatste tijd nogal druk,' zei ik schuldbewust.

'Weet je wat het met jou is? Jij moet eens een rotje in je reet hebben' – o god, wat is er daar in Californië toch in hem gevaren – 'Voor wie interesseer je je?' ging hij verder. 'Is er niet een beroemdheid die je echt graag zou willen interviewen?'

Dacht er even over na en wist het toen ineens. 'Mr. Darcy!' riep ik.

'Wat? Colin Firth?'

'Ja! Ja! Mr. Darcy! Mr. Darcy!'

Heb dus nu een project. Hoera! Ga aan de slag, afspraak voor interview maken via zijn manager. Wordt geweldig, ga het helemaal redigeren om unieke invalshoek bij... Hoewel. Kan misschien beter wachten tot pony wat is aangegroeid. Bèèèh! De bel. Hopelijk niet Mark. Maar hij zei morgen! Rustig, rustig.

'Gary!' klonk het door de hal-o-foon.

'O – heee! Garieieie!' kraaide ik overdreven hartelijk – had geen idee wie het was. 'Hoe gaat het?' vroeg ik, al had ik beter kunnen vragen: wie ben je eigenlijk?

'Prima, maar 't is hier wel koud. Doe je even open?'

Herkende plotseling zijn stem – 'Ooo, *Gary*!' riep ik, nog overdrevener. 'Kom boven!'

Sloeg me voor kop. Wat kwam die doen?

Hij kwam binnen, gehuld in een bouwvakkersspijkerbroek met verf erop, een oranje T-shirt en een vreemd geblokt jasje met nep-lammy kraag.

'Hoi,' zei hij en ging aan de keukentafel zitten alsof hij mijn man was. Wist even niet goed hoe ik dit moest aanpakken – dit scenario van twee-mensen-in-een-kamer-met-totaal-verschillen-de-opvatting-van-realiteit.

'Tja, Gary,' zei ik, 'ik heb wel een beetje haast!'

Hij zei niets en begon een sjekkie te draaien. Werd opeens een beetje bang. Misschien was hij wel een krankzinnige verkrachter. Maar Magda heeft hij ook niet geprobeerd te verkrachten, tenminste niet voor zover ik weet.

'Was je nog iets vergeten?' vroeg ik zenuwachtig.

'Nee,' zei hij, nog steeds draaiend. Ik wierp een snelle blik op de deur en vroeg me af of ik een vluchtpoging moest doen. 'Waar zit je afvoer?'

'Garieieie!' wilde ik roepen, 'ga weg. Ga nou weg. Morgen-avond komt Mark en ik moet nog iets aan mijn pony doen en aan mijn conditie werken.'

Hij stak de sigaret in zijn mond en stond op. 'Laten we eens naar de badkamer kijken.'

'Neee!' riep ik, want ik herinnerde me dat er een bakje blondeercrème open stond en dat *Wat mannen willen* op de wastafel lag. 'Kun je niet een andere keer terug...'

Maar hij liep al rond te snuffelen, deed de deur open, keek de trap af en zette toen koers naar de slaapkamer.

'Zit hier een raam?'

'Ja.'

'Laat 's kijken.'

Ik bleef zenuwachtig in de deuropening van de slaapkamer staan terwijl hij het raam opendeed en naar buiten keek. Hij leek eerder geïnteresseerd in de afvoer dan in een aanval op mijn deugdzaamheid.

'Dat dacht ik al!' zei hij triomfantelijk, trok zijn hoofd naar binnen en deed het raam weer dicht. 'Je hebt daar best ruimte voor een uitbouw.'

'Ik vrees dat ik je weer uit moet laten,' zei ik terwijl ik me in mijn volle lengte oprichtte en weer naar de woonkamer liep. 'Ik moet ergens heen.'

Maar hij liep al voor me langs naar de trap.

'Ja, je hebt best ruimte voor een uitbouw. Al moet de afvoer dan wel verplaatst worden.'

'Gary...'

'Je kunt een tweede slaapkamer laten aanbouwen – dakterrasje erbovenop. Leuk.'

Dakterrasje? Tweede slaapkamer? Daar zou ik een werkkamer van kunnen maken, voor mijn nieuwe loopbaan.

'Wat zou dat kosten?'

'Oooo.' Schudde bezorgd het hoofd. 'Weet je wat, laten we even naar de pub gaan, dan kunnen we het eens bekijken bij een biertje.'

'Ik kan niet,' zei ik ferm. 'Ik moet weg.'

'Goed. Nou, dan bekijk ik het wel alleen. Ik bel je wel.'

'Prima. Goed! Dan moeten we er maar eens vandoor!'

Hij pakte zijn jas, zijn shag en zijn vloeitjes, deed zijn tas open en legde eerbiedig een tijdschrift op de keukentafel.

Bij de deur draaide hij zich om en wierp me een blik van verstandhouding toe. 'Bladzij eenenzeventig,' zei hij. 'Ciao.'

Pakte het tijdschrift, dacht dat het de *Architectural Digest* was, maar het bleek de *Zoetwatervissen* te zijn, een omslag met een man met een enorme glibberige grijze vis in zijn handen. Bladerde het dikke tijdschrift door, met overal foto's van mannen met enorme glibberige grijze vissen. Op pagina 71, tegenover een artikel over 'BAC lokaas voor roofvissen', stond Gary, met een denim hoedje met badges en een trotse, stralende glimlach en in zijn handen een enorme glibberige grijze vis.

DONDERDAG 27 FEBRUARI

57 kilo en 100 gram (die andere 100 gram bestond kennelijk uit haar), sigaretten: 17 (door haar), calorieën: 625 (geen trek vanwege haar), aantal denkbeeldige brieven aan advocaten, consumentenprogramma's, ministerie van Volksgezondheid enz. over Paolo's verminking van haar: 22, bezoeken aan spiegels om haargroei te controleren: 72, aantal millimeters haargroei: ondanks alle moeite 0.

19.45 Nog een kwartier. Net weer naar pony gekeken. Haar is inmiddels van griezelpruik veranderd in klinkklare horror om krijsend voor weg te lopen.

19.47 Nog steeds Ruth Madoc. Waarom moet dit nu net ge-beuren op de belangrijkste avond van relatie met Mark Darcy tot nu toe? Nou ja, het is tenminste weer even iets anders dan in spiegel kijken of dijen al wat dunner zijn geworden.

Middernacht. Toen Mark Darcy voor deur stond, klopte hart in keel.

Hij kwam doelbewust binnen zonder gedag te zeggen, haalde een kaartvormige envelop uit zijn zak en overhandigde hem aan mij. Mijn naam stond erop, maar Marks adres. Hij was al open.

'Die lag bij de post toen ik terugkwam,' zei hij terwijl hij zich op de bank liet vallen. 'Ik heb hem vanmorgen bij vergissing opengemaakt. Sorry. Maar het is misschien maar goed.'

Trillend haalde ik de kaart uit de envelop.

Er stonden twee tekenfilmachtige egeltjes op die samen naar een wasmachine zaten te kijken waarin een beha samen met een onderbroek ronddraaide.

'Van wie is die?' vroeg hij vriendelijk.

'Ik zou het niet weten.'

'Jawel,' zei hij op de bedaarde, glimlachende manier van ie-mand die op het punt staat een vleesmes te voorschijn te halen en je neus af te hakken. 'Van wie?'

'Dat zeg ik toch,' mompelde ik. 'Ik zou het niet weten.'

'Lees hem eens.'

Ik klapte de kaart open. Binnenin stond in een hanepoterig handschrift met rode inkt geschreven: 'Lief Valentijntje – zie je als je je nachthemd komt halen – liefs – Sxxxx.'

Roerloos en geschokt bleef ik ernaar staan kijken. Op dat mo-ment ging de telefoon.

Hè nee! dacht ik, zeker Jude of Shazzer met het een of ande-re vervelende advies over Mark. Ik wilde er al op af springen, maar Mark legde zijn hand op mijn arm.

'Hoi mop, met Gary.' O god. Hoe durft hij zo familiaar te doen? 'Weet je nog, waar we het in de slaapkamer over hadden – ik heb een paar ideetjes, dus bel me maar even, dan kom ik langs.'

Mark begon heel snel met zijn ogen te knipperen en keek toen naar de grond. Hij snoof en streek met de rug van zijn hand over zijn gezicht alsof hij zich wilde vermannen. 'Oké,' zei hij. 'Wil je dit uitleggen?'

'Dat is de klusjesman.' Ik wilde mijn armen om hem heenslaan. 'De klusjesman van Magda, Gary. Weet je wel, die die planken zo lelijk heeft opgehangen. Hij wil hier een uitbouw maken, tussen de slaapkamer en de trap.'

'Juist,' zei hij. 'En is die kaart ook van Gary? Of van St John? Of van een andere...'

Toen begon de fax te brommen. Er kwam iets uit.

Terwijl ik ernaar stond te staren, trok Mark het papier eruit, keek ernaar en gaf het aan mij. Het was een handgeschreven briefje van Jude: 'Waar heb je Mark Darcy nog voor nodig als je voor maar 9 pond 99 plus porto- en administratiekosten zoiets kunt krijgen?' boven een advertentie voor een vibrator met een tongetje.

VRIJDAG 28 FEBRUARI

57 kilo 0 gram (enige lichtpuntje aan horizon), redenen waarom mensen voor hun plezier naar musicals gaan: onbegrijpelijk en ondoorgrondelijk, redenen waarom Rebecca op deze aarde mag vertoeven: 0, redenen waarom Mark, Rebecca, ma, Una, Geoffrey Alconbury, Andrew Lloyd Webber en anderen zo nodig mijn leven moeten verpesten: niet duidelijk.

Moet kalm blijven. Moet positief blijven denken. Was gewoon stomme pech dat al die dingen tegelijk moesten gebeuren, kan niet anders. Heel begrijpelijk dat Mark na al die toestanden wegging, en hij zei wél dat hij zou bellen als hij wat gekalmeerd was en... Ha! Ik heb opeens door wie die bewuste kaart heeft gestuurd. Het moet die jongen van de stomerij zijn geweest. Toen ik probeerde een bekentenis van hem los te krijgen over die verduistering en zei: 'Denk maar niet dat ik niets in de gaten heb,' kwam ik dat nachthemdje brengen. En ik had Marks adres gegeven voor het geval ze daar niet zuiver op de graat waren. Er lopen overal gekken rond en ik moet vanavond godverdegodver naar *Miss Saigon*.

Middernacht. Aanvankelijk ging het nog wel. Het was wel even een opluchting om van mijn eigen getob verlost te zijn en niet elke keer dat ik even naar de wc was geweest 1471 te bellen om te zien wie er in de tussentijd mijn nummer had gedraaid.

Wellington maakte helemaal niet de indruk een tragisch slachtoffer van cultureel imperialisme te zijn, maar zag er uiterst cool uit in een jaren-vijftigpak van mijn vader, ongeveer zoals een ober van de Met Bar op z'n vrije avond, en reageerde waardig en innemend op het opgewonden groupie-achtige gekwetter van ma en Una. Ik was aan de late kant, dus had alleen gelegenheid om in de pauze even snel een excuus te brabbelen.

'Vind je het vreemd in Engeland?' vroeg ik en voelde me toen belachelijk, omdat het natuurlijk vreemd moest zijn.

'Ik vind het interessant,' zei hij en keek me onderzoekend aan. 'Vind jij het vreemd?'

'En,' kwam Una tussenbeide, 'waar is Mark? Ik dacht dat die ook mee zou komen?'

'Hij moet werken,' mompelde ik toen oom Geoffrey zichtbaar dronken aan kwam wankelen, samen met pa.

'Ja, dat zei de vorige ook, hè?' loeide Geoffrey. 'Zo gaat het nou altijd bij mijn kleine Bridget,' zei hij en gaf me een klopje, gevaarlijk dicht in de buurt van mijn kont. 'Hup, wég zijn ze weer. Woesjj!'

'Geoffrey!' zei Una, waarna ze vervolgde alsof ze gewoon de conversatie gaande wilde houden: 'Hebben ze in jullie stam ook weleens oudere vrouwen die geen man kunnen vinden, Wellington?'

'Ik ben toch geen oudere vrouw,' siste ik.

'Dat is de verantwoordelijkheid van de stamoudsten,' zei Wellington.

'Ja, ik zeg toch ook altijd dat dat de beste manier is, Colin?' zei ma zelfvoldaan. 'Ik bedoel, ik heb toch ook tegen Bridget gezegd dat ze met Mark uit moest gaan?'

'Maar een oudere vrouw, met of zonder man, staat bij de hele stam in hoog aanzien,' zei Wellington en keek even naar mij met een twinkeling in zijn oog.

'Kan ik daar niet komen wonen?' vroeg ik somber.

'Ik weet niet of je de geur van de muren wel zou waarderen.'
Hij lachte.

Slaagde erin pa even apart te nemen en fluisterde: 'Hoe gaat het nou?'

'O, gaat wel, hoor,' zei hij. 'Lijkt me best een aardige kerel. Mag je hier je glas mee naar binnen nemen?'

Tweede helft was een nachtmerrie. De hele gruwelijke kermis op het toneel trok als een mist aan me voorbij terwijl zich in mijn hoofd afgrijselijke sneeuwbalvisioenen ontrolden van Rebecca, Gary, vibrators en nachthemdjes, die steeds dreigender rondtolden.

Gelukkig maakte de drukte van de menigte die gillend – ik neem aan van verrukking – door de foyer naar buiten dromde, ieder gesprek onmogelijk totdat we allemaal opgepropt in de Range Rover van Geoffrey en Una zaten. Una reed, Geoffrey zat voorin, papa zat vrolijk giebelend in de bagageruimte en ik zat achterin, ingeklemd tussen ma en Wellington, toen het ongeluk gebeurde, afgrijselijk en ongelooflijk.

Ma had net een enorme bril met goudkleurig montuur op haar neus gezet.

'Ik wist niet dat je een bril droeg,' zei ik nog, verrast door deze onverwachte stap in de richting van een erkenning van het verouderingsproces.

'Maar ik draag ook geen bril,' zei ze vrolijk. 'Let op die paal, Una.'

'Jawel hoor,' zei ik.

'Nee, nee, nee! Alleen als ik rij.'

'Maar je rijdt toch niet?'

'Jawel, nou en of,' grinnikte pa meewarig terwijl ma riep: 'Pas op die Fiesta, Una! Hij gaat afslaan!'

'Is dat Mark niet?' vroeg Una plotseling. 'Ik dacht dat hij moest werken?'

'Waar!' riep ma bazig.

'Daar,' zei Una. 'Heb ik trouwens al verteld dat Olive en Roger naar de Himalaya zijn geweest? Er schijnt daar overal wc-papier te liggen. De hele Mount Everest ligt vol.'

Ik volgde Una's wijsvinger naar de plek waar Mark, gekleed in zijn donkerblauwe jas en een erg wit overhemd dat half openstond, uit een taxi stapte. Als in slow motion zag ik nog iemand uit de taxi komen die blijkbaar achterin had gezeten: lang, slank, met lang blond haar. Ze lachte tegen hem met haar gezicht vlak bij het zijne. Het was Rebecca.

De kwellingen die toen in die Range Rover op me werden losgelaten, waren onvoorstelbaar: ma en Una ziedden van plaatsvervangende verontwaardiging – 'Nou ja, dat is toch walgelijk! Op vrijdagavond, met een andere vrouw, en dan tegen háár zeggen dat hij moet werken! Ik heb gewoon zin om Elaine te bellen en haar eens flink de waarheid te zeggen' en Geoffrey lalde: 'En wég zijn ze weer! Woesjj!' terwijl pa het geheel probeerde te sussen. De enigen die niets zeiden, waren Wellington en ik; hij pakte mijn hand en hield die vast, stil, sterk en zwijgend.

Toen we voor mijn deur stilstonden, stapte hij uit de Range Rover om het portier voor me open te houden, met op de achtergrond het gekakel van 'Nou ja! Zijn eerste vrouw heeft hem toch laten zitten?' 'Precies. Waar rook is, is vuur,' enz.

'In het donker wordt de steen een buffel,' zei Wellington. 'En bij daglicht is alles weer wat het is.'

'Bedankt,' zei ik oprecht en stommelde naar binnen, terwijl ik me afvroeg of ik Rebecca niet in een buffel kon veranderen en haar uitroken zonder de brandweer en de politie op mijn dak te krijgen.

ZATERDAG 1 MAART

10.00 Thuis. Een sombere dag. Heb met Jude en Shaz wat noodvoorraden ingeslagen en zijn toen naar mijn huis gegaan om ons voor te bereiden op een avondje stappen, wat de meiden nodig vonden om mij afleiding te bezorgen. Tegen achten hadden we hem al behoorlijk zitten. 'Mark Darcy is gay,' verklaarde Jude.

'Denk je dat echt?' vroeg ik, even verlicht door deze deprimerende, maar ego-vertroostende mogelijkheid.

'Nou, er lag toen toch een jongen in zijn bed?' zei Shaz.

'En waarom zou hij anders op stap gaan met iemand die zo abnormaal lang is als Rebecca, die geen enkel gevoel voor vrouwelijke solidariteit heeft en ook geen tieten en geen kont, kortom, net een man?' vroeg Jude.

'Bridge,' zei Shaz terwijl ze me lodderig aankeek, 'weet je, van hieruit heb je een ontzettende onderkin.'

'Bedankt,' zei ik zuur, schonk me nog een glas wijn in en drukte weer op de antwoordapparaat, waarop Jude en Shazzer hun handen over hun oren deden.

'Hoi Bridget, met Mark. Je belt steeds maar niet terug. Ik vind echt, nou ja, ik... ik eh... we – tenminste, ik vind... ik vind toch dat we vrienden moeten blijven, dat ben ik je wel verschuldigd, dus ik hoop dat je... dat we... O god, nou ja, bel me maar gauw terug. Als je wilt tenminste.'

'Volgens mij is hij het contact met de realiteit volkomen kwijt,' bromde Jude. 'Alsof hij er niet zelf bij was toen hij er met Rebecca vandoor ging. Je moet nu echt afstand nemen, hoor. En gaan we nou nog naar dat feest of niet?'

'Jaaah. Wie denktie wel daddie iz?' zei Shaz. 'Verschuldigd! Ja hoor! Je moezegge: "Schat, ik zit heus niet op mensen te wachten die me vriendschap verschúldigd zijn".'

Op dat moment ging de telefoon.

'Hoi.' Mark. Werd tot leedwezen overspoeld door hevige golf van liefde.

'Hoi,' zei ik gretig en vormde met mijn lippen tegen de anderen: 'Hij is het.'

'Heb je je bericht gekregen? Ik bedoel, heb je mijn bericht gekregen?' vroeg Mark.

Shazzer zat tegen mijn been te porren en siste: 'Zeg waar het op staat, vooruit.'

'Ja,' zei ik hooghartig. 'Maar aangezien ik je een paar minuten daarvoor, om elf uur 's avonds, samen met Rebecca uit een taxi had zien stappen, was ik nou niet bepaald in een meegaande stemming.'

Shaz stak haar vuist in de lucht en riep: 'Yesss!!!', waarop Jude een hand over haar mond legde, haar duim tegen me opstak en naar de witte wijn greep.

Er viel een stilte aan de andere kant.

'Bridge, waarom trek je toch altijd van die overhaaste conclusies?'

Ik zweeg even en hield mijn hand over de hoorn. 'Hij zegt dat ik overhaaste conclusies trek,' siste ik, waarop Shaz woedend op me af dook.

'Overhaaste conclusies?' zei ik. 'Rebecca zit nu al een maand achter je aan, je zet mij aan de dijk voor dingen die ik niet heb gedaan en dan zie ik je opeens met Rebecca uit een taxi stappen...'

'Maar dat was mijn schuld niet, ik kan het uitleggen, en ik had jou net gebeld.'

'Ja – om te zeggen dat je me vriendschap verschuldigd was.'

'Maar...'

'Ga door!' siste Shaz.

Ik haalde diep adem. 'Verschuldigd? Schat...' Daarop vielen Jude en Shaz verrukt over elkaar heen. Schat! Leek Linda Fiorentino wel in *The Last Seduction*. 'Ik zit heus niet op mensen te wachten die me vriendschap verschuldigd zijn,' ging ik vastberaden verder. 'Ik heb de beste, loyaalste, verstandigste, geestigste en meest betrokken vriendinnen die een mens zich maar kan wensen. En áls ik nog met je bevriend wilde zijn na de manier waarop je me hebt behandeld...'

'Maar... hoe dan?' Hij klonk gekweld.

'Als ik nog met je bevriend wilde zijn...' Ik begon zwak te worden.

'Toe dan,' siste Shaz.

'... dan mocht je van geluk spreken.'

'Goed, ik heb het begrepen,' zei Mark. 'En als je mijn uitleg niet wilt horen, zal ik je niet meer lastigvallen. Dag Bridget.'

Ik legde neer, verdoofd, en keek naar mijn vriendinnen. Sharon lag op de grond triomfantelijk met een sigaret te zwaaien en Jude nam een slok witte wijn, zo uit de fles. Plotseling kreeg ik het gevoel dat ik een verschrikkelijke vergissing had gemaakt.

Tien minuten later werd er aangebeld. Ik rende naar de intercom.

'Mag ik binnenkomen?' zei een gesmoorde mannenstem. Mark!

'Natuurlijk,' zei ik opgelucht en toen tegen Jude en Shaz: 'Willen jullie misschien even, eh, in de slaapkamer gaan zitten?'

Ze krabbelden net mopperend overeind toen de deur openging, alleen was het niet Mark maar Tom.

'Bridget! Wat zie je er slank uit!' zei hij. 'O, god.' Hij liet zich neerploffen aan de keukentafel. 'O, god. Wat een kloteleven, een verhaal, verteld door een cynische...'

'Tom,' zei Shazzer, 'we waren in gesprek.'

'En whebbe je iggeen weke gezien,' lalde Jude rancuneus.

'In gesprek? En het ging niet over mij? Waar hadden jullie het dan over? O, god – godverdomme, die klote Jerome, die vuile klote Jerome.'

'Jerome?' vroeg ik vol afgrijzen. 'Jerome de Opgeblazene? Ik dacht dat je die voorgoed uit je leven gebannen had.'

'Hij had allemaal berichten ingesproken toen ik in San Francisco zat,' zei Tom schaapachtig. 'Dus we zagen elkaar weer en vanavond zei ik iets van dat we het misschien weer konden proberen samen, nou ja, ik wilde hem zoenen en toen zei Jerome, toen zei hij...' Tom boende woedend over één oog. 'Dat hij me niet aantrekkelijk vond.'

Er viel een verbijsterde stilte. Jerome de Opgeblazene had op valse, egoïstische, onvergeeflijke, egokwetsende wijze inbreuk gemaakt op alle wetten van het amoureuze fatsoen.

'Ik ben niet aantrekkelijk,' zei Tom radeloos. 'Ik ben uitgerangeerd in de liefde.'

Toen kwamen we meteen in actie, Jude greep naar de witte wijn terwijl Shaz een arm om hem heen sloeg en ik een stoel aansleepte en hakkelde: 'Welnee, helemaal niet!'

'Waarom zei hij het dan? Waarom? WAAROM?'

'Dadligdoch voor de hand,' zei Jude terwijl ze hem een glas aangaf. 'Daddiz omdat Jerome de Opgeblazene hetero is.'

'Hartstikke hetero,' zei Shaz. 'Zaggik al meddeen de eerste keer daddik um zag.'

'Hetero.' Jude giechelde bevestigend. 'Zo hé als een hé... hé... héle grote lul.'

MR. DARCY, MR. DARCY

ZONDAG 2 MAART

5.00   Aiaiaiai. Schiet me net te binnen wat er is gebeurd.

5.03   Waarom doe ik dat? Waarom? Waarom? Wou dat ik weer kon inslapen of opstaan.

5.30   Raar hoe snel de tijd gaat als je een kater hebt. Komt doordat je zo weinig gedachten hebt: tegenovergestelde van mensen die verdrinken en hele leven aan hen voorbij zien trekken en een ogenblik eeuwen lijkt te duren omdat ze zo veel gedachten hebben.

6.00   Je ziet dat er zomaar een halfuur voorbij is, omdat ik geen gedachten had. Oei. Hoofd doet toch wel erg pijn. O, god. Hoop niet op jas overgegeven.

7.00   Vervelende is dat ze je nooit vertellen wat er gebeurt als je meer dan twee eenheden per dag drinkt of liever gezegd, als je een hele week aan eenheden in één avond opzuipt. Betekent het dat je een paarsrood gezicht krijgt en een knobbelneus als een gnoom, of dat je probleemdrinker bent? Maar in dat geval heeft iedereen die gisteravond op het feest was een drankprobleem. Alleen waren daar de mensen die niet dronken de probleemdrinkers. Hmm.

7.30   Ben misschien zwanger en zal kind door de alcohol hebben beschadigd. Aan de andere kant, kan niet zwanger zijn want net ongesteld geweest en zal nooit meer met Mark naar bed gaan. Nooit. Nooit.

8.00   Ergste is nog in holst van de nacht alleen zijn en niemand om mee te praten of te vragen hoe bezopen ik was. Vreselijke dingen die ik heb gezegd, spoken maar door mijn hoofd. O, nee. Schoot me net te binnen dat ik bedelaar 50 pence gaf en die zei niet 'Dank u wel' maar 'Volgens mij bent u ladderzat'.

Herinner me ook opeens moeder uit kindertijd die zei: 'Er is niets zo erg als een dronken vrouw.' Ben Yates Wijnherbergstijl hoerig type straatmadelief. Moet weer gaan slapen.

10.15 Voel me ietsje beter door slaap. Misschien is kater verdwenen. Zal gordijnen maar opendoen. AAAH! Het is toch niet natuurlijk dat de zon 's ochtends zo godvergeten fel is.

10.30 Nou ja. Ga zo naar fitness en zal nooit meer een druppel drinken, is dan ook perfect moment om met Scarsdale-dieet te beginnen. Wat er gisteravond is gebeurd, is dus eigenlijk z.g. want dit is begin van heel nieuw leven. Hoera! De mensen zullen zeggen... O, telefoon.

11.15 Was Shazzer. 'Bridge, was ik gisteravond heel erg walgelijk bezopen?' Even wist ik me haar helemaal niet meer te herinneren. 'Nee, natuurlijk niet,' zei ik lief om Shazzer op te beuren, want zeker dat ik het nog zou weten als ze echt bezopen was geweest. Ik verzamelde al mijn moed en vroeg: 'En ik?' Er viel een stilte.

'Nee, je was schattig, je hebt je keurig gedragen.'

Zo, zie je wel, het was gewoon post-alcoholische paranoia. O, telefoon. Misschien hem.

Was mijn moeder.

'Bridget, wat doe je in godsnaam nog thuis? Je zou hier over een uur zijn. Papa gaat de omelet sibérienne op tafel toveren!'

11.30 Kut, o, kut. Ze had me vrijdagavond te lunchen gevraagd en was te slap om nee te zeggen, vervolgens te bezopen om te onthouden. Kan niet nog eens niet gaan. Of wel? Precies. Moet kalm zien te blijven en fruit eten omdat de enzymen de gifstoffen verdrijven en dan is er niets aan de hand. Ik ga maar klein beetje eten en proberen niet over te geven en als ik terug ben uit het Land van Besluiteloosheid bel ik mam terug.

VOORDELEN VAN GAAN:
Zal kunnen controleren of Wellington wordt behandeld volgens de richtlijnen Wet Gelijke Behandeling.
Zal met pap kunnen praten.
Zal goede dochter zijn.
Zal niet met mam in de clinch hoeven.

NADELEN VAN GAAN:
Zal marteling en kwelling van Mark/Rebecca-incident moeten ondergaan.
Zal misschien aan tafel overgeven.

Opnieuw de telefoon. Hoop maar niet dat zij het is.
'En hoe gaat het met je hoofd vandaag?' Het was Tom.
'Prima,' kwetterde ik opgewekt, blozend. 'Hoezo?'
Nou, je was gisteren nogal ver heen.'
'Volgens Shazzer niet.'
'Bridget,' zei Tom. 'Shazzer was er niet bij. Zij had een afspraak met Simon in de Met Bar en naar ik heb begrepen, was zij er net zo erg aan toe als jij.'

MAANDAG 3 MAART

59,3 kilo (gruwelijke acute vetproductie na reuzel-overgoten zondagse lunch bij ouders), sigaretten: 17 (noodgeval), voorvallen tijdens lunch bij ouders die erop duiden dat er nog enige normaliteit of realiteitszin in dit leven is: 0.

8.00 Kater begint eindelijk te verdwijnen. Waanzinnige verademing om weer in eigen huis te zijn waar volwassen heer en meester ben in plaats van pion in andermans spel. Besloot dat ik eigenlijk niet onder mams lunch gisteren uit kon, maar voelde de hele weg in auto naar Grafton Underwood kots in keel omhoog komen. Dorp zag er onwerkelijk idyllisch uit, verfraaid met narcissen, plantenserres, eenden enz., en mensen die uit alle macht heggen aan het snoeien waren alsof het leven eenvoudig en vredig was, er geen ramp was gebeurd en er inderdaad zoiets als God bestond.

'O, hallo, lieverd! *Hakuna Matata*. Kom net van de Co-op,' zei mam die me jachtig door de keuken loodste. 'Erwtjes waren op! Even het antwoordapparaat afluisteren.'

Ging misselijk zitten terwijl het antwoordapparaat begon te brullen en mam luidruchtig allerlei apparaten aanzette, die knarsten en krijsten in toch al pijnlijk hoofd.

'Pam,' ging het antwoordapparaat. 'Met Penny. Je kent die kerel toch die om de hoek bij de garage woont? Nou, die heeft zelfmoord gepleegd vanwege het lawaai van het kleiduivenschieten. Het staat in de *Kettering Examiner*. O, wat ik nog wilde vragen, kan Merle een stuk of wat pasteien bij jou in de vriezer zetten als de mensen van het energiebedrijf bij hen bezig zijn?'

'Hallo, Pam! Margo! Een verzoekje! Heb jij een bakblik voor jamcake dat ik voor Alisons eenentwintigste verjaardag kan lenen?'

Verwilderd keek ik de keuken rond, verdwaasd door de gedachte van de verschillende werelden die door het afluisteren van andermans antwoordapparaat onthuld worden. Misschien zou iemand daar een installatie van kunnen maken in de Saatchi Gallery. Mam doorzocht rammelend de kastjes en draaide toen een nummer. 'Margo. Pam. Ik heb wel een tulbandvorm als je daar wat aan hebt? Waarom gebruik je eigenlijk geen Yorkshirepuddingvorm? Je moet dan alleen een stuk bakpapier op de bodem leggen.'

'Hallo, hallo, tomdelidom,' zei pap, die de keuken binnen kwam kuieren. 'Weet iemand soms de postcode van Barton Seagrave? Is het nou KT4 HS of L? Ah, Bridget, welkom in de loopgraven, de Derde Wereldoorlog in de keuken, Mau Mau in de tuin.'

'Colin, giet jij even de olie uit de frituurpan?' vroeg mam. 'Geoffrey zegt dat je het weg moet gooien als je het tien keer tot hoge temperatuur hebt verhit. O, ja, Bridget, ik heb wat talkpoeder voor je gekocht.' Ze gaf me een flacon Yardley seringen met een gouden dop.

'Eh, waarom?' vroeg ik, terwijl ik hem voorzichtig aannam.

'Nou! Dat houdt je de hele dag lekker fris, niet dan?'

Grr. Grrr. De hele opzet was zo ontzettend doorzichtig. Mark was met Rebecca uit geweest omdat...

'Wou je soms zeggen dat ik stink?' vroeg ik.

'Nee, schat.' Ze zweeg even. 'Maar het is altijd lekker om lekker fris te zijn, of niet, ja toch?'

'Goeiemiddag, Bridget!' Dat was Una die met een schaal gekookte eieren als uit het niets opdook. 'Pam! Ik heb nog vergeten te zeggen dat Bill probeert de gemeente zover te krijgen dat ze zijn oprit afgraven, want ze hebben de bovenlaag niet geroosterd en daarom zitten er nu gaten in, dus Eileen vroeg of jij ze wil vertellen dat jouw oprit vroeger ook onder water kwam te staan tot ze een rooster plaatsten?'

Was allemaal gebazel. Vreselijk gebazel. Voelde me net een comapatiënt van wie iedereen denkt dat ze niets kan horen.

'Kom op, Colin, waar blijft de Spam? Ze kunnen er elk moment zijn.'

'Wie?' vroeg ik achterdochtig.

'De Darcy's. Una, wil jij wat mayonaise en paprikapoeder op de eieren doen?'

'De Darcy's? Marks ouders? Nu? Waarom?'

Op dat moment begon de deurbel – die de volledige melodie van een stadhuisklok speelt – te klingelen.

'Wij zijn de stamoudsten!' kwinkeleerde mam, die haar schort afdeed. 'Kom op, iedereen, in de startblokken!'

'Waar is Wellington?' siste ik tegen mam.

'O, die is in de tuin een balletje aan het trappen! Hij houdt niet van die tafellunches waar hij met iedereen moet kleppen.'

Mam en Una liepen haastig weg en pap gaf me een klopje op mijn arm. 'Op naar het hol van de leeuw,' zei hij.

Volgde hem naar het krullerige-kleedjes-en-prullenland van de zitkamer terwijl ik me afvroeg of ik genoeg kracht en controle over mijn benen had om hem te smeren en kwam tot de conclusie van niet. Marks pa en ma, Una en Geoffrey stonden in een opgelaten kringetje, ieder met een glas sherry in de hand. 'Goed, schat,' zei pap. 'Laat ik je iets inschenken.'

'Kennen jullie...?' Hij gebaarde naar Elaine. 'Dat is me ook wat, kindje, het spijt me, ik ken je al dertig jaar en ik weet opeens niet meer hoe je heet.'

'En hoe gaat het met die zoon van u?' knalde Una tussenbeide.

'Mijn zoon! Nou, die gaat trouwen, hoor!' zei admiraal Darcy, een joviale brulboei. De kamer werd opeens vlekkerig. Trouwen?

'Trouwen?' vroeg pap, die mijn arm vasthield terwijl ik mijn ademhaling in bedwang probeerde te houden.

'Ach ja, ach ja,' zei admiraal Darcy opgewekt. 'De jeugd van tegenwoordig is niet meer bij te houden: het ene moment getrouwd, het volgende er met een ander vandoor! Zo is het toch, liefje?' zei hij en gaf Marks moeder een tikje tegen haar achterwerk.

'Volgens mij vroeg Una naar Mark, niet naar Peter, schat,' zei ze, met iets van begrip in mijn richting. 'Peter is onze andere zoon, in Hong Kong. Die gaat in juni trouwen. Nou, vooruit, kan een van de heren niet iets inschenken voor Bridget? Veel woorden, weinig daden, vind je ook niet?' zei ze met een meelevende blik.

Kan iemand me hier weghalen, dacht ik. Ik wil niet gemarteld worden. Ik wil op de grond van de wc liggen met mijn hoofd vlak bij de pot, als een normaal mens.

'Wil je er eentje?' vroeg Elaine, die me een zilveren doos met Black Sobrani's voorhield. 'Het zijn ongetwijfeld enorme kankerstokken, maar ik ben zesenvijftig en ik leef nog.'

'Goed, iedereen aan tafel, graag!' zei mam, die met een schotel leverworst binnen wervelde. 'Oef.' Met grote overdrijving begon ze te hoesten en de rook weg te wuiven en zei ijzig: 'Aan tafel wordt niet gerookt, Elaine.'

Ik liep achter haar aan naar de eetkamer waar, achter de openslaande deuren, Wellington in een sweater en een blauwe zijden short bezig was met een verbazingwekkend volleerd spelletje bal-in-de-lucht-houden.

'Zo gaat-ie goed. Hou hem in de lucht, kerel,' gnuifde Geoffrey, die uit het raam keek en zijn handen in zijn broekzakken op en neer bewoog. 'Hou hem in de lucht.'

'Zo!' zei mam. 'Zalm, Elaine?'

'Graag,' zei Elaine.

'We zijn laatst naar *Miss Saigon* geweest!' stak mam dreigend opgewekt van wal.

'Báááh! Musicals. Godsgruwelijke hekel aan die dingen, stelletje verwijfde types,' bromde admiraal Darcy terwijl Elaine een stukje zalm voor hem neerzette.

'Nou, wij vonden het enig!' zei mam. 'Enfin...'

Vertwijfeld keek ik uit het raam op zoek naar een soort ingeving en zag Wellington naar me kijken. 'Help,' zei ik geluidloos. Hij knikte in de richting van de keuken en verdween.

'Staan daar een beetje wijdbeens te brullen,' brulde de admiraal, een man naar mijn hart. 'Maar Gilbert en Sullivan, HMS Pinafore, dat is andere koek.'

'Sorry, ben zo terug,' zei ik en glipte weg, zonder me iets aan te trekken van mams woedende blik.

Vloog naar de keuken waar Wellington al was. Ik leunde tegen het vriesvak van de ijskast.

'Wat?' vroeg hij terwijl me doordringend aankeek. 'Wat is er aan de hand?'

'Ze denkt dat ze een van de stamoudsten is,' fluisterde ik. 'Ze wil Marks ouders confronteren, je weet wel, Mark, die we toen zagen...'

Hij knikte. 'Ik weet er alles van.'

'Wat heb je tegen haar gezegd? Ze wil een soort ceremonie beleggen over zijn relatie met Rebecca alsof...'

Op dat moment klapte de keukendeur open.

'Bridget! Wat doe jij hier? Oh.' Toen mam Wellington zag, bleef ze stokstijf staan.

'Pamela?' zei Wellington. 'Wat is er aan de hand?'

'Eh, naar aanleiding van wat jij hebt gezegd, leek me dat wij volwassenen een... een oplossing konden bedenken!' zei ze met herwonnen zelfvertrouwen en ze wist zowat een stralende lach te voorschijn te toveren.

'Wilde je de gebruiken van onze stam overnemen?' vroeg Wellington.

'Eh... ik...'

'Pamela. Jouw beschaving heeft er eeuwen over gedaan zich te ontwikkelen. Je mag niet toestaan dat invloed van buitenaf jouw geboorterecht aantast en afzwakt. Zoals we al hebben besproken, brengen wereldreizen de verantwoordelijkheid met zich mee dat je respecteert, niet kapotmaakt.' Vroeg me onwillekeurig af hoe Wellingtons gloednieuwe cd-walkman hierin paste, maar mam knikte berouwvol. Had haar nog nooit zo in de ban van iemand gezien.

'Goed. Ga nu weer terug naar je gasten en laat Bridgets vrijage met rust, want dat is de eeuwenoude traditie van jouw stam.'

'Tja, je hebt misschien wel gelijk,' zei ze en streek over haar haar.

'Prettige lunch,' zei Wellington, terwijl hij me een klein knipoogje gaf.

In de eetkamer bleek Marks moeder de openlijke confrontatie al behendig te hebben omgebogen. 'Het is me een volslagen raadsel dat iemand tegenwoordig nog wil trouwen,' zei ze. 'Als ik niet zo jong was getrouwd, had ik het nooit gedaan.'

'O, helemaal mee eens!' zei pap iets te gretig.

'Wat ik niet begrijp,' zei oom Geoffrey, 'is dat een vrouw de leeftijd van Bridget kan hebben zonder een man aan de haak te slaan. New York, de Kosmos, weg zijn ze! Woeoesj!'

O, hou je kop toch! Hou je kop! had ik willen uitschreeuwen.

'Het is heel moeilijk voor jonge mensen tegenwoordig,' kwam Elaine weer tussenbeide en keek me doordringend aan. 'Je kunt op je achttiende met iemand trouwen. Maar als je karakter eenmaal is gevormd, moet het idee van een man naast je te hebben onverdraaglijk zijn. Dit gezelschap uitgezonderd natuurlijk.'

'Dat mag ik hopen,' riep Marks vader jolig en gaf haar een klopje op haar arm. 'Anders moet ik je inruilen voor twee meiden van dertig. Waarom zou alleen mijn zoon pret mogen hebben!' Hij knikte galant in mijn richting en mijn hart kreeg weer een opdonder. Zou hij denken dat we nog bij elkaar zijn? Of wist hij van Rebecca en dacht hij dat Mark met ons beiden iets had?

Gelukkig stoomde het gesprek toen weer terug naar HMS Pinafore, stuiterde door naar Wellingtons voetbal-vaardigheid, maakte een swingbeweging naar de golfvakantie van Geoffrey en pap, fladderde boven wintervaste borders, groef Bills oprit af en toen was het kwart voor vier en was de hele nachtmerrie voorbij.

Bij het weggaan, drukte Elaine een paar Sobrani's in mijn hand – 'die zul je wel nodig hebben voor op de terugweg. Ik hoop dat we je snel weer zien'– wat bemoedigend leek maar niet genoeg om je leven op te bouwen. Ik wilde weer verkering met Mark en niet met zijn ouders, jammer genoeg.

'Goed, lieverd,' zei mam, die met een Tupperwarebakje de keuken kwam uitgehold. 'Waar heb je je tas gelaten?'

'Mam,' zei ik door mijn tanden. 'Ik wil geen eten mee.'

'Gaat alles goed, lieverd?'

'Naar omstandigheden redelijk wel,' mompelde ik.

Ze gaf me een knuffel. Wat lief was maar schokkend. 'Ik weet dat het moeilijk is,' zei ze. 'Maar laat je niet gek maken door Mark. Het komt allemaal wel weer in orde. Dat weet ik zeker.' Terwijl ik me aan de ongewone mammie-troost warmde, zei ze: 'Zie je wel! *Hakuna Matata!* Don't worry, be happy! Nou. Wil je een paar pakjes minestrone mee naar huis zo meteen? Of wat Primula en wat Tuc-koekjes? Mag ik even langs je bij die la? Ooh, ik weet iets beters. Ik heb nog een paar tournedos.'

Waarom denkt ze dat eten beter is dan liefde? Als ik nog een minuut langer in de keuken was gebleven, had ik ongetwijfeld overgegeven.

'Waar is pap?

'O, die is vast in zijn schuur.'

'Wat?'

'Zijn schuur. Daar zit hij vaak uren en als hij er weer uitkomt, stinkt hij naar...'

'Naar wat?'

'Niets, schat. Ga nu maar en zeg hem even gedag als je dat wilt.'

Buiten zat Wellington op de bank de *Sunday Telegraph* te lezen.

'Bedankt,' zei ik.

'Graag gedaan,' zei hij en voegde eraan toe: 'Het is een goed mens. Een vrouw met een sterke wil, een ruim hart en grote passie, maar af en toe...'

'... zo'n vierhonderd keer te veel, soms?'

'Ja,' zei hij lachend. O, mijn god, ik hoop maar dat hij het over een grote passie voor het leven heeft.

Toen ik naar de schuur liep, kwam pap net nogal roodaangelopen en ietwat stiekem naar buiten. Zijn bandje met Nat King Cole stond binnen op.

'Aha, terug naar de grote, grote stinkerdestinkstad?' vroeg hij, terwijl hij enigszins wankelde en de schuur vastgreep. 'Zit je een beetje in de put, kindje van me?' zei hij met een ietwat dikke tong.

Ik knikte. 'Jij ook?' vroeg ik.

Hij knelde me in zijn armen en gaf me een dikke knuffel, net als toen ik nog klein was. Het was fijn: mijn vader.

'Hoe heb je het zo lang kunnen uithouden met mama?' fluisterde ik, me afvragend wat die zoetige lucht kon zijn. Whisky?

'Sniet zo erg moeilijk eigenlijk,' zei hij, terwijl hij weer steun zocht bij de schuur. Hij hield zijn hoofd schuin om naar Nat King Cole te luisteren.

'*The greatest thing*,' begon hij mee te brommen, '*you'll ever learn is how to love and be loved in return.* Ik hoop maar dat ze nog steeds van mij houdt en niet van de Mau Mau.'

Toen boog hij zich naar me toe en gaf me een zoen.

WOENSDAG 5 MAART

58,2 kilo (goed), alcohol: 0 eenheden (uitstekend), sigaretten: 5 (een prettig, gezond aantal), aantal keren langs Mark Darcy's huis gereden: 2 (z.g.), aantal k. Mark Darcy's naam in telefoonboek opgezocht als bewijs dat hij nog leeft: 18 (z.g.), aantal k. 1471 gebeld: 12 (beter), aantal telefoontjes van Mark: 0 (tragisch).

8.30 Mijn flat. Erg verdrietig. Ik mis Mark. Hele zondag en maandag niets gehoord, kwam gisteravond van werk en hij zei op antwoordapparaat dat hij paar weken naar New York ging. 'Dus we zien elkaar niet meer.'

Doe best om moed erin te houden. Heb ontdekt dat als bij wakker worden 's ochtends, vlak voor eerste steek door hart, ik programma *Today* op radio vier aanzet – ook al lijkt programma uit oeverloze domme spelletjes te bestaan waarbij politici moeten proberen geen 'ja' en geen 'nee' te zeggen of geen antwoord op vragen te geven – ik daadwerkelijk kan voorkomen verstrikt te raken in dwangmatige 'had ik maar'-gedachten en denkbeeldige Mark Darcy-gesprekscirkels die verdriet en onmacht uit bed te komen alleen maar verergeren.

Moet zeggen dat Gordon Brown vanochtend z.g. was in programma, wist zonder stamelen, pauzeren of überhaupt iets te zeggen lang door te gaan over Europese munteenheid. Praatte rustig en vlot door terwijl John Humphreys op de achtergrond als Leslie Crowther de hele tijd 'Ja of nee? Ja of nee?' riep. Dus... tja, kon erger. Geloof ik.

Vraag me af of Europese munteenheid betekent dat er één enkele munteenheid komt. Ben in sommige opzichten voor want dan krijgen we waarschijnlijk andere munten, wat heel Europees en chic kan zijn. Bovendien zouden ze de bruine eruit kunnen gooien, die te zwaar zijn, en de munten van 5 en 20 pence, die te klein en te weinig waard zijn. Hmm. We zouden wel de munten van één pond moeten houden, want die zijn fantastisch (als sovereigns), en je ontdekt opeens dat je nog acht pond in je portemonnee hebt, terwijl je dacht dat ze op waren. Maar dan zouden ze alle fruitautomaten moeten aanpassen en... Aaah! De bel. Misschien Mark die afscheid komt nemen.

Was alleen maar die vervelende Gary. Wist uiteindelijk uit hem te krijgen dat hij was gekomen om me te zeggen dat de aanbouw me 'maar' £7000 zou kosten.

'Waar haal ik £7000 vandaan?'

'Je zou een tweede hypotheek kunnen nemen,' zei hij. 'Dat kost je maar honderd extra per maand.'

Gelukkig zag zelfs hij in dat ik laat was voor werk dus wist hem de deur uit te werken. Zevenduizend pond. Nou ja.

19.00 Weer thuis. Is toch zeker niet normaal om mijn antwoordapparaat als ouderwetse menselijke partner te behandelen: rep me van werk naar huis om te zien in wat voor bui hij is, of hij tinkelend zal bevestigen dat ik een alom bemind en welkom lid van de maatschappij ben of leeg en afstandelijk, zoals nu bijvoorbeeld. Er is niet alleen al voor de tweeënveertigste dag op rij geen bericht van Mark, maar geen enkel bericht van wie dan ook. Moet misschien wat in *The Road Less Travelled* lezen.

19.06 Ja, liefde is niet iets wat je overkomt maar iets wat je doet. Dus wat heb ik niet gedaan?

19.08 Ben zelfverzekerde, ontvankelijke, invoelende vrouw met inhoud. Mijn eigenwaarde ontleen ik niet aan anderen maar aan... aan... mezelf? Daar klopt iets niet.

19.09 Nou ja. Gelukkig niet alleen maar bezeten bezig met Mark Darcy. Begin me al los te maken.

19.15 Joepie, telefoon! Misschien Mark Darcy!

'Bridget, wat zie je magertjes!' Tom. 'Hoe gaat het, lieve schat?'

'Kut,' zei ik, terwijl ik mijn Nicorettekauwgum uit mijn mond haalde en er een sculptuur van begon te kneden. 'Dat lijkt me duidelijk.'

'Ach, kom op, Bridgelene! Mannen! Dertien in een dozijn. Hoe gaat het met je nieuwe interviewcarrière?'

'Nou, ik heb de impresario van Colin Firth gebeld en alle knipsels overgelezen. Ik dacht echt dat hij het zou doen omdat *Fever Pitch* binnenkort uitkomt en ik dacht dat ze wel wat publiciteit konden gebruiken.'

'En?'

'Ze belden terug en zeiden dat hij het te druk had.'

'Ha! Nou, eigenlijk bel ik juist daarvoor. Jerome zegt dat hij iemand kent...'

'Tom,' zei ik dreigend, 'dit is toch geen geval van Noemenitis, hè?'

'Nee, nee... ik ga echt niet naar hem terug,' loog hij doorzichtig. 'Maar Jerome kent toevallig een jongen die aan de laatste film van Colin Firth heeft meegewerkt en hij vroeg of hij een goed woordje voor je moest doen?'

'Ja!' zei ik opgewonden.

Besef dat het gewoon een excuus voor Tom is om weer in contact te komen met Jerome de Opgeblazene, maar aan de andere kant zijn alle goede daden een mengeling van altruïsme en eigenbelang en misschien zegt Colin Firth wel ja!

Hoera! Zal droombaan zijn! De hele wereld over reizen om beroemde sterren te interviewen. Zou bovendien met extra inkomen de tweede hypotheek kunnen nemen voor kantoor aan huis en dakterras, waarna ik vreselijke baan bij Sit Up Britain kan opzeggen en thuis gaan werken. Yes! Alles valt op zijn plaats! Ga Gary zo opbellen. Je kunt niet verwachten dat er iets verandert tenzij jij verandert. Ga leven in eigen hand nemen!

Goed, ga niet verdrietig in bed liggen. Ga opstaan en iets nuttigs doen. Zoals. Eh. Een sigaretje roken? O, god. Kan de gedachte niet verdragen dat Mark Rebecca opbelt en met haar alle voorvalletjes van de dag doorneemt zoals hij vroeger met mij deed. Moet niet, moet níet negatief zijn. Misschien heeft Mark geen relatie met Rebecca en zal hij weer bij me terugkomen! Zie je wel? Hoera!

WOENSDAG 12 MAART

58, 4 kilo, alcohol: 4 eenheden (maar ben nu journaliste dus moet wel dronken zijn), sigaretten: 5, calorieën: 1845 (g.), lichtjes aan einde van tunnel: 1 (piepklein).

16.00 Tom belde me net op kantoor.

'Het gaat door!'

'Wat?'

'Interview met Colin Firth!'

Ik schoot overeind in mijn stoel, trillend.

'Ja! Jerome's vriend heeft opgebeld en Colin Firth was heel aardig en zei dat als je het in de *Independent* geplaatst kan krijgen, hij het doet. En ik ga uit eten met Jerome de Opgeblazene!'

'Tom, je bent een heilige, een god en een aartsengel. En wat moet ik precies doen?'

'Even een belletje naar de impresario van Colin Firth en dan Adam bij de *Independent* bellen. O, ja, ik heb gezegd dat je al heel veel stukken hebt gedaan.'

'Maar dat is niet zo.'

'O, vat toch niet altijd alles zo letterlijk op, Bridgelene, zeg gewoon van wel.'

DINSDAG 18 MAART

58, 8 kilo (z. onrechtvaardige straf zonder schuld), calorieën: 1200 (staak mijn bewijsvoering), hypotheken: 2 (hoera!), aantal slaapkamers in flat: binnenkort 2 (hoera!).

Heb net bank gebeld en tweede hypotheek is in orde! Het enige wat ik moet doen is een paar formulieren invullen en dan krijg ik £7000 en het kost me maar £120 per maand! Kan niet geloven dat ik hier niet eerder op gekomen ben. Had oplossing kunnen zijn voor al mijn saldo-problemen!

WOENSDAG 2 APRIL

59,3 kilo, calorieën: 998 (bizarre omgekeerd evenredige calorie/vetverhouding lijkt voedselbeperking zinloos te maken), wonderen: verscheidene, hervonden vreugde: oneindig.

17.00 Er is iets vreemds aan de hand. Niet alleen gaat het interview met Colin Firth door maar het vindt plaats in Rome! Zo meteen gaan ze nog zeggen dat het interview naakt in zee voor een Caribisch eiland gehouden moet worden, ongeveer zoals in *Blind Date*. Zou begrijpen dat God me één gunst verleent als genoegdoening voor al het andere, maar dit gaat toch zeker alle normale religieuze proporties te boven. Lijkt erop te wijzen dat leven nog één laatste hoogtepunt oprispt alvorens bergafwaarts te snellen naar voortijdige dood. Misschien verlate aprilgrap.

Net Tom gebeld die zei dat ik niet steeds moet denken dat

overal adders onder het gras liggen en reden dat interview in Rome gehouden wordt, is dat Colin Firth daar woont – hij heeft gelijk – en moet proberen me te richten op feit dat Colin Firth nog meer dingen doet dan alleen mr. Darcy spelen. Zoals zijn nieuwe film *Fever Pitch* bijvoorbeeld.

'Ja, ja, ja,' riep ik en zei toen tegen Tom dat ik z. dankbaar was voor al zijn hulp in deze. 'Dit is precies wat ik nodig had!' zei ik opgewonden. 'Ik voel me al veel beter nu ik me alleen op mijn carrière concentreer in plaats van me druk te maken om mannen.'

'Eh, Bridget,' zei Tom. 'Je weet toch wel dat Colin Firth een vriendin heeft, hè?

Hmf.

VRIJDAG 11 APRIL

58, 8 kilo, alcohol: 5 eenheden (journalistieke training), sigaretten; 22, calorieën: 3844 (Zie je nou? zie je nou? Ga nooit meer op dieet).

18.00 Er is iets geweldigs gebeurd! Net met pr-dame gesproken en Colin Firth zal me van het weekend thuis bellen om zaken door te spreken! Niet te geloven. Zal uiteraard hele weekend huis niet uit kunnen, maar dat komt goed uit want nu tijd om research te doen door naar de video van *Pride and Prejudice* te kijken, al besef ik natuurlijk dat ik ook over andere projecten moet praten. Ja. Dit zou best eens keerpunt in loopbaan kunnen zijn. En het ironische van alles is dat ik, op een griezelige, occulte manier, dankzij mr. Darcy van mijn obsessie met Mark Darcy af ben... Telefoon! Misschien mr. of Mark Darcy, moet snel indrukwekkende jazz of klassieke plaat opzetten.

Hmm. Was vreselijke bemoeial, Michael genaamd, van de *Independent*. 'Hoor eens. We hebben u nog nooit gebruikt. Ik wil niet dat dit een puinhoop wordt. U komt met het vliegtuig terug dat we op maandagavond voor u hebben geboekt, dan gaat u het op dinsdagochtend uitwerken en om vier uur 's middags levert u het in, anders gaat het feest niet door. En u gaat hem vragen stellen over de film *Fever Pitch*. *Fever Pitch*, waarin hij, zoals u weet, een personage speelt dat niet mr. Darcy is.'

Dat klopt nog ook. Ooh, telefoon.

Was Jude. Zij en Shazzer komen langs. Bang dat ze me aan het lachen zullen maken als ik mr. Darcy aan de lijn heb, maar heb aan de andere kant afleiding nodig anders draai ik helemaal door.

ZATERDAG 12 APRIL

58,4 kilo (maar kan voor morgenochtend nog 4 ons kwijtraken door knakworstjes-dieet), alcohol: 3 eenheden (z.g.), sigaretten: 2 (volmaakt à la heilige), knakworstjes: 12, aantal k. 1471 gebeld om te checken of Colin Firth niet heb horen bellen vanwege plotse onopgemerkte doofheid: 7, aantal vierkante m. vloeroppervlak niet bezaaid met pizzadozen, kledingcombinaties, asbakken enz.: 2 (onder bank), aantal k. video Pride and Prejudice bekeken waarin Colin Firth in meer duikt: 15 (eersteklas researcher), telefoontjes van Colin Firth: 0 (tot nu toe).

10.00 Colin Firth heeft niet gebeld.

10.03 Nog steeds niet gebeld.

10.07 Nog steeds niet gebeld. Vraag me af of het nog te vroeg is om Jude en Shazzer wakker te maken? Misschien wacht hij wel tot vriendin boodschappen gaat doen voordat hij me belt.

17.00 Huis ziet eruit of er bom op is gevallen, vanwege politieonderzoek naar mr. Darcy: alles verspreid door hele zitkamer net als in *Thelma and Louise* wanneer politie bezit heeft genomen van Thelma's huis en Harvey Keitel wacht tot ze zullen bellen terwijl op achtergrond bandrecorders snorren. Stel steun en zo van Jude en Shazzer echt op prijs, maar betekent dat van voorbereidingen nog niets is gekomen, afgezien van lichamelijke.

18.00 Mr. Darcy heeft nog steeds niet gebeld.

18.05 Nog steeds niet gebeld. Wat moet ik nu doen? Weet niet eens waar ik hem zal ontmoeten.

18.15 Nog steeds niet gebeld. Misschien weigerde vriendin wel om boodschappen te gaan doen. Misschien hebben ze het hele weekend liggen vrijen en Italiaans ijs laten komen en mij stiekem achter mijn rug uitgelachen.

18.30 Jude schoot wakker en legde haar vingertoppen tegen haar voorhoofd.

'We moeten naar buiten,' zei ze met een vreemde Mystieke Meg-achtige stem.

'Ben je gek?' siste Sharon. 'Naar buiten? Ben je wel goed bij je hoofd?'

'Ja,' zei Jude koel. 'De reden dat de telefoon niet gaat, is dat er te veel energie op gericht is.'

'Pfrr,' snoof Sharon.

'En afgezien daarvan begint het hier te stinken. We moeten opruimen, de energie laten stromen en dan ergens een bloody mary gaan drinken,' zei ze terwijl ze me verleidelijk aankeek.

Even later stonden we buiten te knipperen in de onverwacht voorjaarsachtige, nog-niet-donkere lucht. Ik maakte een spurt terug naar de deur maar Shazzer pakte me beet.

'We gaan. Een. Bloody. Mary. Drinken,' siste ze en duwde me als een potige politieagent door de straat.

Veertien minuten later waren we terug. Ik rende de kamer door en bleef verstijfd staan. Het lampje van het antwoordapparaat knipperde.

'Zie je wel,' zei Jude op een vreselijk zelfingenomen toon. 'Zie je wel.'

Bibberend, alsof het een blindganger was, stak Shazzer haar hand uit en drukte op 'afluisteren berichten'.

'Hallo, Bridget, met Colin Firth.' We maakten alle drie een sprongetje naar achteren. Het was mr. Darcy. Dezelfde bekakte, diepe, onverschillige stem waarmee hij op de BBC Elizabeth Bennet ten huwelijk vroeg. Bridget. Ik. Mr. Darcy zei Bridget. Op mijn antwoordapparaat.

'Ik heb gehoord dat je me maandag hier in Rome komt interviewen,' ging hij verder. 'Ik bel even om een ontmoetingsplaats af te spreken. Je hebt een plein dat Piazza Navona heet, met de taxi kun je daar redelijk makkelijk komen. Laten we om ongeveer halfvijf bij de fontein afspreken. Goede reis.'

'Nummerherkenning, nummerherkenning,' snaterde Jude, 'nummerherkenning, snel, snel. Nee, haal het bandje eruit, haal het bandje eruit!'

'Bel hem terug,' krijste Sharon als een ss-beul. 'Bel hem terug en vraag of jullie elkaar ín de fontein kunnen ontmoeten. Omijngod.'

De telefoon ging weer, we stonden aan de grond genageld, mond open. Toen galmde Toms stem uit het antwoordapparaat: 'Hallo, snoepjes van me, met mr. Darcy. Ik bel even om te vragen of een van jullie me uit dit natte hemd kan helpen.'

Shazzer was op slag ontnuchterd. 'Zet hem uit, zet hem uit,' schreeuwde ze en speerde naar de telefoon. 'Bek dicht, Tom, bek dicht, bek dicht, bek dicht.'

Maar het was te laat. Mijn opgenomen bericht van mr. Darcy die het woord Bridget zei en vroeg om me in Rome bij een fontein te ontmoeten, was voorgoed verdwenen. En niets in de hele wereld kon daar nog iets aan veranderen. Niets. Niets.

6

MET DE ITALIAANSE SLAG

MAANDAG 21 APRIL

57, 9 kilo (vet door opwinding en angst verbrand), alcohol: 0
eenheden, uitstekend (maar het is pas halfacht 's ochtends),
sigaretten: 4 (z.g.)

7.30 Is werkelijk fantastische stap vooruit om zo ruim de tijd
te hebben voor ik op reis moet. Zo zie je maar weer dat een
mens in staat is om te veranderen en te groeien, zoals in *The
Road Less Travelled* staat. Tom kwam gisteravond langs om vragen met me door te spreken. Dus ben behoorlijk goed voorbereid met duidelijk puntenlijstje, maar was eerlijk gezegd toch
ietsepietsje beledigd.

9.15 Heb zelfs zeeën van tijd. Iedereen weet dat zakenman-
nen die tussen Europese vliegvelden heen en weer zoeven veertig minuten voor vertrek verschijnen, met alleen een koffertje
met nylon overhemden erin. Vliegtuig gaat om 11.45. Moet om
elf uur op Gatwick zijn, dus trein van 10.30 vanaf Victoria Station en metro om 10.00. Perfect.

9.30 Stel nou dat het me allemaal teveel wordt en ik me niet
kan beheersen en hem ga kussen of zo? Broek zit bovendien te
strak en toont buikje. Denk dat ik iets anders ga aantrekken.
Moet misschien ook toilettas meenemen om me voor interview
op te frissen.

9.40 Niet te geloven zo veel tijd te hebben verbeuzeld met
toilettas inpakken, terwijl toch het belangrijkste is dat ik er bij
aankomst leuk uitzie. Haar totaal verwilderd. Zal het weer nat
moeten maken. Waar is paspoort?

9.45   Heb paspoort, en haar is weer rustig, dus moest maar eens gaan.

9.49   Klein probleempje: kan tas niet optillen. Misschien beter om inhoud toilettas te beperken tot tandenborstel, tandpasta, mondwater, reinigingslotion en crème. O, en moet £3500 uit magnetron halen en voor Gary klaarleggen zodat hij materiaal en zo voor nieuwe kantoor en dakterras kan kopen! Hoera!

9.50   Joepie. Heb taxi besteld. Zal hier over twee minuten zijn.

10.00   Waar blijft taxi?

10.05   Waar blijft die kuttaxi toch?

10.06   Heb net taxibedrijf gebeld die zeiden dat zilverkleurige Cavalier al voor staat.

10.07   Zilverkleurige Cavalier staat niet voor en ook niet ergens anders in straat.

10.08   Taximan verzekert me dat zilverkleurige Cavalier op dit moment mijn straat indraait.

10.10   Nog steeds geen taxi. Ongelooflijke klotetaxi en het is al... Aaah. Daar heb je 'm. O, kut, waar zijn sleutels?

10.15   Zit nu in taxi. Heb rit al eens eerder in kwartier gemaakt.

10.18   Jemig. Taxi zit opeens op Marylebone Road – neemt om duistere reden toeristische route door Londen in plaats van route naar Victoria. Bedwing instinct om taxibestuurder aan te vallen, te vermoorden en op te eten.

10.20   Weer op goede weg, d.w.z. niet langer richting Newcastle, maar erg druk verkeer. In Londen is het inmiddels 24 uur per dag spitsuur.

10.27 Vraag me af of we in één minuut van Marble Arch naar Gatwick Express kunnen rijden.

10.35 Victoria. Oké. Rustig, rustig. Trein is zonder mijn persoon vertrokken. Maar als ik trein van 10.45 neem, nog ruim dertig minuten voor vliegtuig vertrekt. Vliegtuig zal bovendien toch wel vertraging hebben.

10.40 Vraag me af of er nog tijd is om nieuwe broek op vliegveld te kopen? Maar ga hier geen zenuwentoestand van maken. Geweldige van in je eentje reizen is dat je echt een nieuwe persoonlijkheid kan ontwikkelen en heel elegant en zen-achtig zijn, want er is toch niemand die je kent.

10.50 Wou dat ik niet de hele tijd dacht paspoort uit tas gesprongen en terug naar huis gewandeld.

11.10 Trein staat om onverklaarbare reden stil. Opeens lijken alle extra dingen, zoals tweede laag nagellak op teennagels, onbelangrijk vergeleken met niet komen opdagen.

11.45 Niet te geloven. Vliegtuig is zonder mij vertrokken.

12.00 God, mr. Darcy en alle engelen in de hemel zij dank. Blijk over een uur en veertig minuten met ander vliegtuig mee te kunnen. Pr-medewerkster gebeld die zei geen probleem, ze zou zorgen dat onze afspraak twee uur werd verzet. Joepie, kan nu op vliegveld gaan shoppen.

13.00 Zinnen gezet op soepelvallende-chiffon-met-rozen-nieuwe-lentemode, maar vind niet dat ze die zo moeten ontwerpen dat ze niet over achterwerk heen gaan. Dol op prachtig luchthavenshoppingcentrum. Sir Richard Rogers, Terence Conran c.s. klagen altijd dat luchthavens tegenwoordig alleen nog enorme winkelcentra zijn maar ik vind dat juist fijn. Zal dat misschien verwerken in volgende grote diepte-interview, mogelijk met Sir Richard zelf als het niet Bill Clinton is. Ga misschien bikini passen.

13.30   Goed. Doe nog even brieven op de bus, koop wat Body Shop-benodigdheden en ga dan naar de gate.

13.31   Was mededeling: 'Wil passagier Jones, de laatste passagier voor vlucht BA 175 naar Rome, zich zo snel mogelijk bij Gate 12 vervoegen waar het vliegtuig klaarstaat voor vertrek.'

DINSDAG 22 APRIL

58,4 kilo, alcohol: 2 eenheden, sigaretten: 22, telefoontjes van bemoeial Michael van Independent om te 'checken of we opschieten': ongeveer 30, aantal k. naar bandje van interview geluisterd: 17, woorden van interview geschreven: 0.

9.00   Terug in flat in Londen na hemelse reis. Goed, ga nu het interview uitwerken. Ongelooflijk hoe je door op werk en carrière te storten liefdesverdriet volkomen kan vergeten. Was gewoonweg fantastisch. Taxi zette me af op Romeins plein en dacht even flauw te vallen: gewoonweg fantastisch – gouden zonnestralen en enorm weids plein vol verheven ruïnes en in het midden daarvan mr... Ooh, telefoon.

Het was Michael van de *Independent*.

'Dus het is je gelukt?'

'Ja,' zei ik uit de hoogte.

'En je hebt eraan gedacht je bandrecorder mee te nemen, niet je Sony Walkman?'

Nou vraag ik je. Weet niet wat Tom over me heeft verteld maar iets in zijn toon doet vermoeden dat het niet bijzonder respectvol was.

'Nou, je hebt nog tot vier uur. Dus een beetje opschieten.'

Lala. Dat is nog eeuwen. Nog even nagenieten van dag. Mmm. Hij zag er precies uit als mr. Darcy: erg broeierig en slank. En hij nam me zelfs mee naar een kerk met een gat erin en de tombe van Hadrianus of weet ik wie en een standbeeld van Mozes en was kei in voorkomen dat ik door auto's werd overreden en sprak voortdurend Italiaans. Mmm.

12.00   Ochtend niet bijster goed verlopen, al kost het natuurlijk tijd om gebeurtenissen te verwerken en indrukken te bespreken met collega's, dus waarschijnlijk toch uiterst productief.

14.00   Weer telefoon. Zo gaat het als je een belangrijke interviewjournalist bent: telefoon rinkelt de hele dag.

Was vreselijke bemoeial Michael weer: 'Schieten we al een beetje op?'

Die durft, zeg! Mijn deadline is pas om vier uur, wat uiteraard het einde van de dag betekent. Ben nogal tevreden met bandje. Heb er goed aan gedaan hem eerst met makkelijke vragen op te warmen voor ik aan Toms pittige vragen begon, die ik avond daarvoor had opgeschreven ook al was ik lichtelijk beneveld. Geloof dat hij nogal onder de indruk was van mijn manier van ondervragen.

14.30   Even een kopje koffie met een sigaretje.

15.00   Bandje nog maar eens afluisteren.

Dingdong! Zal Shaz bellen en haar dit laatste stukje laten horen.

Ai-ai-ai. Het is halfvier en ben nog niet begonnen. Nou ja, geen reden tot paniek. Ze zitten vast nog uren te lunchen en komen dan terug zo dronken als, als... als journalisten. Wacht maar tot ze mijn primeurs zien.

Hoe te beginnen? Interview moet uiteraard mijn indrukken van mr. Darcy bevatten maar ook vakkundige informatie over nieuwe film *Fever Pitch*, toneel, film e.d. Ze zullen me vast een wekelijkse interviewpagina geven: het grote Bridget Jones-gesprek. Jones ontmoet Darcy. Jones ontmoet Blair. Jones ontmoet Marcos, zij het dood.

16.00   Hoe kan ik nu scheppend bezig zijn als die vervelende Michael me constant belt om te zeggen wat ik er wel en niet in moet zetten? Grr. Als dat hem weer is... Ze hebben geen respect voor journalisten op die krant. Totaal niet.

17.15 Haha. 'Ik. Ben. Er. Mee. Be. Zig,' zei ik. Daar had hij niet van terug.

18.00 Geeft niets. Alle topjournalisten halen hun deadline weleens niet.

19.00 O, kut, o, kut. O, kut, o, kut.

WOENSDAG 23 APRIL

58,8 kilo (lijk nu toch echt in soort periode van totale dikte te verkeren), felicitatietelefoontjes van vrienden, bekenden en collega's vanwege Colin Firth-interview: 0, felicitatietelefoontjes van Independent medewerkers vanwege Colin Firth-interview: 0, felicitatietelefoontjes van Colin Firth vanwege Colin Firth-interview: 0 (toch wel vreemd, of niet?)

8.00 Artikel verschijnt vandaag. Beetje haastig in elkaar gedraaid maar kan er waarschijnlijk best mee door. Misschien is het wel vrij goed. Wou dat krant opschoot en kwam.

8.10 Krant is er nog steeds niet.

8.20 Hoera! Krant is er.
Heb net interview gezien. *Independent* heeft zich totaal niets aangetrokken van wat ik heb geschreven. Besef dat ik beetje laat was maar dit is onacceptabel. Dit hebben ze ervan gemaakt:

Vanwege enkele technische problemen zijn wij genoodzaakt het interview van Bridget Jones met Colin Firth direct vanaf band te drukken.

BJ   Goed. Ik begin nu met het interview.
CF   (*Op ietwat hysterische toon*) Goed, goed.
     (*Lange stilte*)
BJ   Wat is uw lievelingskleur?

148

CF Pardon?

BJ Wat is uw lievelingskleur?

CF Blauw.
(*Stilte*)

BJ Wat is uw lievelingstoetje?

CF Eh. Crème brûlée.

BJ Kent u de film *Fever Pitch* van Nick Hornby die binnenkort uitkomt?

CF Ja, die ken ik.

BJ (*Stilte. Ritselend papier*) Denkt... Oh. (*Nog meer ritselend papier*) Denkt u dat het boek *Fever Pitch* de aanstoot heeft gegeven tot het gen van bekentenisliteratuur?

CF Sorry?

BJ Aanstoot. Tot. Het. Gen. Van. Bekentenisliteratuur?

CF *Aanstoot?*

BJ Ja.

CF Nou. Nick Hornby's stijl wordt in ieder geval veel gekopieerd en ik vind het een erg aantrekkelijk, eh, gen of hij er nu wel of niet de, eh, áánstoot toe heeft gegeven.

BJ Kent u *Pride and Prejudice* van de BBC?

CF Ja, die ken ik.

BJ Toen u in het meer moest duiken?

CF Ja.

BJ Moest u het natte hemd uitdoen en een droog aantrekken toen er een nieuwe take gedaan moest worden?

CF Ja, dat, ik geloof van wel, ja. *Scusi. Ha vinto. E troppo forte. Si grazie.*

BJ (*Onregelmatige ademhaling*) Hoeveel takes kostte het voor uw duik in het meer erop stond?

CF (*Kucht*) Tja. De onderwateropnames zijn in een bassin in Ealing Studios gemaakt.

BJ O, nee.

CF Helaas wel. Het, eh, moment van in de lucht zweven – uiterst kort – was een stuntman.

BJ Maar hij zag eruit als mr. Darcy.

CF Dat kwam omdat ze hem bakkebaarden hadden opgeplakt en hij over een wetsuit het kostuum van mr. Darcy aanhad, waardoor hij leek op Elvis in zijn laatste dagen. Hij kon het om verzekeringsredenen maar één keer doen en hij moest nog zes weken daarna worden gecontroleerd op schaafwonden. Alle andere natte-hemdopnames was ikzelf.

BJ En moest het hemd steeds opnieuw worden natgemaakt?

CF Ja. Ze spoten het nat. Ze spoten het nat en dan...

BJ Waarmee?

CF Pardon?

BJ Waarmee?

CF Zo'n plantenspuitgeval. Zeg, kunnen we...?

BJ Ja, maar wat ik eigenlijk wil weten, is of u het hemd daadwerkelijk heeft uitgedaan en... en een ander aangetrokken?

CF Ja.

BJ Om weer nat te worden?

CF Ja.

BJ (*Stilte*) Kent u de film *Fever Pitch* die binnenkort uitkomt?

CF Ja.

BJ Wat zijn volgens u de grootste verschillen en overeenkomsten tussen het personage Paul uit *Fever Pitch* en...?

CF En?

BJ (*Schaapachtig*) Mr. Darcy.

CF Dat heeft nog nooit iemand gevraagd.

BJ Echt niet?

CF Nee. Volgens mij zijn de grootste verschillen...

BJ Bedoelt u dat het een erg voor de hand liggende vraag is?

CF Nee. Ik bedoel dat nog nooit iemand dat heeft gevraagd.

BJ Vragen mensen dat niet constant aan u?

CF Nee, nee. Nooit.

BJ Dus het is een...

CF Het is een gloednieuwe, nog nooit gestelde vraag, ja.

BJ Hemeltje.

CF Zullen we doorgaan?

BJ Ja.

CF Mr. Darcy is geen Arsenal-supporter.

BJ Nee.

CF Hij is geen leraar.

BJ Nee.

CF Hij leefde zo'n tweehonderd jaar terug.

BJ   Ja.

CF   Paul in *Fever Pitch* staat het liefst tussen voetbalpubliek.

BJ   Ja.

CF   Terwijl mr. Darcy al onpasselijk wordt van een écossaise. Goed. Kunnen we over iets praten wat niks met mr. Darcy heeft te maken?

BJ   Ja.
      (*Stilte. Ritselende papieren*)

BJ   Heeft u nog steeds dezelfde vriendin?

CF   Ja.

BJ   Oh.
      (*Lange stilte*)

CF   Alles in orde?

BJ   (*Bijna onhoorbaar*) Denkt u dat kleine Britse films de weg zijn?

CF   Ik versta u niet.

BJ   (*Ellendig*) Denkt u dat kleine Britse films de weg zijn?

CF   De weg naar... (*bemoedigend*)... naar wat?

BJ   (*Lange, diepe stilte*) De toekomst.

CF   Op die manier. Ze lijken ons daar stap voor stap heen te brengen, denk ik. Ik hou erg van kleine films maar ook van grote films en het zou leuk zijn als er daar ook meer van werden gemaakt.

BJ   Maar u vindt het geen bezwaar dat zij Italiaans is en zo?

CF   Nee.
      (*Erg lange stilte*)

BJ   (*Pruilend*) Denkt u dat mr. Darcy politiek geëngageerd was?

CF   Ik heb me inderdaad afgevraagd wat zijn politieke opvattingen zouden zijn, zo hij die al had. En ik geloof niet dat ze de lezer van de *Independent* erg zouden aanspreken. Het is het pre-Victoriaanse of Victoriaanse idee van de rijke sociale weldoener, wat je nog het best met de Thatcheriaanse gedachte kan vergelijken. En het socialistische gedachtegoed bestond uiteraard nog niet in...

BJ   Nee.

CF   ... zijn wereld. En er wordt nadrukkelijk aangegeven dat hij deugt door te laten zien hoe goed hij voor zijn pachters is. Maar volgens mij zou je hem eerder een Nietzscheaans persoon kunnen noemen, een...

BJ   Wat is nietsjaans?

CF   U weet wel, het idee van de, eh, mens als superman.

BJ   Superman?

CF   Niet dé Superman, nee. Nee. (*Licht gegrom*) Het lijkt me niet dat hij zijn onderbroek over zijn lange broek heen droeg, nee. Luister, ik wil nu echt op een ander onderwerp overgaan.

BJ   Wat wordt uw volgende project?

CF   Dat heet *De wereld van Mos*.

BJ   Is het een natuurprogramma?

CF   Nee. Nee, nee. Nee. Het gaat, eh, over een excentriek gezin uit de jaren dertig, waarvan de vader eigenaar is van een mosfabriek.

BJ   Mos groeit toch in de natuur?

CF   Nou, nee, hij maakt iets wat veenmos heet en vroeger in de Eerste Wereldoorlog werd gebruikt om wonden te verzorgen en het is een heel, eh, heel, eh, luchtige komische...

BJ   (*Totaal niet overtuigend*) Het klinkt erg leuk.

CF   Ik hoop zeker dat het leuk wordt.

BJ   Mag ik nog even iets vragen over het hemd?

CF   Ja.

BJ   Hoeveel keer hebt u het nou precies moeten uittrekken en weer aandoen?

CF   Precies... dat weet ik niet. Eh. Even kijken... er was het stuk waar ik naar Pemberley liep. Dat stond er in één keer op. Eén take. Verder was er het stuk waarin ik mijn paard aan iemand geef... ik geloof dat daarin van kleding werd gewisseld.

BJ   (*Oplichtend*) Er werd gewisseld?

CF   (*Streng*) Inderdaad. Eén keer.

BJ   Dus het was voornamelijk dat ene natte hemd, of niet?

CF   Het ene natte hemd, dat ze steeds opnieuw natspoten, ja. Tevreden?

BJ   Ja. Wat is uw lievelingskleur?

CF   Die hebben we al gehad.

BJ   Eh. (*Ritselend papier*) Gaat de film *Fever Pitch* volgens u eigenlijk over emotionele zakkigheid?

CF   Emotionele wat?

BJ   Zakkigheid. U weet wel: mannen zijn drankzuchtige eikels met bindingsangst en alleen maar geïnteresseerd in voetbal.

CF   Nee, dat weet ik eigenlijk niet. Ik vind dat Paul in sommige opzichten veel makkelijker zijn emoties uit en er meer ontspannen mee omgaat dan zijn vriendin. Dat is uiteindelijk juist het positieve wat Nick Hornby in zijn naam probeert te benadrukken: dat in de saaie wereld van alledag hij iets heeft gevonden dat hem toegang verleent tot emotionele ervaringen die...

BJ   Mag ik u even onderbreken?

CF   (*Zucht*) Ja?

BJ   Vindt u de taalbarrière tussen u en uw vriendin geen probleem?

CF   Zij spreekt erg goed Engels, hoor.

BJ   Maar denkt u niet dat u beter af zou zijn met iemand die echt Engels was en meer van uw eigen leeftijd?

CF   We redden ons prima.

BJ   Humf. (*Duister*) Tot nu toe. Speelt u eigenlijk liever toneel?

CF   Eh. Ik ben niet de mening toegedaan dat alleen op het toneel echt geacteerd wordt, dat in een film spelen niet echt acteren is. Maar als ik toneelspeel, doe ik dat het liefst, ja.

BJ   Maar u vindt niet dat het toneel een beetje onrealistisch is en gênant en dat je urenlang naar een toneelstuk moet kijken voor je iets kan eten en je mag niet praten of...

CF   Onrealistisch? Gênant en onrealistisch?

BJ   Ja.

CF   Bedoelt u onrealistisch in de zin dat...?

BJ   Je ziet gewoon dat het niet echt is.

CF   Op die manier onrealistisch, ja. (*Licht gekreun*) Eh. Bij echt goed toneel mag dat eigenlijk niet, vind ik. Het is veel meer... Een film maken voelt juist veel kunstmatiger.

BJ   Echt waar? Die gaat niet gewoon van begin tot eind, hè?

CF   Nee, inderdaad. Nee. Ja. Een film gaat niet gewoon van begin tot eind. Hij wordt in stukjes en beetjes opgenomen. (*Luider gekreun*) Stukjes en beetjes.

BJ   Aha. Denkt u dat mr. Darcy voor het huwelijk met Elizabeth Bennet naar bed is geweest?

CF   Ja, ik denk het wel.

BJ   Meent u dat?

CF   Ja. Dat lijkt me heel goed mogelijk, ja.

BJ (*Hijgend*) Echt?

CF Het lijkt me goed mogelijk, ja.

BJ Maar hoe is dat dan mogelijk?

CF Weet niet of Jane Austen het op dit punt met me eens zou zijn maar...

BJ Dat kunnen we niet weten want ze is dood.

CF Nee, dat is zo... maar volgens mij zou de mr. Darcy van Andrew Davies het gedaan hebben.

BJ Maar waarom denkt u dat? Waarom? Waarom?

CF Omdat Andrew Davies het erg belangrijk vond dat mr. Darcy een waanzinnig groot libido had.

BJ (*Hapt naar adem*)

CF En, eh...

BJ Dat vond ik in het acteren ook heel erg duidelijk naar voren komen, hoor. Zeker.

CF Dank u. Andrew had zelfs een keertje als toneelaanwijzing geschreven: 'Denk je in dat Darcy een erectie heeft.'
(*Z. luid geraas*)

BJ Welk fragment was dat?

CF Als Elizabeth een wandeling door de natuur heeft gemaakt en hem tegen het lijf loopt op het landgoed, vrij aan het begin.

BJ Het fragment als zij helemaal bemodderd is?

CF En verfomfaaid.

BJ En bezweet?

CF Precies.

BJ Was dat een moeilijk fragment om te spelen?

CF U bedoelt de erectie?

BJ (*Fluisterend van ontzag*) Ja.

CF Tja, ach, Andrew schreef ook dat ik me daar bij het acteren niet daadwerkelijk op hoefde te richten, en dat er op dat gebied geen speciale acteerprestatie van me werd verwacht.

BJ Mmm.
(*Lange stilte*)

CF Ja.
(*Nog meer stilte*)

BJ Mmm.

CF Is dat het zo'n beetje?

BJ Nee. Hoe reageerden uw vrienden toen u aan de rol van mr. Darcy begon?

CF Er werden veel grappen over gemaakt, bij het ontbijt 'mr. Darcy' kreunen en zo. Er is een korte periode geweest waarin ze erg hun best hebben moeten doen om informatie verborgen te houden over wie ik werkelijk ben en...

BJ Verborgen te houden voor wie?

CF Nou, voor iedereen die dacht had dat ik op mr. Darcy leek.

BJ Maar vindt u dan dat u niet op mr. Darcy lijkt?

CF Ik vind inderdaad dat ik niet op mr. Darcy lijk, ja.

BJ Ik vind dat u precies op mr. Darcy lijkt.

CF In welk opzicht?

BJ U praat net als hij.

CF O, ja, is dat zo?

BJ U ziet er precies hetzelfde uit, en ik, oh, oh...
    (*Langdurig geraas gevolgd door geluiden van handgemeen.*)

7

VRIJSTAAND,
MAAR NIET STANDVASTIG

55 kilo (yesss! yesss!), alcohol: 4 eenheden, sigaretten: 4, spirituele openbaringen ten gevolge van het lezen in The Road Less Travelled en voornoemde eenheden alcohol: 4, aantal huizen zonder gaten: 0, bedrag op bankrekening: 0 pond, vriendjes: 0, mensen om vanavond mee uit te gaan: 0, verkiezingsfeesten waarvoor ik ben uitgenodigd: 0.

17.30 Kantoor. Twee zware dagen achter de rug – Richard Finch las telkens stukjes uit het interview voor om vervolgens uit te barsten in een diep, gorgelend keellachje à la Dracula, maar ik was tenminste even afgeleid. En Jude zei dat het interview best goed was en dat de sfeer treffend was weergegeven. Hoera! Heb niets meer van Adam of Michael van de *Independent* gehoord, maar ze zullen wel gauw bellen en me misschien nog een interview laten doen, dan kan ik zelfstandig ondernemer worden met kantoor aan huis en op dakterras zitten werken tussen de terracotta potten met kruiden! En over maar één week zijn de verkiezingen alweer en dan wordt alles anders! Ga stoppen met roken, Mark komt terug en treft dan een nieuwe, professionele Bridget met een grote flat met dakterras en extra kamer.

17.45 Hmmm. Heb net antwoordapparaat gebeld. Stond één bericht op, van Tom die zei dat hij Adam had gesproken en dat ze bij de *Independent* heel kwaad zijn. Heb dringend bericht op zijn antwoordapparaat ingesproken dat hij me terug moet bellen om het uit te leggen.

17.50 O jee. Zit nu te tobben over tweede hypotheek. Ga dus niet extra verdienen en als ik nu baan kwijtraak? Moet misschien tegen Gary zeggen dat ik toch maar geen uitbouw wil en mijn 3500 pond terugvragen. Gary had gisteren zullen beginnen en het is nu maar goed dat hij alleen zijn gereedschap bij me heeft neergezet en toen weer is weggegaan. Leek op het moment zelf vervelend, maar blijkt nu een vingerwijzing van God te zijn geweest. Ja. Ga hem bellen als ik thuiskom, daarna naar fitness.

18.30 Weer thuis. Balen! Balen! Groot gat in zijmuur! Open naar buitenwereld als gapende afgrond en alle overburen kijken recht bij me naar binnen. Hele weekend voor de boeg met gigantisch gat in muur, overal kale baksteen en niets te doen! Niets! Niets!

18.45 Ah, telefoon – misschien iemand die me wil uitnodigen voor een verkiezingsfeest! Of Mark!

'O, dag schat, moet je horen.' Mijn moeder. Ja, dan moest ik natuurlijk een sigaret pakken.

'O, dag schat, moet je horen,' zei ze opnieuw. Soms vraag ik me af hoe lang ze zo door kan gaan, als een papegaai. Ik bedoel, je zegt wel; hallo? hallo? als je even niets hoort aan de andere kant, maar: o, dag schat, moet je horen? O, dag schat, moet je horen? – dat is toch niet normaal?

'Nou?' zei ik weinig enthousiast.

'Sla niet zo'n toon tegen me aan.'

'Nou?' zei ik opnieuw, maar nu op de toon van een aardige, liefhebbende dochter.

'En zeg niet "nou", Bridget, zeg: "ja?".'

Ik nam een trekje van mijn heerlijk normale, vriendelijke Silk Cut Ultra.

'Bridget, zit je te roken?'

'Nee, nee,' zei ik paniekerig, maakte de sigaret uit en verstopte de asbak.

'Goed. Moet je horen. Una en ik geven een Kikuyu-verkiezingsfeest voor Wellington, achter de rotstuin!'

Ik haalde diep adem door mijn neus en dacht aan mijn Innerlijk Evenwicht.

'Vind je dat niet geweldig? Wellington gaat over het vuur springen, als een echte krijger! Stel je voor! Zomaar over het vuur heen! En iedereen komt als Afrikaans stamlid. En we drinken rode wijn en doen alsof het koeienbloed is! Koeienbloed! Daar heeft Wellington zulke gespierde dijen van gekregen!'

'Eh, weet Wellington het al?'

'Nog niet, schat, maar hij zal de verkiezing toch wel willen vieren. Wellington is een groot voorstander van de vrije markt en je moet er toch niet aan denken dat we die rooien weer krijgen. Voor je het weet zit je dan weer met hoe-heet-ie en die mijnwerkers. Je zult wel niet meer weten dat er telkens elektriciteitsstoringen waren toen jij op school zat, maar Una moest een speech houden op de Ladies' Luncheon en toen deed haar krultang het niet.'

19.15 Slaagde er eindelijk in ma af te poeieren en zodra ik had neergelegd ging de telefoon opnieuw. Shaz. Ik zei dat ik baalde als een stekker en ze reageerde ontzettend lief: 'Kom, Bridge. Je kunt jezelf toch niet blijven definiëren op grond van de vraag of je een relatie hebt of niet! We zouden juist blij moeten zijn met onze vrijheid! En binnenkort zijn de verkiezingen en dan verandert het hele klimaat in het land!'

'Hoera!' zei ik. 'Vrijstaanden! Tony Blair! Hoera!'

'Ja!' animeerde Shazzer. 'Een heleboel mensen met een relatie kunnen in het weekend hun lol op, dan moeten ze hun ondankbare kinderen alles achterna sjouwen en worden nog door hun wederhelft geslagen ook.'

'Ja, zo is het maar net!' zei ik. 'Wij kunnen uit wanneer we willen, wij amuseren ons. Zullen we vanavond ergens heen?'

Hmmm. Sharon gaat met Simon bij mensen eten – net een stel Zelfingenomen Echtelieden.

19.40 Jude belde net in een stemming van manisch seksueel zelfvertrouwen. 'Het is weer aan met Stacey!' zei ze. 'Ik heb hem gisteravond gezien en hij had het over zijn familie!'

Ze zweeg vol verwachting.

'Over zijn familie!' herhaalde ze. 'Dat betekent dat hij het serieus meent. En we hebben zitten zoenen. Ik zie hem vanavond weer en dat is alweer de vierde keer, dus... doebiedoebiedoe. Bridge? Ben je daar nog?'

'Ja,' zei ik met een klein stemmetje.

'Wat is er?'

Mompelde iets over het gat in de muur en over Mark.

'Weet je Bridge. Je moet je er gewoon overheen zetten en doorgaan met je leven,' zei ze, blijkbaar vergetend dat ze er met haar laatste advies volkomen naast had gezeten en dat haar geloofwaardigheid daar misschien wat door was aangetast.

'Je moet leren Van Jezelf te Houden. Kom op, Bridge! Het is toch fantastisch! Wij kunnen pakken wie we willen.'

'Geen mooier leven dan een Vrijstaand leven!' zei ik. Waarom ben ik dan zo depressief?

Ga Tom weer bellen.

20.00 Was er niet. Iedereen is uit, iedereen amuseert zich behalve ik.

21.00 Heb even in *Je kunt je leven helen* zitten lezen en begrijp nu precies waar het verkeerd is gegaan. Zoals Sondra Ray, de grote re-birther zei, of misschien was het ook wel iemand anders: 'De liefde is nooit buiten je, de liefde zit in je.'

Yes!

'Waardoor wordt de liefde op afstand gehouden?... Onredelijk hoge eisen? Filmster-ideaalbeelden? Minderwaardigheidsgevoelens? De overtuiging dat niemand van jou kan houden?'

Hmmm. Dat is geen overtuiging, maar een feit. Ga fles witte wijn opentrekken en naar *Friends* kijken.

23.00 Bbffff. *Road Less Travelled* shartstikke goed boek. Cathexis of hoeheethet. 'Universele liefde is niet alleen liefde voor ander maar ook voor jezelf'. Mooi hoor. Oef. Omgevallen.

ZATERDAG 26 APRIL

57 kilo, alcohol: 7 eenheden (hoera!), sigaretten: 27 (hoera!), calorieën 4248 (hoera!), bezoeken aan fitnesscentrum: 0 (hoera!)

7.00 Oefff. Wie heeft dat pokkeding aangezet?

7.05 Vandaag neem ik de verantwooordelijkheid voor mijn eigen leven en ga van mezelf houden. Ik ben prachtig. Ik ben geweldig. O god. Waar liggen de Silk Cuts?

7.10 Juist. Ik sta dus nu op en ga naar fitness.

7.15 Hoewel – waarschijnlijk is het heel gevaarlijk om workouts te doen als je nog niet goed wakker bent. Slecht voor de gewrichten. Ga vanavond wel, voor *Blind Date*. Op zaterdag kun je beter niet overdag gaan, want veel te veel te doen, bv. boodschappen en winkelen. Moet me er niet aan storen dat Jude en Shaz nu waarschijnlijk in bed wild liggen te wippen, wip wip wip.

7.30 Wip.

7.45 Het is duidelijk nog te vroeg om te bellen. Dat ik nou wakker ben wil nog niet zeggen dat andere mensen ook wakker zijn. Moet leren me beter in anderen in te leven.

8.00 Jude belde net, maar dat was haast niet te horen want ze klonk net als een snotterend, blatend, snikkend schaap.

'Jude, wat is er?' vroeg ik ontzet.

'Ik ben totaal ingestort,' snikte ze. 'Alles is zwart, zwart, zwart. Ik zie geen uitweg meer, ik zie geen...'

'Stil maar. Het komt wel weer in orde,' zei ik en keek paniekerig naar buiten of ik misschien ergens een psychiater zag lopen. 'Heb je de indruk dat het ernstig is of is het gewoon pms?'

'Het is heel, heel ernstig,' zei ze op zombie-achtige toon. 'Dit zat er al een jaar of elf aan te komen.' Ze begon weer te huilen. 'Het hele weekend ligt voor me en ik ben alleen, helemaal alleen. Ik wil niet meer leven.'

'Goed, niets aan de hand,' zei ik geruststellend en vroeg me af of ik de politie of iemand van de crisisinterventiedienst moest bellen.

Het bleek dat Stacey haar gisteravond om onopgehelderde redenen zomaar thuis had afgezet en niet over een nieuwe afspraak was begonnen. Dus nu had ze het gevoel dat ze bij dat zoenen donderdag had gefaald.

'Ik ben zo depressief. Het hele weekend voor de boeg. Helemaal alleen, ik wil dood en...'

'Heb je zin om vanavond langs te komen?'

'O ja! Zullen we naar 192 gaan? Dan kan ik mijn nieuwe trui van Voyage aan.'

Daarna belde Tom.

'Waarom heb je gisteravond niet teruggebeld?' vroeg ik.

'Wat?' vroeg hij op een vreemde doffe toon.

'Je hebt niet teruggebeld.'

'O,' zei hij vermoeid. 'Het leek me niet netjes om in mijn toestand iemand te woord te staan.'

'Waarom niet?' vroeg ik verbijsterd.

'O. Omdat ik een persoonlijkheidsverandering heb ondergaan, ik ben manisch-depressief geworden.'

Het bleek dat Tom de hele week alleen thuis had zitten werken en over Jerome had zitten tobben. Slaagde er uiteindelijk in Tom aan zijn verstand te brengen dat die fantoomgekte van hem heel komisch was, want als hij niet had gezegd dat hij klinisch geesteziek was, had ik niets aan hem gemerkt.

Ik herinnerde Tom aan de keer dat Sharon drie dagen niet buiten was geweest omdat ze dacht dat haar gezicht was misvormd door te veel ultraviolette straling en dat ze zich aan niemand durfde te vertonen en zich niet meer aan UV-stralen durfde bloot te stellen tot ze ermee had leren leven. Maar toen ze dan eindelijk Café Rouge binnenkwam, zag ze er gewoon net zo uit als de week daarvoor. Slaagde er ten slotte in het gesprek van Tom op mijn carrière als sterren-interviewster te brengen, die helaas niet doorgaat, althans voorlopig niet.

'Maak je geen zorgen, schat,' zei Tom. 'Dat zijn ze morgen alweer vergeten, let maar op. Je kunt nog best een comeback maken.'

14.45 Voel me alweer veel beter. Heb begrepen dat ik niet over eigen problemen moet blijven tobben, maar anderen moet helpen. Heb net een uur en een kwartier met Simon aan de telefoon gezeten, die dus niet met Shazzer in bed bleek te liggen, en heb hem wat opgevrolijkt. Hij bleek vanavond te hebben afgesproken met ene Georgie, met wie hij in het geheim af en toe een zaterdagavondwip maakt, maar nu vindt Georgie dat ze hem deze zaterdag beter niet kan zien, want anders begint het teveel op een relatie te lijken.

'Ik ben uitgerangeerd, de goden hebben het zo beschikt dat ik altijd alleen moet blijven,' tierde Simon. 'Altijd, altijd. En dan heb ik die hele zondag nog voor de boeg.'

Ik zei dat het juist geweldig is om single te zijn, want wij zijn tenminste vrij! Vrij! (Hoop toch maar dat Shaz er niet achterkomt hoe vrij Simon wel is.)

15.00 Ben geweldig: lijk vandaag wel een heuse therapeut. Zoals ik al tegen Jude en Tom zei, ze mogen me altijd bellen, hoe laat het ook is, ze moeten niet in hun eentje verdrietig zitten zijn. Zo zie je maar hoe wijs en evenwichtig ik ben, lijk de moeder-overste uit *The Sound of Music* wel. Zie mezelf al in 192 tegen de muur *Climb Every Mountain* zingen terwijl Jude vol waardering achter me op haar knieën ligt.

16.00 Shazzer belde net, bijna in tranen, al probeerde ze zich groot te houden. Simon heeft haar kennelijk aan de telefoon het hele Georgie-scenario uit de doeken gedaan (heel frustrerend, want mijn moeder-overste-act was dus kennelijk niet afdoende voor de – naar ik me nu realiseer – emotioneel onverzadigbare Simon).

'Maar jullie waren toch "gewoon goede vrienden"?' vroeg ik.

'Ja, dat dacht ik ook,' zei ze. 'Maar nu begrijp ik dat ik eigenlijk stiekem fantaseerde dat we op een hoger plan verliefd op elkaar waren. Wat is het toch vreselijk om single te zijn,' barstte ze uit. 'Niemand die 's avonds een arm om je heenslaat als je het nodig hebt, niemand die je helpt als de boiler kapot is. Het hele weekend voor de boeg! Alleen! Helemaal alleen!'

16.30 Hoera! Iedereen komt vanavond, Shaz, Jude en Tom (Simon niet, die is in ongenade vanwege Dubbele Boodschap), en we gaan Indiaas halen en ER-video's kijken. Heerlijk om single te zijn, want dan kun je het met allemaal verschillende mensen leuk hebben en heb je alle vrijheid en kan het met je leven alle kanten op.

18.00   Er is iets vreselijks gebeurd. Magda belde net.

'Leg in het potje. Nee, leg erin! Zeg luister, ik weet eigenlijk niet of ik het wel moet zeggen, Bridge, maar leg terug! Leg dat poepje TERUG!'

'Magda...' zei ik dreigend.

'Sorry, lieverd. Ik belde om je te zeggen dat Rebecca... Nee, dat is echt smerig, hè? Bah! Bah! Zeg bah.'

'WAT?'

'Mark komt volgende week thuis. Ze heeft ons uitgenodigd voor een welkomstetentje voor hem en ook om de verkiezing alsnog te vieren en... NEE! Goed, leg maar in mijn hand.'

Ik liet me duizelig op een keukenstoel zakken en grabbelde naar een sigaret.

'Oké. Leg dan maar in papa's hand. Maar waar het om gaat, Bridge, wil je liever dat we gaan of heb je andere plannen? Doe dan maar in het potje. In het potje!'

'O god,' zei ik. 'O god.'

18.30   Even sigaretten halen.

19.00   Londen is vergeven van de stellen die hand in hand de lente in dartelen en samen wippen van wip wip wip en plannen maken voor leuke minitripjes. Blijf de rest van mijn leven alleen. Alleen!

20.00   Alles gaat fantastisch. Jude en Tom kwamen als eersten aan met wijn en tijdschriften en lachten me uit omdat ik niet wist wat kasjmier precies was. Jude besliste dat Stacey een dikke reet had en deelde mee dat hij de hele tijd zijn hand op de hare legde en dan 'lekker' zei, wat ze nog nooit had verteld; dat betekent dus dat hij definitief passé is.

Iedereen was het er ook over eens dat Magda als verspieder naar het dineetje van de onuitstaanbare Rebecca moest gaan en dat Mark, als hij écht met Rebecca gaat, absoluut gay is, en dat is mooi – vooral voor Tom, die helemaal opfleurde. Verder is Jude van plan een verkiezingsfeest te geven en Rebecca niet uit te nodigen. HA!

AHAHAHAHAHAHAHAHAHAHAHAHAHAHAHAHAHAHAHAHAHAHA HAHAHAHA!

Toen kwam Shaz aanzetten, in tranen, en ergens was dat heel aandoenlijk, want normaal laat ze nooit merken dat ze iets erg vindt.

'Godverdegodverdomme,' bracht ze ten slotte uit. 'Ik rol nu al een jaar lang van de ene emotionele crisis in de andere, ik weet gewoon niet meer waar ik aan toe ben.'

Iedereen schoot toe met de *Vogue,* mousserende wijn, sigaretten enz. en Tom verkondigde dat platonische vriendschap niet bestaat.

'Tuulijkwel,' zei Jude met dikke tong. 'Jij ben gwoon gobsdeerd met seks.'

'Nee, nee,' zei Tom. 'Dit is gewoon de manier waarop dit fin-de-millennium met de nachtmerrie van het relatiegebeuren omgaat. Alle vriendschappen tussen mannen en vrouwen zijn gebaseerd op de seksuele dynamiek. Mensen maken alleen de fout dat ze dat negeren, maar dan wél compleet van slag zijn als de ander niet met ze naar bed wil.'

'Ik ben niet compleet van slag,' mompelde Shazzer.

'En als ze geen van beiden met elkaar naar bed willen?' vroeg Jude.

'Dat komt niet voor. Seks is de motor. "Vrienden" is geen goede definitie.'

'Kasjmieren dan,' lalde ik en slobberde een slok witte wijn naar binnen.

'Ja!' zei Tom opgewonden. 'Het fin-de-millennium-kasjmierdom. Shazzer is Simons "kasjmin" omdat zij liever met hem wil "kasjminnekozen" dan hij met haar, dus slaat hij haar minder hoog aan, en Simon is dan Shazzers "kasjméér".'

Daarop barstte Sharon in tranen uit en waren we twintig minuten met een verse fles wijn en een nieuw pakje sigaretten in de weer voordat ze wat kalmeerde en we een lijst konden opstellen met de volgende definities:

KASJMAN   Een vriend met wie je best naar bed zou willen, maar die gay blijkt te zijn ('Ik, ik, ik,' zei Tom.)

KASJMINDER   Een vriend met wie je vroeger iets had en die inmiddels getrouwd is en kinderen heeft, maar je graag over de vloer heeft als herinnering aan zijn vroegere leven en je het gevoel geeft dat je een ietwat geschifte kinderloze ouwe vrijster bent die zich inbeeldt dat de dominee verliefd op haar is.

KASJMOER Een ex-partner die weer bij je terug wil komen, maar doet alsof hij gewoon goede vrienden wil zijn en dan toch aan je zit te frunniken en zich kwaad maakt.

'En de "kasjmaniak" dan?' mokte Shaz. 'De vriend die jouw emotionele ellende gebruikt voor een sociologische studie zonder aan jouw gevoelens te denken?'

Op dat moment besloot ik dat ik maar even sigaretten moest gaan halen. Stond net in armoedig café op de hoek te wachten om geld te wisselen voor de automaat toen ik zowat een meter de lucht in vloog van schrik. Aan de andere kant van de bar stond een man die als twee druppels water op Geoffrey Alconbury leek, alleen had hij in plaats van een geel geruite trui en golfbroek een lichtblauwe gestreken spijkerbroek met een vouw, een zwart nylon nethemd en een leren jack aan. Kon me alleen beheersen door krampachtig naar een fles Malibu te blijven kijken. Het kón oom Geoffrey niet zijn. Keek weer op en zag dat hij met een jongen stond te praten die niet ouder dan zeventien leek. Het was oom Geoffrey. Absoluut!

Aarzelde wat ik zou doen. Overwoog even sigaretten maar te laten zitten en weg te gaan om Geoffreys gevoelens te ontzien. Maar toen werd ik door een hevige innerlijke woede herinnerd aan alle keren dat Geoffrey me in zijn eigen omgeving uit volle borst heeft vernederd. Ha! Hahaha! Nu was oom Geoffrey op míjn territorium!

Stond net op het punt naar hem toe te gaan en heel hard te roepen: 'En wie hebben we daar! Welwel! Heb je een jonkie aan de haak geslagen?' toen er op mijn schouder werd getikt. Draaide me om, zag niemand en voelde toen een tikje op mijn andere schouder. Het oude trucje van oom Geoffrey.

'Zozo, en wat komt mijn kleine Bridget hier doen? Op zoek naar een kerel?' brulde hij.

Niet te geloven. Hij had een gele trui met een panter over het nethemd aangetrokken, de jongen was nergens meer te bekennen en hij probeerde zich eruit te bluffen.

'Nou, die zul je hier niet vinden, Bridget, hier heb je alleen Julian Clary en consorten. Allemaal nichten. Ahahaha. Ik kwam alleen maar even een doosje panatella's halen.'

Op dat moment kwam de jongen terug met het leren jack over zijn arm en hij maakte een zenuwachtige, verstoorde indruk.

'Bridget,' zei Geoffrey alsof de voltallige afdeling Kettering van de Rotaryclub achter hem stond, wist toen niets meer te zeggen en wendde zich tot de barkeeper. 'Zeg, komt er nog wat van? Ik sta nu al twintig minuten op die panatella's te wachten.'

'Wat doe jij in Londen?' vroeg ik achterdochtig.

'Londen? Ik ben namens de Rotaryclub naar de AGM geweest. Londen is niet alleen van jou, hoor.'

'Hallo, ik ben Bridget,' zei ik nadrukkelijk tegen de jongen.

'O ja. Dit is eh, Steven. Hij wil zich kandidaat stellen voor het penningmeesterschap, hè Steven? Ik gaf hem wat goede raad. Juist. Nou, ik ga er maar weer eens vandoor. Doe je rustig aan? En als je niet rustig aan doet, doe dan tenminste voorzichtig! Hahaha!' En gevolgd door de jongen stoof hij naar buiten, terwijl hij me nog een rancuneuze blik toewierp.

Toen ik weer thuiskwam, konden Jude en Shazzer niet geloven dat ik zo'n kans had laten schieten om me te wreken.

'Wat had je wel niet allemaal kunnen zeggen,' zei Shaz en sloeg in ongelovige spijt haar ogen ten hemel.

'Zozo! Nou, blij te zien dat je eindelijk een kerel aan de haak hebt geslagen, oom Geoffreyyy! En nou maar eens kijken hoe lang je deze weer houdt, hè? En wég zijn ze weer – woesjj!'

Tom trok echter tot ieders ergernis een dikdoenerig bezorgd gezicht.

'Tragisch, tragisch,' barstte hij uit. 'Zo veel mannen als er in dit land met een leugen leven! Denk eens aan al die geheime gedachten, die schaamte en begeerte die aan ze vreten achter die keurige voorgevels in de buitenwijken, tussen het bankstel en de openslaande deuren. Al die leugens! Hij gaat waarschijnlijk naar Hampstead Heath. Waarschijnlijk neemt hij de vreselijkste risico's. Je moet eens met hem praten, Bridget.'

'Hé,' zei Shaz. 'Hou op. Je bent dronken.'

'Ergens voel ik me toch bevestigd,' zei ik bedachtzaam en behoedzaam. Begon uit te leggen dat ik allang vermoedde dat het Zelfingenomen Echtelijke Wereldje van Geoffrey en Una niet zo mooi was als het leek en dat ik dus niet raar ben en dat het geen wet van Meden en Perzen is dat alle mensen normale heteroseksuele stellen vormen.

'Bridge, hou op. Jij bent ook dronken,' zei Shaz.

'Hoera! Laten we het weer over onszelf hebben. Niets is irritanter dan door anderen van je obsessie met jezelf te worden afgeleid,' zei Tom.

Toen werd iedereen ontzettend lam. Echt fantastische avond. Zoals Tom zei, als Miss Havisham een stel gezellige huisgenoten had gehad die haar in de maling namen, had ze haar bruidsjurk nooit zo lang aangehouden.

MAANDAG 28 APRIL

57 kilo, alcohol: 0 eenheden, sigaretten: 0, vriendjes: 0, telefoontjes van Gary de Klusjesman: 0, kansen op nieuwe baan: 0 (dat belooft wat), bezoeken aan fitnesscentrum: 0, aantal bezoeken sinds nieuwjaar: 1, kosten lidmaatschap 370 pond per jaar, kosten van dat ene bezoek dus 123 pond (z. onvoordelig).

Juist. Begin vandaag echt met fitnessprogramma, zodat ik ook met mezelf ingenomen kan zijn en tegen iedereen zeggen: 'Ja, het deed pijn. En ja, het heeft geholpen,' net als de Conservatieve Partij, en iedereen gelooft dat dan – zeer in tegenstelling tot de Conservatieven – en vindt me geweldig. O jee, het is al 9 uur. Ga vanavond wel. Waar blijft Gary, godverdomme?

Later. Op kantoor. Haha! Aahahahaha! Geweldige dag op kantoor.

'Goed,' zei Richard Finch toen we allemaal om de tafel zaten. 'Bridget. Tony Blair. Vrouwencommissies. Nieuw beleid, toegesneden op vrouwen. Nog suggesties? En als het enigszins mogelijk is geen dingen die verband houden met Colin Firth, graag.'

Ik straalde gelukzalig, wierp een blik op mijn aantekeningen en keek toen ontspannen en vol zelfvertrouwen op.

'Tony Blair zou een Gedragscode voor Contacten tussen Vrijstaanden moeten opstellen,' zei ik toen.

Er viel een afgunstige stilte bij de andere researchers aan de tafel.

'Dat was je... suggestie?' vroeg Richard Finch.

'Ja,' zei ik zelfverzekerd.

'Denk je niet dat onze aanstaande premier wel wat anders aan zijn hoofd heeft?'

'Denk eens aan al die uren die verloren gaan voor het werk doordat de mensen afgeleid of ontevreden zijn, alle discussies over de interpretatie van een bepaalde situatie, al dat wachten tot de telefoon gaat,' zei ik. 'Dat moet zeker zo veel kostbare werktijd kosten als rugpijn. En bovendien hebben alle andere culturen duidelijke gedragsregels voor de contacten tussen vrijstaanden, maar wij dobberen maar wat onduidelijk rond, zodat mannen en vrouwen steeds meer van elkaar vervreemden.'

Daarop snoof Harold de Hufter laatdunkend.

'O god,' zei Patchouli op haar slome toontje en slierde haar in een lycra fietsbroekje gestoken benen over de tafel. 'Je kunt mensen toch niet voorschrijven hoe ze zich op emotioneel gebied moeten gedragen. Dat is fascistisch.'

'Nee, nee, Patchouli, je luistert niet,' zei ik streng. 'Ik heb het over een leidraad, een soort seksuele etiquette. En gezien het feit dat een kwart van alle huishoudens uit alleenstaanden bestaat, zou dat enorm bijdragen aan het geestelijk welzijn van de bevolking.'

'Ik vind toch echt, nu de verkiezingen voor de deur staan...' begon Harold de Hufter snijdend.

'Nee, wacht even,' zei Richard Finch al kauwend terwijl hij met zijn voet op en neer wipte en ons allemaal vreemd aankeek. 'Wie van jullie is er getrouwd?'

Iedereen keek suffig naar de tafel.

'Ik ben dus de enige?' zei hij. 'Ik ben dus de enige die de laatste flarden van de Engelse samenleving bij elkaar houdt?'

Iedereen deed zijn best om niet naar Saskia te kijken, de researcher met wie Richard de hele zomer vreemd was gegaan totdat hij opeens geen belangstelling meer had en met de stagiaire begon.

'Eerlijk gezegd, verbaast het me niets,' ging hij door. 'Wie wil jullie nou hebben? Jullie zijn niet eens in staat tot het maken van bindende afspraken voor het halen van cappuccino, laat staan dat jullie je voor de rest van je leven aan één persoon kunnen binden.' Daarop liet Saskia een vreemd geluid ontsnappen en rende de kamer uit.

Heb vanmorgen een hoop research gedaan, gebeld en met mensen gepraat. Eigenlijk best interessant: zelfs de researchers die het allemaal maar niks vonden, bleven met nieuwe suggesties komen.

'Oké, Bridget,' zei Richard Finch net voor de lunchpauze. 'Laat eens horen wat voor revolutionair baanbrekend werk je hebt verricht.'

Legde uit dat Keulen en Aken niet op één dag waren gebouwd en dat het natuurlijk nog niet allemaal klaar was, maar dat dit de hoofdlijnen waren. Ik schraapte mijn keel en begon:

GEDRAGSCODE VOOR CONTACTEN:

1 Als één van beide betrokkenen geen nadere contacten met de ander wenst, dient hij of zij de ander niet aan het lijntje te houden.

2 Als een man en een vrouw beslissen dat ze het bed wensen te delen en één van beiden hiermee geen serieuze bedoelingen heeft, dient hij of zij dit van te voren duidelijk uiteen te zetten.

3 Degene die een ander zoent of met hem/haar wipt, dient niet te doen alsof er niets aan de hand is.

4 Men dient niet jarenlang met een ander uit te gaan en al die tijd te blijven beweren dat het niet te serieus mag worden.

5 Na seksueel contact mag het als ongepast worden aangemerkt als men de verdere nacht niet gezamenlijk doorbrengt.

'Maar als nou...' kwam Patchouli onbeschoft tussenbeide.

'Mág ik even uitspreken?' vroeg ik charmant maar met gezag, alsof ik Michael Heseltine was en Patchouli Jeremy Paxman. Daarop werkte ik de rest van de lijst af en voegde eraan toe: 'En als een regering het altijd over het gezin en over normen en waarden heeft, dan moeten ze wel iets positievers voor Vrijstaanden doen dan ze alleen maar afzeiken.' Ik zweeg even en rangschikte gemoedelijk mijn aantekeningen. 'Dit zijn mijn voorstellen:

Suggesties voor het bevorderen van de Voldane Echtelijke Staat:

1 *Mannen komen van Mars, Vrouwen komen van Venus* wordt verplichte stof op school, zodat de beide vijandelijke legers elkaar leren begrijpen.

2 Leer alle jongens dat een gelijke verdeling van huishoudelijke taken meer inhoudt dan alleen de eigen vork onder de kraan houden.

3 Er moet een gigantische Overheidsinstelling voor het Koppelen van Vrijstaanden komen, met een strenge Gedragscode voor de Onderlinge Contacten, een belastingvrije toeslag voor Partnerzoekenden ter bekostiging van drankjes, telefoon, cosmetica enz., sancties op Emotioneel Zwakzinnig Gedrag en een regel dat iedereen naar ten minste 12 van overheidswege toegewezen kennismakingen moet zijn geweest alvorens zich Vrijstaand te mogen noemen, en dan alleen als men redelijke gronden kan aanvoeren waarom men alle twaalf voorgestelde partners heeft afgewezen.

4 Als deze gronden niet redelijk worden geacht, dient men zichzelf te betitelen als Emotioneel Zwakzinnig.

'Christus,' zei Harold de Hufter. 'Ik vind de Euro toch echt belangrijker.'

'Nee, dit is goed, dit is echt heel goed,' zei Richard terwijl hij me strak aankeek, waarop Harold een gezicht trok alsof hij net een duif had doorgeslikt. 'Ik denk aan een live discussie in de studio. Ik denk aan Harriet Harman, aan Robin Cook. Misschien denk ik zelfs aan Blair. Goed, Bridget. Aan de slag. Maak hier wat van. Bel het kantoor van Harman en zorg dat ze hier morgen is, en probeer dan Blair.'

Hoera. Ben eerste researcher van hoofditem. Nu wordt alles anders, niet alleen voor mij, maar voor het hele land!

19.00 Hmmf. Harriet Harman heeft niet teruggebeld. En Tony Blair ook niet. Item gaat niet door.

DINSDAG 29 APRIL

Die Gary de Klusjesman is niet te geloven. Heb de hele week elke dag zijn antwoordapparaat ingesproken, maar hoor niets. Geen reactie. Misschien is hij ziek of zo. Bovendien ruik ik op de trap steeds een walgelijke lucht.

WOENSDAG 30 APRIL

Hmm. Net thuis van kantoor, gat is afgedekt met groot stuk plastic maar geen briefje, geen woord over de 3500 pond die ik terug wil. Niets. Belde Mark maar.

8

O BABY

57 kilo, alcohol: 5 eenheden (maar dat was om de overwinning van Labour te vieren), bijdrage aan overwinning Labour: 0 (afgezien van alcohol).

18.30   Hoera! Er hangt vandaag overal een fantastische sfeer: zo'n verkiezingsdag is één van de weinige gelegenheden waarbij je merkt dat wij, het volk, het voor het zeggen hebben, dat de leden van de regering niet meer zijn dan opgeblazen, gedegenereerde, arrogante pionnen en dat nu het moment is gekomen om de rijen te sluiten en gebruik van onze macht te maken.

19.30   Net terug van de supermarkt. Verbijsterend. Iedereen komt volslagen dronken de pubs uit rollen. Heb echt het gevoel dat ik ergens deel aan heb. Het is niet alleen dat de mensen verandering willen. Nee. Wij, het volk, staan eindelijk op tegen de hebzucht, het gebrek aan principes en aan respect voor de echte mensen met hun problemen en... Ha, de telefoon.

19.45   Humf. Tom.
   'Ben je al wezen stemmen?'
   'Ik ging net de deur uit,' zei ik.
   'O ja. Naar welk stembureau moet je?'
   'Hier om de hoek.'
   Ik vind het vreselijk als Tom zo doet. Alleen omdat hij vroeger lid van Red Wedge was en overal op sombere toon 'Sing If You're Glad to be Gay' liep te zingen, hoeft hij nog niet te doen alsof hij van de Spaanse inquisitie is.
   'En op welke kandidaat ga je stemmen?'
   'Eh,' zei ik met een paniekerige blik uit het raam of ik ergens

een rood affiche aan een lantaarnpaal zag hangen. 'Buck!'

'Nou, schiet dan maar op,' zei hij. 'En denk aan Mrs. Pank-hurst.'

Nou ja zeg, wie denkt hij wel dat hij is – de voorzitter van het Lagerhuis of zo? Natuurlijk ga ik stemmen. Maar ik ga me eerst even verkleden. Zie er niet erg links uit in deze outfit.

20.45 Net terug van stembureau. 'Mag ik uw oproep?' vroeg een bazig jochie. Wat voor oproep? Dat wilde ik weleens weten. Bleek ik niet op de lijst te staan, al betaal ik verdomme al jaren *poll tax*, en nou moet ik naar een ander stembureau. Kom alleen even het stratenboekje halen.

21.30 Humf. Daar stond ik dus óók niet ingeschreven. Nu moet ik naar de een of andere bibliotheek, kilometers verderop. Al is het vanavond wel fijn op straat, moet ik zeggen. Wij, het volk, eisen verandering. Yessss! Wou alleen dat ik geen plateauschoenen had aangetrokken. En dat ik niet steeds die walgelijke stank op de trap rook als ik de deur uitga.

22.30 Wat er nu toch is gebeurd, niet te geloven. Heb Tony Blair en mijn land laten zakken en het was niet eens mijn schuld. Mijn adres bleek wel op de lijst te staan, maar ikzelf stond niet geregistreerd, al had ik mijn *Community Charge*-boekje bij me. Eerst al dat gedoe van je mag niet stemmen als je geen poll tax betaalt en dan blijk je ook niet te mogen stemmen als je het wél betaalt.

'Hebt u vorig jaar oktober het formulier ingevuld?' vroeg gewichtigdoenerige ouwe tang met ruchesbloes en broche, die het glansrijke moment uitbuitte dat ze alleen te danken had aan het toevallige feit dat zij achter tafel in stembureau mocht zitten.

'Ja!' loog ik. Je snapt toch wel dat iemand die in een flat woont niet alle saaie bruine enveloppen met 'Aan de Bewoner' kan openmaken die in de brievenbus liggen. En als Buck nu één stem tekortkomt en we de hele verkiezing verliezen omdat we één zetel te weinig hebben? Dan is dat mijn schuld, mijn schuld. Onderweg van het stembureau naar Shazzers huis liep ik me de hele tijd te schamen. En nu kan ik ook geen plateau-schoenen meer aan want mijn voeten doen te veel pijn, dus nu lijk ik heel klein.

2.30 Waddeenfeest. DaviMellor. Weg! Weg! Weg! Oeps.

VRIJDAG 2 MEI

57,1 kilo (hoera! Het eerste pond van New Labour luidt nieuw tijdperk in).

8.00 Hoera! Zeer ingenomen met plotselinge omslag. Net goed voor mijn moeder die lid van de Tory Party is en voor mijn ex-vriendje. Ha, ha. Kan niet wachten om het lekker in te wrijven. Cherie Blair is geweldig. Zij zou waarschijnlijk in de grote kleedkamer in het zwembad ook niet in de kleinste bikini passen. Zij heeft ook geen kontje als twee biljartballen, maar toch weet ze kennelijk kleren te vinden waar haar kont in kan en waarin ze er toch uitziet als een rolmodel. Misschien zal Cherie haar invloed op de nieuwe premier aanwenden zodat hij alle kledingzaken opdracht zal geven kleren te gaan verkopen die iedereen passen en waarin iedere kont er aantrekkelijk uitziet.

Ben wel bang dat het met New Labour net zo zal gaan als bij iemand op wie je vreselijk valt en met wie je dan eindelijk eens uitgaat en voor het eerst ruzie krijgt en dat het dan rampzalig blijkt te zijn. Maar Tony Blair is wel de eerste premier bij wie ik me kan voorstellen dat ik uit eigen vrije wil met hem naar bed zou gaan. Shaz had trouwens gisteravond een theorie dat hij en Cherie niet de hele tijd aan elkaar zaten omdat dat moest van de mediatrainers, maar omdat Cherie steeds opgewondener raakte naarmate er steeds meer van die overweldigende cijfers binnenkwamen – macht als afrodisiacum of... Ooo, telefoon.

'O dag schat, moet je horen!' Mijn moeder.

'Wat?' vroeg ik genietend, want nu kon ik het lekker inwrijven.

'We hebben gewonnen, schat. Geweldig, hè? Een radicale omslag! Ongelooflijk!'

Ik kreeg een koude rilling. Toen we gingen slapen, beende Peter Snow nog stralend maar verdwaasd rond en leek het zonneklaar dat alle cijfers op een Labour-overwinning wezen, maar... O, o. Misschien hebben we het wel verkeerd begrepen. We waren een beetje dronken en alles was nogal wazig, behalve al die blauwe Tory-gebouwen op de kaart van Groot-Brittannië die werden opgeblazen. Of misschien was er in de loop van de nacht iets gebeurd waardoor de Tory's alsnog hadden gewonnen.

'En weet je?'

Het is mijn schuld. Labour heeft verloren en dat is mijn schuld. Van mij en andere mensen zoals ik, die gemakzuchtig waren geworden, iets waar Tony Blair nog zó voor had gewaarschuwd. Heb het recht verspeeld me nog Brits staatsburger of vrouw te mogen noemen. Vreselijk. Vréééselijk.

'Bridget, luister je?'

'Ja,' fluisterde ik diep beschaamd.

'We houden een Tony-en-Gordon Ladies' Night op de Rotaryclub! Dan noemen we elkaar allemaal bij de voornaam en dragen vrijetijdskleding en geen das. Merle Robertshaw wil het tegenhouden, want zij zegt dat alleen de dominee zin heeft om in spijkerbroek te komen, maar Una en ik geloven dat ze dat alleen maar zegt omdat Percival kwaad is vanwege de vuurwapenwet. En Wellington houdt een toespraak. Een zwarte die op een bijeenkomst van de Rotary spreekt! Stel je voor! Maar dat is natuurlijk precies in de geest van Labour, schat. Huidskleur, fatsoensnormen, Nelson Mandela en zo. Geoffrey neemt Wellington af en toe mee, dan gaan ze een eindje rijden en laat hij hem de pubs van Kettering zien. Laatst zaten ze in een file achter een vrachtwagen van Nelson Myers die vol lag met steigermateriaal, en wij dachten dat ze een ongeluk hadden gehad!'

Ik probeerde niet te denken aan de mogelijke motivatie achter die uitstapjes van oom Geoffrey met Wellington en zei: 'Ik dacht dat jullie een verkiezingsfeest hadden gehad met Wellington?'

'Nee, schat, daar bleek Wellington bij nader inzien geen zin in te hebben. Hij zei dat hij onze cultuur niet wilde besmetten door Una en mij op zo'n feest over het vuur te laten springen en vond dat wij gewoon pasteitjes hoorden te presenteren.' Ik schaterde. 'Maar hoe dan ook, die toespraak wil hij wel houden, dan kan hij meteen geld inzamelen voor zijn jetskibedrijfje.'

'Wat?'

'Jetski's, schat, je weet toch wel wat dat zijn? Hij wil een bedrijfje op het strand opzetten in plaats van schelpen te verkopen. Hij zegt dat de Rotary daar vast wel achter staat, want die dragen het bedrijfsleven een warm hart toe. Maar ik moet er weer vandoor! Una en ik gaan met hem naar de kleurenconsulente!'

Ben een zelfverzekerde, ontvankelijke, invoelende vrouw met inhoud die zich niet verantwoordelijk voelt voor het gedrag van anderen. Alleen voor mijn eigen gedrag. Jawel.

ZATERDAG 3 MEI

57,1 kilo, alcohol: 2 eenheden (voor mijn gezondheid, verkleint de kans op een hartaanval), sigaretten: 5 (z.g.), calorieën: 1800 (z.g.), positieve gedachten: 4 (uitmuntend).

20.00 Geheel nieuwe, positieve instelling. Ben ervan overtuigd dat iedereen hoffelijker en toegeeflijker is onder nieuwe regime-Blair. Is beslist nieuwe bezem die alle kwaad van de Tory-regering wegveegt. Sta zelfs heel anders tegenover Mark en Rebecca. Goed, ze geeft een etentje, maar dat betekent toch niet dat ze iets met elkaar hebben? Ze is gewoon aan het manipuleren. Echt geweldig, dat gevoel dat je een goed niveau hebt bereikt en dat alles er goed uitziet. Alles wat ik ooit heb gedacht over verminderde aantrekkelijkheid na een zekere leeftijd blijkt niet waar. Kijk maar naar Helen Mirren en Francesca Annis.

20.30 Hoewel – hmm. Toch niet leuk dat dat etentje vanavond is. Denk dat ik maar wat in *Boeddhisme: het drama van de rijke monnik* ga lezen. Goed om te kalmeren. Moet natuurlijk niet verwachten dat alles altijd goed uitpakt en iedereen moet af en toe zijn geest voedsel geven.

20.45 Ja! Het probleem is dat ik altijd in een fantasiewereld heb geleefd en me altijd heb gericht op het verleden of op de toekomst en niet van het moment heb genoten. Blijf hier gewoon van het moment zitten genieten.

21.00 Geniet helemaal niet van dit moment. Gat in muur, stank op trap, bankrekening steeds roder en Mark op etentje bij Rebecca. Trek misschien maar fles wijn open en ga naar ER kijken.

22.00 Zou Magda al terug zijn? Ze had beloofd me meteen te bellen met gedetailleerd verslag. Ze zegt vast dat Mark helemaal niets met Rebecca heeft en dat hij nog naar me heeft gevraagd.

23.30 Heb net Magda's oppas gebeld. Ze zijn er nog niet. Heb boodschap achtergelaten dat ze moet terugbellen.

23.35 Ze heeft nog steeds niet gebeld. Misschien is Rebecca's dineetje wel fantastische triomf, zit iedereen zich daar nog waanzinnig te amuseren en klimt Mark Darcy bij wijze van hoogtepunt op tafel om verloving met Rebecca bekend te maken... Ooo, telefoon.
   'Hoi Bridge, met Magda.'
   'En, hoe was het?' vroeg ik te snel.
   'O, het was eigenlijk heel gezellig.'
   Ik kromp ineen. Helemaal fout om zoiets te zeggen, helemaal fout.
   'Ze had gegrilde geitenkaas met een groene salade gemaakt, en daarna penne carbonara, maar dan met asperges in plaats van pancetta, dat was heel lekker, en toe had ze in marsala gestoofde perziken met mascarpone.'
   O, verschrikkelijk.
   'Overduidelijk Delia Smith, maar dat ontkende ze.'
   'O ja?' vroeg ik gretig. Dat was tenminste goed nieuws. Hij houdt niet van pretentieuze mensen. 'En hoe ging het met Mark?'
   'O, prima. Hij is echt ontzettend aardig, hè? En erg aantrekkelijk.' Magda snapt er echt niets van. Helemaal niets. Dat ze

geen aardige dingen moet zeggen over vriendjes die je hebben gedumpt. 'O, en dan had ze ook nog geconfijte sinaasappelschilletjes in een laagje chocola.'

'Mooi,' zei ik geduldig. Ik wou maar zeggen, Jude of Shazzer hadden me alles allang tot in de finesses verteld, geanalyseerd en wel. 'En had je de indruk dat hij nu met Rebecca gaat?'

'Hmmm, dat weet ik eigenlijk niet. Ze zat wel ontzettend met hem te flirten.'

Deed mijn best boeddhisme in gedachten te houden, en het feit dat mijn geest tenminste aan mijzelf toebehoort.

'Was hij er al toen jullie aankwamen?' vroeg ik langzaam en geduldig, alsof ik het tegen een kind van twee had dat bijzonder traag van begrip was.

'Ja.'

'En ging hij tegelijk met de anderen weg?'

'Jeremy!' riep ze opeens zo hard ze kon. 'Was Mark Darcy er nog toen we weggingen?'

O gód.

'Wat is er met Mark Darcy?' hoorde ik Jeremy loeien, en toen zei hij nog iets.

'Heeft hij het in bed gedaan?' riep Magda. 'Een plasje of een poepje? EEN PLASJE OF EEN POEPJE? Sorry Bridge, ik moet ophangen.'

'O, nog één ding,' brabbelde ik. 'Heeft hij het nog over mij gehad?'

'Haal het er dan uit – ja, met je handen! Nou, die kan je toch wassen? Jezus, word toch eens volwassen. Sorry Bridge, wat zei je?'

'Had hij het nog over me?'

'Eh, eh. O Jeremy, rot toch op.'

'Nou?'

'Nou, Bridge, eerlijk gezegd dacht ik van niet'.

ZONDAG 4 MEI

57,1 kilo, alcohol: 5 eenheden, sigaretten: 9 (moet niet verder afglijden in decadentie), haatgevoelens en plannen om Rebecca te

vergiftigen: 14, boeddhistisch getinte schaamte over moordlustige
gedachten: groot, katholiek schuldgevoel (al ben ik niet katholiek):
steeds groter.

Thuis. Bijzonder slechte dag. Ben daarnet als een zombie bij
Jude langs gegaan. Zij en Shaz waren weer lekker bezig en zeiden dat het tijd werd dat ik me vermande, of vervrouwde, en de
contactadvertenties in de *Time Out* eens bekeek – wat een be-
lediging.

'Ik heb geen behoefte aan contactadvertenties,' zei ik verontwaardigd. 'Zo erg is het nou ook weer niet met me.'

'Eh, Bridget,' zei Sharon kil, 'was jij dat niet, die vond dat Tony Blair relatiebureaus voor Vrijstaanden moest opzetten? Ik
dacht dat wij het erover eens waren dat politieke integriteit belangrijk is.'

'O moet je horen, dit is niet te geloven.' Jude zat voor te lezen, terwijl ze grote stukken overgebleven paasei in haar mond
propte. '"Eerlijke, lange, aantrekkelijke man, 57, gvh, zkm
wulpse gehuwde dame, 20-25, voor discreet, ongeremd, vrijblij-
vend contact." Wat denken die griezels wel?'

'Wat is gvh en zkm?' vroeg ik.

'Gigantisch Varkensachtig Hoofd, Zeer Kleine Mannelijk-
heid?' suggereerde Sharon.

'Gaat Vaak Huilen, Zoals Kleine Meisjes?' peinsde ik.

'Dat betekent: Gevoel Voor Humor, Zoekt Kennismaking
Met,' zei Jude met verdacht veel kennis van zaken voor iemand
die nooit contactadvertenties leest.

'Ja, gevoel voor humor moet je wel hebben als je te vrekkig
bent om dat allemaal voluit in de advertentie te laten zetten,'
gniffelde Sharon.

Het nulzesnummer bleek heel grappig te zijn. Dat kun je bellen en dan hóór je de mensen zichzelf aanprijzen alsof ze meedoen aan *Blind Date*.

'Goed. Ik heet Barret en als je valt voor mijn campagne, krijg
je op ijs gekoelde champagne.'

Het klinkt nogal dom als je met 'goed' begint, want dan kan
iedereen horen dat je iets moet wegslikken voordat je durft in te
spreken, ook al is zoiets natuurlijk ook heel eng.

'Ik heb veeleisend, bevredigend, dankbaar werk en heb belangstelling voor de gebruikelijke dingen – magie, occultisme, sjamanisme.'

'Ik ben knap, heel hartstochtelijk, ik ben schrijver en ik zoek een heel bijzondere vrouwelijke houfdperrsoon. Ze is trots op haar mooie lichaam en is tenminste tien jaar jonger als mij en vindt dat fijn.'

'Nou ja!' zei Shazzer. 'Ik ga zo'n seksistische hufter eens bellen.'

Shazzer was in de zevende hemel: ze zette de telefoon op de luidspreker en fluisterde heel sexy: 'Spreek ik met "Eerste Poging"? Nou, dan hoop ik maar dat je gauw een tweede poging doet, tot zelfmoord dan, want anders maak ík je af.' Toegegeven, het was niet erg volwassen, maar met zo veel witte wijn achter de kiezen leek het heel geestig.

'Hoi, ik ben Wild Boy, ik ben lang, Spaans, met lang zwart haar, donkere ogen, lange zwarte wimpers en een slank, wild lijf...' las ik stompzinnig voor.

'Heee!' zei Jude opgewekt. 'Dat klinkt best goed.'

'Bel hem dan,' zei ik.

'Nee!' zei Jude.

'Waarom wil je dan dat ík iemand bel?'

Daarop begon Jude heel verlegen te doen. Het bleek dat ze na het gedoe met Stacey en het Vrijstaande Depressieweekend in de verleiding was gekomen Ranzige Richard toch maar eens terug te bellen.

'O god,' zeiden Shazzer en ik in koor.

'Ik ga niet naar hem terug of zo. Gewoon... gezellig,' besloot ze lamlendig en meed Shazzers en mijn beschuldigende blikken.

Toen ik thuiskwam, sloeg net het antwoordapparaat aan. 'Hallo Bridget,' zei een diepe, sexy, buitenlands klinkende jónge stem. 'Met Wild Boy...'

Verdomme, de meiden hebben hem natuurlijk mijn nummer gegeven. Schrok van bedreigd gevoel dat volslagen vreemde mijn telefoonnummer heeft, nam niet op, maar luisterde naar Wild Boy, die zei dat hij morgenavond in 192 zit met een rode roos in zijn hand.

Heb meteen Shazzer gebeld om haar uit te vloeken.

'Kom op zeg,' zei Shazzer. 'We gaan er allemaal samen heen. Lachen.'

Dus nu gaan we er morgenavond samen naar toe. Ho hum. Wat moet ik nu met dat gat in de muur en die stank op de trap! Die klote-Gary. Ik krijg nog 3500 pond van hem. Juist. Ik ga hem bellen, verdomme.

MAANDAG 5 MEI

56,6 kilo (hoera!), voortgang Gary inzake gat in muur: geen, succes van pogingen me over Mark Darcy heen te zetten door middel van fantaseren over Wild Boy: matig (belemmerd door wimpers).

Bij thuiskomst bericht van Gary. Zei dat hij met andere klus bezig was, dacht dat ik me had bedacht en dus geen haast had. Beweert dat hij alles op rijtje zet en morgenavond langskomt. Zie je wel, maakte me dus onnodig zorgen. Mmm. Wild Boy. Misschien hebben Jude en Shazzer gelijk. Moet verder met mijn leven, niet steeds aan Mark en Rebecca in mogelijke amoureuze situaties blijven denken. Alleen zitten die wimpers me dwars. Hoe lang precies? Fantasieën over slank, wild, duivels lichaam van Wild Boy worden enigszins doorkruist door beelden van Wild Boy knipperend onder het gewicht van wimpers à la Bambi van Walt Disney.

21.00 Was om vijf over acht in 192, met Jude en Shaz op sleeptouw, die aan ander tafeltje gingen zitten om oogje op me te houden. Wild Boy in geen velden of wegen te bekennen. Enige man-alleen was afschuwelijke ouwe engerd met denim overhemd, paardenstaart en zonnebril die me de hele tijd zat te fixeren. Waar bleef Wild Boy? Keek engerd vuil aan. Tenslotte zat engerd me zo aan te gapen dat ik meende er iets aan te moeten doen. Wilde al opstaan en schrok me toen gek. Engerd had rode roos in hand. Zag vol afgrijzen hoe hij met vette grijns belachelijke zonnebril afzette en Barbara Cartland-achtige valse wimpers onthulde. Engerd was Wild Boy. Ben walgend naar buiten gerend, gevolgd door Jude en Shazzer, die zich rotlachten.

DINSDAG 6 MEI

57,1 kilo (extra pond fantoombaby?), gedachten aan Mark: beter, voortgang Gary inzake gat in muur: ongewijzigd, dwz. geen.

19.00   Z. depressief. Toms antwoordapparaat ingesproken om te vragen of hij ook gek is. Realiseer me dat ik moet leren van mezelf te houden en voor het moment te leven, niet dwangmatig te piekeren maar aan anderen te denken en een compleet mens te zijn, maar voel me afschuwelijk. Mis Mark echt ontzettend. Kan me niet voorstellen dat hij met Rebecca gaat. Wat heb ik gedaan? Er is duidelijk iets mis met mij. Word alleen maar steeds ouder, niets helpt kennelijk, dus kan eigenlijk net zo goed accepteren dat ik altijd alleen zal blijven en nooit kinderen zal krijgen. Ophouden, flink zijn. Gary komt zo.

19.30   Gary is laat.

19.45   Nog steeds geen Gary, verdomme.

20.00   Waar blijft die Gary nou.

20.15   Gary is er verdomme nog steeds niet. O, telefoon, dat zal hij wel zijn.

20.30   Het was Tom, die zei dat hij volslagen gek was en zijn kat ook, want die poepte tegenwoordig op het kleed. En toen zei hij iets heel onverwachts.
   'Bridge?' zei hij. 'Wil jij een kind van mij?'
   'Wát?'
   'Een kind.'
   'Hoezo?' vroeg ik en kreeg plotseling angstaanjagend visioen van seks met Tom.

'Nou...' Hij dacht even na. 'Ik wil wel graag een kind, om de familienaam voort te zetten, maar ten eerste ben ik te egoïstisch om het op te voeden en ten tweede ben ik een nicht. Maar jij zou er heel goed voor zorgen, als je het tenminste niet in een winkel liet liggen.'

Ach, die lieve Tom. Net alsof hij wist hoe ik me voel. Enfin, hij zei dat ik er maar eens over moest denken. Het is maar een idee.

20.45 Ach ja, waarom ook niet? Het zou best hier thuis kunnen slapen, in een mandje. Ja! Stel je voor dat je 's morgens wakker wordt met zo'n klein schatje naast je om te knuffelen en van te houden. En we zouden gezellig leuke dingen kunnen doen, naar de speeltuin en bij Woolworth's naar de Barbiespulletjes kijken, en mijn huis werd een heerlijk, vredig, naar babypoeder geurend warm nest. En als Gary ooit nog komt zou aanbouw kamertje voor kind kunnen worden. En als Jude en Shazzer dan ook een kind kregen, zouden we een woongroep kunnen vormen en... o shit. Heb prullenmand in fik gestoken met sigarettenpeuk.

ZATERDAG 10 MEI

57,5 kilo (fantoombaby al enorm groot voor leeftijd), sigaretten: 7 (voor fantoomzwangerschap hoef je toch niet te stoppen?), calorieën 3255 (moet voor één plus fantoompje eten), aantal positieve gedachten: 4, voortgang Gary inzake gat in muur: geen.

11.00 Ben net sigaretten wezen halen. Is plotseling, verbijsterend, onvoorstelbaar, ontzettend warm weer geworden. Fantastisch! Er lopen zelfs mannen in zwembroek over straat!

11.15 Het mag dan opeens zomer zijn, maar dat is nog geen reden dat leven puinhoop moet worden, het huis een bende, stapels onbeantwoorde post en overal stank. (Gatver. Het is op de trap niet te harden.) Ga er iets aan doen, huis opruimen en post beantwoorden. Moet leven op orde krijgen om nieuwe wereldburger welkom te kunnen heten.

11.30 Juist. Zal maar beginnen met alle stapels oude kranten op één centrale stapel te leggen.

11.40 Hoewel. Ugh.

12.15 Kan misschien beter eerst de post doen.

12.20 En dat is duidelijk onmogelijk als ik me niet eerst behoorlijk heb aangekleed.

12.25 Ben niet erg tevreden over hoe ik er in short uitzie. Te sportieverig of zo. Moet kort jurkje zien te vinden.

12.35 Maar waar is dat?

12.40 Moet het alleen even wassen en te drogen hangen. Dan kan ik verder.

12.55 Hoera! Ga in Hampstead Ponds zwemmen met Jude en Shazzer! Heb benen niet onthaard maar Jude zegt dat er in de Ponds alleen vrouwen komen en dat het er sterft van de lesbiennes die het als een teken van *gay pride* beschouwen om er zo behaard als een yeti bij te lopen. Hoera!

Middernacht. Was fantastisch in Ponds, net een schilderij van zestiende-eeuwse nimfen, alleen waren er meer in Dorothy Perkins-badpak dan je zou verwachten. Heel ouderwets, met houten plankieren en zo. Zwemmen in natuurwater met zachte modderbodem en badmeesters* heel nieuwe ervaring.

Vertelde van Toms baby-idee.

'God!' zei Shaz. 'Ja, ik vind het een heel goed idee. Alleen krijg je dan niet alleen steeds te horen "waarom ben je niet getrouwd?" maar ook nog eens "wie is de vader?".'

* die badmeesters lagen natuurlijk niet op die zachte modderbodem

'Dan kan ik toch zeggen dat het een onbevlekte ontvangenis was?' opperde ik.

'Het lijkt mij anders behoorlijk egoïstisch,' zei Jude koel.

Er viel een verbijsterde stilte. We keken haar aan en probeerden te bedenken wat er aan de hand kon zijn.

'Hoezo?' vroeg Shaz ten slotte.

'Omdat een kind twee ouders nodig heeft. Je zou het alleen maar voor jezelf doen, omdat je gewoon te egoïstisch bent voor een relatie.'

Toe maar. Ik dacht even dat Shaz een machinegeweer te voorschijn zou halen en haar neermaaien. En ja hoor, daar trok Shaz al van leer, ze raasde maar door vanuit een zeer onbekrompen eclectisch cultureel referentiekader.

'Kijk maar naar de Caraïbische eilanden,' raasde ze terwijl de andere vrouwen geschrokken opkeken en ik dacht: mmm. De Caraïbische eilanden. Luxeueze hotels en witte stranden.

'Daar voeden de vrouwen de kinderen samen op, in leefgemeenschappen,' verklaarde Shaz. 'En de mannen komen alleen af en toe langs om te neuken, en nu krijgen de vrouwen ook economische macht en krijg je pamfletten "De Man in gevaar" omdat ze hun dominante rol kwijtraken, daar EN OVER DE HELE WERELD, GODVERDOMME.'

Ik vraag me weleens af of Sharon nou echt zo'n intellectueel is die zo veel verstand heeft van, nou ja, van alles, als ze iedereen wil doen geloven.

'Een kind heeft twee ouders nodig', zei Jude koppig.

'Godsamme, doe me een lol zeg, dat is toch een ontzettend bekrompen, paternalistisch, onrealistisch, eenzijdig, zelfingenomen Echtelijk Middenklassestandpunt,' siste Shaz. 'Iedereen weet dat een derde van alle huwelijken op een scheiding uitdraait.'

'Ja!' zei ik. 'En als je alleen een moeder hebt die van je houdt, is dat vast beter dan altijd ruzie en een scheiding. Kinderen hebben relaties en leven en mensen om zich heen nodig, maar dat hoeft toch niet per se die ene man te zijn.' Toen herinnerde ik me iets wat – ironisch genoeg – mijn moeder altijd zegt, en voegde eraan toe: 'Er is nog nooit een kind bedorven door te veel liefde. '

'Nou, jullie hoeven niet zo over me heen te vallen,' zei Jude hooghartig. 'Ik geef alleen mijn mening. Ik heb jullie trouwens iets te vertellen.'

'O ja? Wat dan?' vroeg Shaz. 'Ben je voorstander van slavernij?'

'Ranzige Richard en ik gaan trouwen.'

Shaz en ik hapten in stomme ontzetting naar adem terwijl Jude aanvallig blozend de ogen neersloeg.

'Ja, fantastisch hè? De laatste keer dat ik het uitmaakte, heeft hij zich waarschijnlijk gerealiseerd dat je pas weet wat je hebt als je het kwijtraakt – en dat was het duwtje dat hij nodig had, toen durfde hij zich wél te binden!'

'Waarschijnlijk eerder het duwtje dat hij nodig had om zich te realiseren dat hij moest gaan werken als jij hem niet meer onderhield,' mompelde Shaz.

'Eh, Jude,' zei ik. 'Zei je nou daarnet dat je met Ranzige Richard ging trouwen?'

'Ja,' zei Jude. 'En ik vroeg me af – willen jullie mijn bruidsmeisjes zijn?'

ZONDAG 11 MEI

57,1 kilo (fantoombaby van schrik verdwenen bij vooruitzicht van naderend huwelijk), alcohol: 3 eenheden, sigaretten: 15 (maakt nu niet meer uit hoeveel ik rook of drink), fantasieën over Mark: maar 2 (uitmuntend).

Shaz heeft net gebeld. Waren het erover eens dat het vreselijk is. Vreselijk. En dat Jude niet met Ranzige Richard moet trouwen omdat:

A hij gek is
B hij ranzig is, en
C wij het niet zien zitten om uitgedost als roze poederdonzen door zo'n kerk te lopen terwijl iedereen kijkt.

Ga Magda bellen om het te vertellen.

'Wat vind jij daar nou van?' vroeg ik.

'Hmmm. Het lijkt me niet zo'n goed idee. Maar relaties van andere mensen blijven toch altijd een raadsel,' zei ze raadselachtig. 'Als buitenstaander begrijp je toch nooit hoe zoiets in elkaar zit.'

Daarna kwam het gesprek op het Baby-idee, waarop Magda om onverklaarbare redenen leek op te fleuren.

'Hé, weet je, Bridge? Ik vind eigenlijk dat je eerst eens moet proberen hoe zoiets bevalt, dat vind ik heus.'

'Hoe bedoel je?'

'Nou, je zou bijvoorbeeld eens een middag op Constance en Harry kunnen passen om te kijken hoe dat gaat. Ik denk trouwens vaak dat ouderschap in deeltijd dé oplossing is voor de moderne vrouw.'

Jemig. Nu heb ik beloofd aanstaande zaterdag op Harry, Constance en de baby te passen terwijl zij haar coupe soleil laat bijwerken. Verder geven zij en Jeremy over zes weken een tuinfeest voor Constances verjaardag en ze vroeg of ze Mark ook moest uitnodigen. Ik heb ja gezegd. Hij heeft me namelijk sinds februari niet meer gezien en het zou heel goed voor hem zijn als hij eens zag hoe ik veranderd ben, hoe rustig en beheerst ik nu ben en hoeveel innerlijke kracht ik uitstraal.

MAANDAG 12 MEI

Toen ik op kantoor aankwam, trof ik Richard Finch in een onuitstaanbare, hyperactieve bui aan; hij sprong kauwend door de kamer en schreeuwde tegen iedereen. (Sexy Matt, die vanmorgen wel een DKNY-model leek, zei tegen Harold de Hufter dat Richard Finch volgens hem aan de coke was.)

Hoe dan ook, de grote baas bleek het idee van Richard om het korte ontbijtjournaal te vervangen door een live verslag van de ochtendbespreking van Sit Up Britain, 'ongecensureerd, met wratten en al', te hebben afgewezen. En gezien het feit dat de laatste 'ochtendbespreking' van Sit Up Britain geheel bestond uit een ruzie over de vraag welke van onze presentatoren het hoofditem zou presenteren, en dat hoofditem was de vraag welke presentatoren het nieuws van de BBC en ITV zouden gaan presenteren, geloof ik niet dat het een erg interessant programma zou zijn geworden, maar Richard was behoorlijk in zijn wiek geschoten.

'Weet je wat het is met dat nieuws?' zei hij steeds maar, haalde dan zijn kauwgom uit zijn mond en gooide het ongeveer in de richting van de prullenbak. 'Het is saai. Saai, saai, godvergeten saai.'

'Saai?' vroeg ik. 'Maar het gaat over de eerste dag van de eerste Labourregering in... in jaren!'

'Mijn god,' zei hij en rukte zijn Chris Evans-bril van zijn neus. 'Hebben we een nieuwe Labourregering? Echt? Luister eens allemaal! Bridget heeft een primeur!'

'En de Bosnische Serviërs dan?'

'O, word eens wakker, de caffeïnevrije cappuccino is klaar,' jankte Patchouli. 'Moeten ze elkaar zo nodig vanachter de bosjes blijven beschieten? Nou én? Dat is toch zo, zo... zo vijf minuten geléden allemaal.'

'Ja, ja, ja,' zei Richard met stijgende opwinding. 'De mensen willen geen dode Albanezen met hoofddoekjes, ze willen ménsen. Ik denk aan *Nationwide*. Ik denk aan Frank Bough, ik denk aan eenden op skateboards.'

Dus nu moeten we allemaal human interest-onderwerpen bedenken, zoals slakken die dronken worden of ouwe mensen die bungeejumpen. En hoe moeten we in godsnaam een bungeejumpingevenement voor senioren organiseren met... Ah, telefoon! Dat zal het Weekdieren- en Kleine Amfibieëngenootschap zijn.

'O, dag schat, moet je horen'.

'Mam,' zei ik dreigend. 'Nou heb ik nog zó gezegd...'

'Ja schat, ik weet het. Maar ik heb iets heel naars te vertellen.'

'Nou?' mokte ik.

'Wellington gaat naar huis. Zijn toespraak voor de Rotary was fantastisch. Werkelijk fantastisch. Weet je, toen hij vertelde over de omstandigheden waaronder de kinderen van zijn stam opgroeien, zat Merle Robertshaw zelfs te huilen! Te huilen!'

'Maar ik dacht dat hij geld bij elkaar wilde krijgen voor een jetskimotor.'

'Ja, dat is ook zo, schat. Maar hij heeft een geweldig plan bedacht, dat precies in het straatje van de Rotaryclub past. Als ze een schenking doen, zei hij, krijgt de afdeling Kettering niet alleen tien procent van de winst, maar als ze de helft daarvan aan de school in zijn dorp geven, doet hij daar zelf nog eens vijf procent extra bij. Liefdadigheid en ondernemerschap – slim hè? Maar goed, ze hebben vierhonderd pond bij elkaar en nu gaat hij weer terug naar Kenia! Hij gaat een nieuwe school bouwen! Stel je voor! Allemaal dankzij ons! Hij heeft prachtige dia's vertoond met "Nature Boy" van Nat King Cole als achtergrondmuziek. En aan het eind zei hij "Hakuna Matata!" en dat is nu ons motto!'

'Geweldig!' zei ik en zag toen dat Richard Finch nijdig mijn kant op keek.

'Maar goed schat, we dachten dat jij...'

'Mam,' onderbrak ik, 'ken jij oude mensen die interessante dingen doen?'

'Maar kind, wat een domme vraag. Alle oude mensen doen interessante dingen. Kijk maar naar Archie Garside – die ken je toch wel, Archie – die vroeger plaatsvervangend woordvoerder van het bestuur was. Die doet aan parachutespringen. Ik geloof zelfs dat hij morgen een gesponsorde sprong gaat maken voor de Rotary, en hij is tweeënnegentig. Een parachutist van tweeënnegentig! Kun je je dat voorstellen?'

Een halfuur later zette ik koers naar het bureau van Richard Finch, terwijl een zelfingenomen lachje me om de lippen speelde.

18.00 Hoera! Alles is in kannen en kruiken! Ben weer helemaal in de gratie bij Richard Finch en ga naar Kettering om de parachutesprong te filmen. En niet alleen dat, ik ga het geheel bovendien regisseren, en het wordt het hoofditem.

DINSDAG 13 MEI

Ik hoef zo'n stomme carrière als tv-ster niet meer. Is een harteloos vak. Was vergeten wat een nachtmerrie zo'n tv-crew is als ze ongehinderd hun gang mogen gaan bij de interactie met publiek zonder media-ervaring. Mocht het item niet regisseren omdat het te gecompliceerd werd geacht, bleef dus op de grond achter terwijl Greg, die bazige carrièremaniak, meeging in het vliegtuig. En toen wilde Archie niet springen omdat hij nergens een goede plek zag om te landen. Maar Greg bleef maar drammen van: 'Toe nou man, straks is het licht weg,' en zette hem ten slotte zo onder druk dat hij boven een zacht uitziende geploegde akker is gesprongen. Helaas bleek het geen akker te zijn, maar een rioolverwerkingsbedrijf.

ZATERDAG 17 MEI

56,2 kilo, alcohol: 1 eenheid, sigaretten: 0, vervlogen babyfantasieën: 1, vervlogen fantasieën over Mark Darcy, allemaal over het moment dat hij me weer ziet en merkt hoe ik ben veranderd, hoe beheerst, d.w.z. slank, goedgekleed enz. ik ben, en dan weer verliefd op me wordt: 472.

Totaal uitgeput door werkweek. Bijna te afgepeigerd om uit bed te komen. Had ik maar iemand die ik naar beneden kon sturen om krant te halen, benevens chocoladecroissant en cappuccino. Denk dat ik maar in bed blijf, de *Marie Claire* lezen, nagels doen en misschien kijken of Jude en Shazzer zin hebben om naar Jigsaw te gaan. Wil heel graag iets nieuws kopen voor als ik Mark volgende week zie, als het ware om te benadrukken hoe ik ben veranderd... Aáááh! De bel. Wie haalt het nu in zijn kop om op zaterdagmorgen om 10 uur bij iemand aan te bellen? Zijn ze nou helemaal gek geworden?

Later. Wankelde naar hal-o-foon. Het was Magda, die opgewekt riep: 'Zeg eens dag tegen tante Bridget!'

Kreeg zowat een hartstilstand, herinnerde me vaag aanbod vandaag met Magda's kleintjes naar speeltuin te gaan terwijl zij naar de kapper gaat om daarna als een vrije meid met Jude en Shazzer te lunchen.

In paniek drukte ik de deur open, schoot in de enige kamerjas die ik kon vinden – ongeschikt, want zeer kort en doorzichtig –

en begon door het huis te rennen om asbakken, wodkaglazen, kapotte glazen enz. weg te bergen.

'Pfff. Daar zijn we dan! Ik ben bang dat Harry een pietsie verkouden is, hè schat?' koerde Magda terwijl ze de trap op kwam bonken, aan alle kanten omhangen met buggy's en tassen, net als een dakloze. 'Oeff. Wat stinkt daar zo?'

Constance, mijn petekind, die volgende week drie wordt, zei dat ze een cadeautje voor me had. Ze leek zeer ingenomen met haar keuze en was kennelijk overtuigd dat ik dat ook zou zijn. Pakte het vol spanning uit. Het was een catalogus van een bedrijf in open haarden.

'Ze dacht waarschijnlijk dat het een tijdschrift was,' fluisterde Magda.

Gaf blijk van grote verrukking. Constance straalde, gaf me een kusje, wat ik leuk vond, en ging toen tevreden naar haar *Pingu*-video zitten kijken.

'Sorry, maar ik moet er meteen weer vandoor, anders kom ik te laat voor mijn coupe soleil,' zei Magda. 'In de tas onder de buggy zit alles wat je nodig hebt. En zorg dat ze niet door dat gat in de muur vallen.'

Het leek prima te gaan allemaal. De baby sliep, Harry, die bijna een jaar is, zat naast hem in de tweelingbuggy met een zwaar gemaltraiteerd konijn en leek op het punt om ook in slaap te vallen. Maar zodra de deur beneden dichtsloeg, zetten Harry en de baby allebei een keel op en toen ik ze wilde oppakken begonnen ze te schoppen en om zich heen te maaien als ongewenste vreemdelingen die zich hevig verzetten tegen hun deportatie.

Probeerde alles wat me maar te binnen wilde schieten om ze stil te krijgen (behalve knevelen met tape, uiteraard): dansen, zwaaien en doen alsof ik op denkbeeldige trompet speelde, maar vergeefs.

Constance keek ernstig op van haar video en haalde haar eigen flesje uit haar mond. 'Ze hebben zeker dorst,' zei ze. 'Ik kan door je nachtpon heen kijken.'

Vernederd door dit lesje in moederen van iemand van nog geen drie, haalde ik de flesjes uit de tas en deelde ze uit, en jawel hoor, beide baby's hielden op met huilen en begonnen ijverig te zuigen terwijl ze me van onder hun gefronste wenkbrauwen opnamen alsof ik een heel eng iemand van het ministerie van Binnenlandse Zaken was.

Ik wilde even naar de andere kamer om iets aan te trekken, maar toen haalden ze hun flesjes uit hun mond en begonnen weer te krijsen. Ten slotte kleedde ik me maar in de huiskamer aan terwijl zij aandachtig toekeken alsof ik een bizarre omgekeerde striptease uitvoerde.

Na een drie kwartier durende, aan de Golfoorlog herinnerende operatie om hen met wagentjes, tassen en al naar beneden te sjouwen, stonden we eindelijk op straat. Was heel leuk in de speeltuin. Harry beheerst, zoals Magda zegt, de menselijke spraak nog niet, maar Constance had een heel schattig toontje van volwassenen-onder-elkaar en zei: 'Volgens mij wil hij schommelen', toen hij wat gebrabbel uitsloeg, en toen ik een pakje Minstrels kocht, zei ze ernstig: 'Dat zullen we maar tegen niemand zeggen.'

Helaas begon Harry toen we voor de deur stonden plotseling te niezen, waarbij er een enorm web van groen snot werd uitgestoten dat vervolgens in zijn gezicht terechtkwam, net als in *Dr Who*. Constance kokhalsde van walging en kotste in mijn haar, toen begon de baby te krijsen en daarop begonnen de andere twee ook. In een wanhopige poging ze te kalmeren, boog ik me over Harry heen, veegde het snot van zijn gezicht en stopte zijn speen weer in zijn mond, terwijl ik een rustgevende vertolking van *I Will Always Love You* ten beste gaf.

Een seconde lang was het wonderbaarlijk stil. Verrukt van mijn natuurtalent als moeder begon ik aan het tweede couplet en keek Harry stralend aan, waarop hij zijn speen uit zijn mond haalde en in de mijne stak.

'Hé, hallo,' zei een mannenstem en Harry begon weer te krijsen. Ik draaide me om met de speen in mijn mond en mijn haar vol kots en keek recht in het gezicht van Mark Darcy, die er duidelijk niets van begreep.

'Dit zijn de kinderen van Magda,' zei ik ten slotte.

'O, ik dacht al, dat heb je wel erg snel gedaan. Of erg goed geheim gehouden.'

'Wie is dat?' Constance gaf me een handje en keek wantrouwig naar hem op.

'Ik ben Mark,' zei hij, 'een vriend van Bridget.'

'O,' zei ze, nog steeds achterdochtig.

'Ze kijkt anders wel net als jij,' zei hij en keek me ondoorgrondelijk aan. 'Zal ik even helpen alles naar boven te sjouwen?'

Uiteindelijk pakte Mark Harry's handje en droeg de buggy de trap op, terwijl ik met Constance aan de hand en de baby op mijn arm naar boven liep. Om de een of andere reden konden we niets uitbrengen en praatten we alleen tegen de kinderen. Maar toen hoorde ik stemmen op de trap. Om de hoek waren twee politieagenten de kast in de gang aan het leeghalen. De buren hadden geklaagd over de stank.

'Neem jij de kinderen maar mee naar boven, dan handel ik dit wel af,' zei Mark zacht. Voelde me net Maria in *The Sound of Music* als ze hebben opgetreden en zij met de kinderen naar de auto gaat terwijl kapitein Von Trapp de Gestapo te woord staat.

Vrolijk en quasi-vertrouwelijk fluisterend, zette ik de *Pingu*-video weer aan, gaf ze allemaal een flesje met suikervrije Roosvicee en ging bij ze op de grond zitten, waar ze allemaal zeer tevreden over leken.

Toen kwam er een agent binnen met een tas die ik als de mijne herkende. Hij haalde met een gehandschoende hand een plastic zakje met stinkend bloederig vlees uit het zijvakje en vroeg beschuldigend: 'Is dit van u, mevrouw? Het zat in de gangkast. Mogen we u een paar vragen stellen?'

Ik stond op terwijl de kinderen ademloos naar *Pingu* bleven kijken en Mark in de deuropening verscheen.

'Zoals ik al zei, ben ik advocaat,' zei hij vriendelijk tegen de jonge agenten, met een héél lichte ondertoon van 'dus je kunt maar beter op je tellen passen' in zijn stem.

Op dat moment ging de telefoon.

'Zal ik even opnemen?' vroeg een van de agenten achterdochtig, alsof het misschien mijn lijkendealer kon zijn. Ik snapte niet hoe dat bloederige vlees in mijn tas kwam. De politieman hield de telefoon tegen zijn oor, keek even dodelijk geschrokken en stak hem mij toen toe.

'O dag schat, wie was dat? Heb je een man over de vloer?'

Plotseling viel het kwartje. Die tas had ik voor het laatst gebruikt toen ik bij pa en ma was gaan lunchen.

'Moeder,' zei ik, 'toen ik bij jullie kwam lunchen, heb je toen iets in mijn tas gestopt?'

'Ja, nu je het zegt. Twee tournedos. En je hebt me nooit bedankt. Ik had ze in het zijvak gedaan. Ik zei laatst nog tegen Una, tournedos is niet goedkoop.'

'Waarom heb je daar niets over gezegd?' siste ik.

Wist uiteindelijk een in het geheel niet schuldbewuste moeder zover te krijgen dat ze een bekentenis aflegde tegen de agent. En zelfs toen zeiden ze nog dat ze het vlees wilden meenemen en mij misschien vasthouden voor nader verhoor, waarop Constance begon te huilen. Ik tilde haar op, ze sloeg haar armpjes om mijn nek en klemde zich aan mijn trui vast alsof de agenten me aan haar wilden ontrukken om me in een berenkuil te gooien.

Mark lachte alleen maar, legde zijn hand op de schouder van een van de agenten en zei: 'Kom zeg, jongens. Het zijn gewoon twee biefstukken die ze van haar moeder had gekregen. Jullie hebben vast wel iets beters te doen.'

De agenten keken elkaar aan, knikten, sloegen hun aantekenboekjes dicht en pakten hun helm. Toen zei de hoogste: 'Goed, mevrouw Jones, let u er in het vervolg wél op wat uw moeder in uw tas stopt. En bedankt, meneer. Een prettige avond nog. U ook, mevrouw.'

Daarna viel er een stilte en keek Mark naar het gat in de muur alsof hij even niet wist wat hij moest doen; toen zei hij opeens: 'Veel plezier met *Pingu*,' en rende achter de agenten aan de trap af.

WOENSDAG 21 MEI

57,1 kilo, alcohol: 3 eenheden (z.g.), sigaretten: 12 (uitstekend), calorieën 3425 (geen trek), voortgang door Gary geboekt inzake gat in muur: 0, positieve gedachten over van meubelstoffen vervaardigde feestkleding: 0.

Het is Jude nu echt in haar bol geslagen. Kom net bij haar vandaan, waar alles bezaaid lag met bruidsbladen, swatch-horloges met kant, goudkleurig gespoten frambozen, folders van soep-terrines en fruitmesjes, terracotta potten met onkruid erin en stro.

'Ik wil een yoert,' zei ze. 'Of heet dat een koerd? In plaats van zo'n gewone feesttent. Een Afghaanse nomadentent met kleden op de grond, en ik wil ook van die gepatineerde oliebranders op hoge stelen.'

'Wat trek je aan?' vroeg ik terwijl ik het tijdschrift vol graat-magere fotomodellen in geborduurde gewaden met bloemstukken op hun hoofd doorbladerde en me afvroeg of het geen tijd werd om een ambulance te bellen.

'Ik laat iets maken. Door Abe Hamilton! Kant, met een enorm decolleté.'

'Hoezo decolleté?' mompelde Shaz moordlustig.

'Pas maar op dat de gasten er niet in vallen.'

'Pardon?' vroeg Jude kil.

'Dan zit er tenminste iets in.'

'Ja, daar zit iets in,' zei Shaz.

'Dames,' zei Jude iets te vriendelijk, als een gymjuf die ons in onze gymbroekjes in de rij op de gang wilde zetten, 'zullen we verdergaan?'

Interessant, dat 'we'. Het was opeens niet meer Jude's bruiloft, maar ónze bruiloft, en we moesten allemaal van die krankzinnige karweitjes doen, zoals 150 gepatineerde oliebranders met stro omwikkelen en naar een beautyfarm gaan om Jude op een vrijgezellenpartijtje te onthalen.

'Mag ik iets zeggen?' vroeg Shaz.

'Ja,' zei Jude.

'TROUW NIET MET RANZIGE RICHARD. Het is een onbetrouwbare, egoïstische, ontrouwe, walgelijke lul met bindings-angst. Als je met hem trouwt, pikt hij de helft van je geld in en gaat er dan met de een of andere slet vandoor. Ik weet wel dat er zoiets als huwelijkse voorwaarden bestaat, maar...'

Jude werd helemaal stil. Het drong ineens tot me door – toen ik haar schoen tegen mijn scheen voelde – dat Shazzie verwachtte dat ik haar steunde.

'Moet je horen,' zei ik hoopvol en begon uit de *Bride's Wedding Guide* voor te lezen. '"De getuige: in het ideale geval kiest de bruidegom een verstandige vriend met verantwoordelijk-heidsgevoel..."'

Ik keek zelfingenomen om me heen alsof ik de bedoeling van Shaz onderstreepte, maar de reactie was wat koeltjes.

'En bovendien,' zei Shaz, 'vind je niet dat zo'n bruiloft je relatie veel te veel onder druk zet? Ik bedoel, met zoiets laat je nu niet bepaald merken dat hij zijn best moet doen om je te krijgen, hè?'

Jude haalde diep adem door haar neus terwijl wij gespannen toekeken.

'Goed! En nu,' zei ze ten slotte en keek met een dappere glimlach op. 'De taak van de bruidsmeisjes!'

Shaz stak een Silk Cut op. 'Wat moeten we aan?'

'Nou,' begon Jude uitbundig, 'ik vind dat we iets moeten laten maken. En kijk hier eens!' Dat sloeg op een artikel met de kop 'vijftig manieren om geld te besparen op de Grote Dag'. '"Voor de bruidsmeisjes kan met meubelstoffen een heel bijzonder effect worden bereikt"!'

Meubelstoffen?

'Weet je,' ratelde Jude door, 'bij "de gastenlijst" stond: "Voel je niet verplicht de nieuwe partners van je gasten ook te vragen" – maar zodra ik het onderwerp ter sprake bracht, zei ze meteen: "O, wé willen heel graag komen".'

'Wie is "ze"?' vroeg ik.

'Rebecca.'

Ik keek Jude met stomheid geslagen aan. Zo ver zou ze toch niet gaan? Ze verwachtte toch niet dat ik over het middenpad van de kerk ging lopen, gestoffeerd als een bankstel, terwijl Mark Darcy daar ergens naast Rebecca zat?

'En ze hebben me ook gevraagd of ik met hen op vakantie ging. Niet dat ik dat zou doen natuurlijk. Maar ik geloof dat Rebecca een beetje gekwetst was dat ik het haar niet eerder had verteld.'

'Wát?' ontplofte Shazzer. 'Weet je dan niet wat het woord "vriendschap" betekent? Bridget is je beste vriendin, samen met mij, en Rebecca heeft ijskoud Mark ingepikt, en in plaats van het een beetje tactvol aan te pakken probeert ze nu iedereen in haar walgelijke sociale web te zuigen om hem zo in te spinnen dat hij nooit meer weg kan. En jij neemt niet eens een standpunt in, verdomme. Dat is nou het probleem met de moderne cultuur – niets is meer onvergeeflijk. Nou, maar ik word er kotsmisselijk van, Jude. Als jouw vriendschap zo weinig voorstelt, ga je maar met Rebecca in een Ikeagordijn achter je aan naar die kerk, want van ons hoeft het niet meer. Veel plezier. En die yoert, of die koerd of wat het ook is, die steek je maar in je reet!'

Dus nu praten Sharon en ik niet meer met Jude. O, wat een toestand allemaal.

9

SOCIALE HEL

ZONDAG 22 JUNI

58,4 kilo, alcohol: 6 eenheden (vond dat ik dat Constance schuldig was), sigaretten: 5 (z.g.), calorieën: 2455 (maar hoofdzakelijk producten bedekt met oranje glazuur), ontsnapte kinderboerderijdieren: 1, aanvallen op mijn persoon door kinderen: 2.

Gisteren was het verjaarspartijtje van Constance. Kwam ongeveer een uur te laat en zocht me een weg door Magda's huis, waarbij ik afging op het gegil in de tuin waar een enorme slachting aan de gang was van grote mensen die kinderen achternazaten, kinderen die konijnen achternazaten en, in de hoek, een kleine afrastering waarachter twee konijnen, een woestijnrat, een ziek ogend schaap en een hangbuikzwijntje zaten.

Ik bleef bij de openslaande deuren staan en blikte nerveus om me heen. Hart sloeg over toen ik hem zag: hij stond in zijn eentje in traditionele Mark Darcy-feesthouding en zag er koel en afstandelijk uit. Hij keek naar de deur waar ik stond en even kruisten onze blikken elkaar, waarop hij me verward toeknikte en zich weer afwendde. Toen zag ik naast hem Rebecca op haar hurken bij Constance zitten.

'Constance! Constance! Constance!' kirde Rebecca die met een Japanse waaier voor haar gezicht wuifde waar Constance boos en nijdig knipperend naar keek.

'Kijk eens wie daar is!' zei Magda, die zich over Constance heen boog en door de kamer naar mij wees.

Er kroop een verholen lachje over Constance' gezichtje en vastberaden zette ze, zij het ietwat waggelend, koers naar mij, zodat Rebecca voor joker met de waaier bleef zitten. Toen ze vlak bij me was, boog ik me voorover en zij sloeg een arm om mijn nek en drukte haar warme gezichtje tegen me aan.

'Heb je een cadeautje meegenomen?' fluisterde ze.

Blij dat dit onbeschaamde staaltje van baatzuchtige liefde alleen voor mij hoorbaar was, fluisterde ik: 'Wie weet.'

'Waar is het?'

'In mijn tas.'

'Zullen we het gaan halen?'

'O, kijk, wat schattig,' hoorde ik Rebecca kirren en zij en Mark keken toe hoe Constance mijn hand pakte en me naar de koelte van het huis meetrok.

Was eerlijk gezegd nogal in mijn nopjes met het cadeautje voor Constance, een pakje Minstrels en een roze Barbie-tutu met een goud-roze uitstaand rokje van gaas, waarvoor ik twee filialen van Woolworth had moeten uitkammen. Ze vond het prachtig en wilde het – zoals een vrouw betaamt – natuurlijk meteen aantrekken.

'Constance,' zei ik toen we de tutu van alle kanten hadden bewonderd, 'ben je blij dat ik er ben of blij dat je een cadeautje hebt gekregen?'

Ze keek me met gefronste wenkbrauwen aan. 'Dat ik een cadeautje heb gekregen.'

'Juist,' zei ik.

'Bridget?'

'Ja?'

'In jouw huis, hè?'

'Ja.'

'Waarom heb jij daar geen speelgoed?'

'Nou, omdat ik eigenlijk niet meer met zulk speelgoed speel.'

'O. En waarom heb je geen speelkamer?'

'Omdat ik zulke spelletjes niet meer doe.'

'Waarom heb jij geen man?'

Onvoorstelbaar. Was nog maar net op het feestje en werd nu al door een driejarige de les van de Zelfingenomen Echtelieden gelezen.

Had daarna lang ernstig gesprek, zittend op de trap, over dat iedereen anders is en dat sommige mensen Vrijstaanden zijn, tot ik een geluid hoorde en opkeek en Mark Darcy op ons zag neerkijken.

'O, eh. De wc is boven, neem ik aan?' vroeg hij onverschillig. 'Hallo, Constance. Hoe gaat het met Pingu?'

'Die bestaat niet echt,' zei ze met een nijdige blik naar hem.

'Juist, juist,' zei hij. 'Stom van me om zo' – hij keek me strak aan – 'goedgelovig te zijn.' Toen klom hij langs ons zonder me zelfs een zoen te geven of iets. 'Goedgelovig.' Dacht hij nog steeds dat ik hem bedroog met Gary de Klusjesman en de man van de stomerij? Nou ja, dacht ik, het kan me niet schelen. Het doet er niet toe. Alles gaat goed en ik ben helemaal over hem heen.

'Je kijkt verdrietig,' zei Constance. Ze dacht even na, nam toen een half-afgekloven Minstrel uit haar mond en stopte die in de mijne. We besloten om naar de achtertuin te gaan om iedereen de tutu te laten zien, en Constance werd meteen opgepakt door een manische Rebecca.

'Ooh, kijk, je bent een elfje. Ben jij een elfje? Wat voor soort elfje ben je dan? En waar is je toverstaf?' kakelde ze.

'Geweldig cadeau, Bridge,' zei Magda. 'Ik zal iets te drinken voor je halen. Je kent Cosmo toch?'

'Ja,' zei ik en mijn stemming sloeg meteen om toen ik de trillende wangen van de enorme handelsbankier zag.

'Zo! Bridget, geweldig leuk je te zien!' bulderde Cosmo, die me verlekkerd opnam. 'Hoe gaat het op het werk?'

'O, prima,' loog ik, blij dat hij zich niet meteen op mijn liefdesleven stortte. Een grote stap voorwaarts! 'Ik zit nu bij de tv.'

'Tv? Fantastisch! Verrekte fantastisch! Ben je voor de camera?'

'Heel af en toe,' zei ik op dat bescheiden toontje dat suggereerde dat ik zo'n beetje Cilla Black was, maar niet wilde dat het algemeen bekend werd.

'O! Een beroemdheid, hè? En' – hij boog zich bezorgd naar me toe – 'lukt het met de rest van je leven ook een beetje?'

Helaas kwam op dat moment Sharon net langs. Ze staarde naar Cosmo, die eruitzag als Clint Eastwood die denkt dat iemand hem probeert te belazeren.

'Wat is dat nou voor vraag?' snauwde ze.

'Wat?' zei Cosmo die zich geschrokken naar haar omdraaide.

'"Lukt het met de rest van je leven ook een beetje?" Wat bedoel je daar nou mee?'

'Eh, tja, nou... of ze nog binnenkort... je weet wel...'

'Gaat trouwen? Dus alleen omdat haar leven niet net zo is als het jouwe, denk je zeker dat het niet gelukt is? En lukt het met de rest van jouw leven een beetje, Cosmo? Hoe gaat het tussen jou en Woney?'

'Nou, ik... nou,' sputterde Cosmo en hij werd knalrood.

'O, sorry. We hebben duidelijk een gevoelige snaar geraakt. Kom op, Bridget, voor ik weer iets verkeerds zeg!'

'Shazzer!' zei ik toen we op veilige afstand waren.

'Ach, kom nou,' zei ze. 'Dat was toch te erg. Ze kunnen niet zomaar mensen kleineren en kritiek leveren op hun levensstijl. Cosmo wil waarschijnlijk dat Woney vijfentwintig kilo afvalt en dat ze niet de hele dag als een hyena lacht, maar dat stellen we toch ook niet meteen bij de eerste ontmoeting vast waarna we besluiten dat het onze taak is om hem dat in te peperen?' Er verscheen een gemene glinstering in haar ogen. 'Of misschien toch wel,' zei ze, terwijl ze mijn arm pakte en me terug naar Cosmo sleurde, maar vonden weer Mark, Rebecca en Constance op onze weg. Jezusmina.

'Wie denk je dat ouder is, ik of Mark?' vroeg Rebecca.

'Mark,' zei Constance pruilend, terwijl ze van de ene kant naar de andere keek alsof ze ervandoor wilde gaan.

'Wie denk je dat ouder is, ik of mammie?' ging Rebecca speels verder.

'Mammie,' antwoordde Constance afvallig, waarop Rebecca tinkelend lachte.

'Wie denk je dat ouder is, ik of Bridget?' vroeg Rebecca en ze gaf me een knipoog.

Constance keek weifelend naar me op terwijl Rebecca haar stralend toelachte. Ik knikte snel naar Rebecca.

'Jij,' zei Constance.

Mark Darcy barstte in lachen uit.

'Zullen we elfje gaan spelen?' kwinkeleerde Rebecca, van onderwerp veranderend, terwijl ze de hand van Constance probeerde te pakken. 'Woon je in een elfjeskasteel? Is Harry ook een elfje? Waar zijn je lieve kleine elfenvriendjes?'

'Bridget,' zei Constance, die me strak aankeek, 'ik vind dat je die mevrouw moet vertellen dat ik niet echt een elfje ben.'

Een tijdje later, toen ik dit aan Shaz opdiste, zei ze duister:

'O, god. Kijk eens wie we daar hebben.'

Aan de andere kant van de tuin stond Jude, stralend in het turquoise, met Magda te babbelen, maar zonder Ranzige Richard.

'De meiden zijn er ook!' zei Magda jolig. 'Kijk! Daar!'

Shaz en ik keken onderzoekend omlaag in ons glas alsof we niets in de gaten hadden. Toen we opkeken, stormde Rebecca blatend op Jude en Magda af als een omhooggevallen schrijversechtgenote die Martin Amis met Gore Vidal ziet praten.

'O, Jude, ik vind het zo heerlijk voor je, het is fantastisch!' riep ze overdreven uit.

'Ik weet niet wat die vrouw slikt maar dat wil ik ook,' bromde Sharon.

'O, jij en Jeremy móeten komen, nee, echt. Ik sta erop,' was Rebecca nu aan het zeggen. 'Nou, dan neem je die toch mee! Neem de kinderen mee! Ik ben dol op kinderen! Tweede weekend van juli. Het is in het huis van mijn ouders in Gloucestershire. Ze zullen het zwembad vast geweldig vinden. Er komen allerlei fantastische luitjes! Zoals Louise Barton-Foster, Woney en Cosmo...' Sneeuwwitjes stiefmoeder, Marc Dutroux en Caligula, dacht ik dat ze verder zou gaan.

'... Jude en Richard, en Mark komt natuurlijk ook, Giles en Nigel van Marks werk...'

Ik zag Jude onze kant opkijken. 'En Bridget en Sharon?' vroeg ze.

'Wat?' zei Rebecca.

'Heb je Bridget en Sharon uitgenodigd?'

'O.' Rebecca leek geagiteerd. 'Eh, natuurlijk, ik weet alleen niet of we genoeg slaapkamers hebben, maar we zouden eventueel het zomerhuisje kunnen gebruiken.' Iedereen staarde haar aan. 'Ja, ik heb ze uitgenodigd!' Ze keek verwilderd om zich heen. 'O, daar zijn ze! Jullie komen toch ook de twaalfde, hè?'

'Waar?' vroeg Sharon.

'Naar Gloucestershire.'

'We weten helemaal nergens van,' zei Sharon luid.

'Nou. Nu wel! Tweede weekend van juli. Het is vlak buiten Woodstock. Jij bent er toch al eens geweest, Bridget?'

'Ja,' zei ik met een kleur, terwijl ik aan dat gruwelijke week-end terugdacht.

'Nou! Geweldig! En jullie komen ook, Magda, dus...'

'Eh...' begon ik.

'We komen dolgraag,' zei Sharon resoluut en ze trapte op mijn voet.

'Wat? Wat?' vroeg ik toen Rebecca hinnikend was afgetaaid.

'Reken maar van yes dat we gaan,' zei ze. 'Je laat haar toch niet zomaar al je vrienden wegkapen. Ze probeert iedereen met harde hand in een of ander idioot sociaal kringetje te dwingen van opeens-gewaardeerde bijna-vrienden van Mark zodat ze beidjes als een vorstenpaar in een veren bedje vallen.'

'Bridget?' zei een bekakte stem. Ik draaide me om en zag een vrij kleine man met rossig haar en een bril. 'Ik ben Giles, Giles Benwick. Ik werk samen met Mark. Weet je nog? Je hebt me toen geweldig geholpen aan de telefoon de avond dat mijn vrouw zei dat ze wegging.'

'O, ja, Giles. Leuk je te ontmoeten,' zei ik. 'Hoe gaat het nou?'

'O, niet zo goed, vrees ik,' zei Giles. Sharon verdween met een blik achterom, waarop Giles aan een lang, ingewikkeld, wijdlopig betoog begon over zijn op de klippen gelopen huwelijk.

'Ik heb je raad zeer op prijs gesteld,' zei hij en keek me heel ernstig aan. 'En ik heb ook *Mannen komen van Mars, vrouwen komen van Venus* gekocht. Ik vond het heel, heel erg goed, al heeft het Veronica's besluit niet kunnen veranderen.'

'Nou ja, het gaat ook meer over relaties aangaan dan verbreken,' zei ik loyaal-aan-het-Mars-en-Venus-concept.

'Dat klopt, dat klopt,' beaamde Giles. 'Zeg eens, heb je ook *Je kunt je leven helen* van Louise Hay gelezen?'

'Ja!' zei ik opgetogen. Giles Benwick leek een uitgebreide kennis van het zelfhulpboekenwezen te hebben opgebouwd en ik vond het heerlijk om de verschillende boekwerken met hem te bespreken, al ging hij er wel erg lang op door. Uiteindelijk kwam Magda met Constance naar ons toe.

'Giles, ik wil je heel graag voorstellen aan mijn vriend Cosmo!' zei ze, terwijl ze me een veelbetekenende blik toewierp.

'Bridge, zou jij even een paar tellen op Constance willen letten?'

Ik hurkte neer naast Constance, die zich zorgen leek te maken over het esthetische effect van chocoladevlekken op een tutu. Net toen we onszelf er resoluut van hadden overtuigd dat chocoladevlekken op roze mooi en apart waren en een waardevolle design-toevoeging, kwam Magda weer terug. 'Volgens mij heeft die ouwe Giles een oogje op je,' zei ze spottend en nam Constance mee voor een grote bah. Voor ik kon opstaan, begon iemand me op mijn achterwerk te slaan.

Ik draaide me om – in de veronderstelling, toegegeven, dat het misschien Mark Darcy was! – en zag Woneys zoon, William, en zijn vriendje, die gemeen aan het giechelen waren.

'Nog een keer,' zei William en zijn vriendje begon weer te timmeren. Probeerde op te staan maar William – die ongeveer zes is en groot voor zijn leeftijd – stortte zich op mijn rug en wrong zijn armen om mijn hals.

'Houwop, William,' zei ik in een poging tot gezag maar op dat moment brak er aan de andere kant van de tuin opschudding uit. Het hangbuikzwijntje was losgebroken en rende nu luid gillend heen en weer. In groot tumult holden ouders naar hun kroost maar William hield zich onverdroten aan mijn rug vast en het jongetje was nog steeds op mijn achterwerk aan het timmeren en stootte een hoog *Exorcist*-achtig gelach uit. Ik probeerde William af te schudden, maar hij was verbazingwekkend sterk en wilde niet loslaten. Mijn rug deed behoorlijk pijn.

Opeens werden Williams armen van mijn hals gehaald. Ik voelde dat hij werd opgetild en toen hield ook het slaan op. Even bleef ik met mijn hoofd vooroverzitten om op adem te komen en mezelf weer in de plooi te krijgen. Toen ik me omdraaide zag ik Mark Darcy wegwandelen met onder elke arm een spartelend zesjarig jongetje.

Een tijdje stond het hele partijtje in het teken van het losgebroken zwijntje vangen, en de kinderboerderijbaas kreeg van Jeremy op z'n lazer. Toen ik Mark weer zag, had hij zijn jasje aan en nam afscheid van Magda, waarop Rebecca toesnelde en ook afscheid begon te nemen. Vlug wendde ik me af en probeerde aan wat anders te denken. Plotseling kwam Mark op me af.

'Ik, eh, ga ervandoor, Bridget,' zei hij. Zou zweren dat hij even naar mijn tieten keek. 'Niet met stukken vlees in je tas weggaan, hè?'

'Nee,' zei ik. We keken elkaar even aan. 'O, nog bedankt, bedankt voor...' Ik knikte naar waar het incident had plaatsgevonden.

'Graag gedaan,' zei hij zachtjes. 'Als ik nog eens een jongen van je rug moet halen, geef je maar een gil.' En alsof hij op dit moment had gewacht, kwam die vervelende Giles Benwick met twee glazen in zijn hand naar ons toe.

'O, jij gaat ervandoor, ouwe jongen?' zei hij. 'Ik wilde net Bridget nog wat goede adviezen ontfutselen.'

Mark keek vlug van de een naar de ander.

'Ik weet zeker dat je in uitstekende handen bent,' zei hij kortaf. 'Zie je maandag op kantoor.'

Kut, kut, kut. Waarom flirt er nooit iemand met me behalve als Mark in de buurt is?

'Dan zitten we weer in de martelkamer, hè?' zei Giles en gaf Mark een klap op zijn rug. 'En zo gaan we maar door. Zo gaan we maar door. Tot snel dan maar weer.'

Hoofd tolde terwijl Giles maar doorzaagde dat hij me een exemplaar van *Feel the Fear and Do It Anyway* zou toesturen. Hij wilde verdacht graag weten of Sharon en ik de twaalfde naar Gloucestershire kwamen. Maar de zon leek onder te zijn, er werd veel gehuild en 'je krijgt voor je broek' geroepen en iedereen leek op te stappen.

'Bridget.' Het was Jude. 'Ga je mee naar 192 voor een...'

'Nee, we kunnen niet,' snibde Sharon. 'We gaan nog even nakletsen.' Wat een leugen was omdat Sharon een afspraak had met Simon. Jude keek ontzet. O, god. Die trut van een Rebecca heeft alles naar de kloten geholpen. Moet onthouden om niet anderen de schuld te geven maar verantwoordelijkheid te nemen voor alles wat eigen persoon overkomt.

57,5 kilo (het helpt!), vorderingen gat in muur door Gary: 0.

Ik geloof dat ik me er maar bij neer moet leggen. Mark en Rebecca zijn een stel. Niks meer aan te doen. Heb nog wat in *The
Road Less Travelled* gelezen en besef dat je niet alles in het leven kunt hebben. Een aantal dingen, maar niet alles wat je wilt.
Gaat er niet om wat je overkomt in het leven maar hoe je de jou
toebedeelde kaarten uitspeelt. Ga niet over het verleden en
reeks rampen met mannen simmen. Ga alleen aan toekomst
denken. Ooo, joepie, telefoon! Hoera! Zie je wel!

Was Tom die belde om even te klagen. Wat leuk was. Tot hij
zei: 'O, trouwens, ik zag Daniel Cleaver vanavond nog.'

'O, echt, waar dan?' kwetterde ik met opgewekte doch geknepen stem. Besef dat ik nieuwe persoon ben en beschamende re-
latieperikelen uit verleden – om maar even een voorbeeldje bij
de kop te pakken, afgelopen zomer een naakte vrouw op Daniels dakterras aantreffen terwijl hij zogenaamd iets met mij
had – zullen nieuwe persoon nooit overkomen. Wilde desondanks niet dat spookbeeld van Daniel-vernedering zich dreigend verhief, als soort monster van Loch Ness of erectie.

'In de Groucho Club,' zei Tom.

'Heb je met hem gepraat?'

'Ja.'

'Wat heb je gezegd?' vroeg ik riskant. Mijn standpunt inzake
exen is dat vrienden ze moeten straffen en negeren en niet alle
twee de partijen te vriend moeten houden, zoals Tony en Cherie met Charles en Diana doen.

'Oef. Dat weet ik niet meer precies, hoor. Ik zei, eh: "Waarom
heb je Bridget zo hufterig behandeld terwijl ze zo lief is?"'

Iets in de toon waarop hij het als papegaai opdreunde gaf me
het vermoeden dat hij zichzelf misschien niet letterlijk citeer-
de.

'Goed,' zei ik, 'heel goed.' Ik zweeg even, vastbesloten om het
hierbij te laten en op een ander onderwerp over te gaan. Wat
kan het me nog schelen wat Daniel zegt?

'En wat zei hij toen?' siste ik.

'Hij zei,' zei Tom en begon te lachen. 'Hij zei...'

'Wat?'

'Hij zei...' Hij was zowat aan het huilen van het lachen.

'Wat? Wat nou? Wááát?'

'Hoe kun je nou iets hebben met iemand die niet weet waar Duitsland ligt.'

Ik stootte een schelle hyenalach uit, ongeveer zoals je doet als je hoort dat je oma dood is en denkt dat het een grap is. Toen drong de werkelijkheid tot me door. Suizebollend pakte ik de zijkant van de keukentafel vast.

'Bridge?' vroeg Tom. 'Gaat het een beetje? Ik moest alleen maar lachen omdat het zo... absurd is. Ik bedoel, je weet natuurlijk best waar Duitsland ligt... Bridge? Ja toch?'

'Ja,' fluisterde ik slapjes.

Er viel een lange, pijnlijke stilte waarin ik probeerde te aanvaarden wat er gebeurd was, namelijk dat Daniel me had gedumpt omdat ik dom was.

'Nou dan,' zei Tom opgewekt. 'Waar ligt het... Duitsland?'

'Europa.'

'Ja, maar waar ongeveer in Europa?'

Nou vraag ik je. In deze moderne tijd is het helemaal niet meer nodig om precies te weten waar landen liggen. Het enige wat je moet kunnen is een vliegticket naar een land kopen. In het reisbureau gaan ze je toch niet vragen over welke landen je heen vliegt voor ze het ticket afgeven, of wel soms?

'Geef het maar grofweg aan.'

'Eh,' talmde ik, hoofd omlaag, ogen de kamer afspeurend op zoek naar een toevallig rondslingerende atlas.

'Welke landen liggen volgens jou dicht bij Duitsland?' dramde hij door.

Daar dacht ik zorgvuldig over na. 'Frankrijk.'

'Frankrijk. Aha. Dus Duitsland ligt "dicht bij Frankrijk" denk jij?'

Iets in Toms toon gaf me het idee dat ik een catastrofale blunder had begaan. Toen bedacht ik dat Duitsland natuurlijk met Oost-Duitsland is verbonden en dus eerder in de buurt van Hongarije, Rusland of Praag ligt.

'Praag,' zei ik. Waarop Tom in lachen uitbarstte.

'Nou, tegenwoordig bestaat zoiets als algemene kennis niet meer,' zei ik beledigd. 'In artikelen is aangetoond dat de media zo'n enorme overvloed aan informatie geven dat het onmogelijk is dat iedereen dezelfde selectie eruit maakt.'

'Rustig maar, Bridge,' zei Tom. 'Het geeft niet. Zullen we morgen naar de film gaan?'

23.00   Ga voortaan alleen nog naar de film en boeken lezen. Wat Daniel allemaal beweert interesseert me hoegenaamd helemaal niets.

23.15   Waar haalt die Daniel het lef vandaan om me zo te kleineren? Hoe wist hij dat ik niet weet waar Duitsland ligt? We zijn er niet eens in de buurt geweest. Verder dan Rutland Water zijn we niet gekomen. Huh.

23.20   Enfin, ik ben toevallig erg lief. Lekker puh.

23.30   Ben vreselijk. Ben dom. Ga *The Economist* bestuderen en verder naar avondschool en *Money* van Martin Amis lezen.

23.35   Haha. Heb inmiddels atlas gevonden.

23.40   Aha! Juist. Ik ga die lul opbellen.

23.45   Net Daniels nummer gedraaid.

'Bridget?' zei hij voor ik iets had kunnen uitbrengen.

'Hoe wist je dat ik het was?'

'Een of ander bovennatuurlijk zesde zintuig,' teemde hij geamuseerd. 'Momentje.' Ik hoorde hem een sigaret opsteken. 'Nou, toe dan.' Hij nam een diepe trek.

'Wat?' mompelde ik.

'Zeg maar waar Duitsland ligt.'

'Het ligt naast Frankrijk,' zei ik. 'En verder naast Nederland, België, Polen, Tsjecho-Slowakije, Zwitserland, Oostenrijk en Denemarken. En het ligt ook aan zee.'

'Welke zee?'

'Noordzee.'

'En?'

Ik staarde verwoed naar de atlas. Er stond geen andere zee. 'Oké,' zei hij. 'Eén zee van de twee is niet slecht. Dus je wilt langskomen?'

'Nee!' zei ik. Nou vraag ik je. Daniel is echt het toppunt. Ga me hier niet meer in verstrikken.

ZATERDAG 12 JULI

120 kilo (zo voel ik me, vergeleken met Rebecca), aantal pijnsteken in rug van gruwelijk schuimmatras: 9, aantal gedachten betr. Rebecca en natuurrampen, blikseminslag, overstromingen en huurmoordenaars: veel, maar nog binnen de perken.

Rebecca's huis, Gloucestershire. In afschuwelijk gastenverblijf. Waarom ben ik gegaan? Waarom? Waarom? Sharon en ik waren vrij laat vertrokken en kwamen pas tien minuten voor avondeten aan. Dit viel verkeerd bij Rebecca, die kwinkeleerde: 'O, we hadden jullie al bijna als vermist opgegeven!' op toontje van ma of Una Alconbury.

We logeerden in een apart bediendeverblijf, wat ik eigenlijk wel gunstig vond want geen gevaar Mark in gangen tegen lijf te lopen, tot we er arriveerden: helemaal groen geverfd, schuimrubber eenpersoonsbedden met formica hoofdeinde, een schril contrast met de laatste keer dat ik hier was en in prachtige hotelachtige kamer logeerde met eigen badkamer.

'Echt iets voor Rebecca,' mopperde Sharon. 'Vrijstaanden zijn tweederangsburgers. Peper ze het maar goed in.'

We kwamen te laat voor het eten binnengestommeld en voelden ons net een stel opzichtige gescheiden vrouwen omdat we zo snel onze make-up hadden opgedaan. Eetkamer zag er nog net zo adembenemend deftig uit als anders, met een enorme open haard met zitje achterin en twintig mensen rond een antieke eikenhouten eettafel verlicht door zilveren kandelaars en opgetuigd met bloemstukjes.

Mark zat aan het hoofd van de tafel tussen Rebecca en Louise Barton-Foster, diep in gesprek.

Rebecca leek niet te merken dat we binnenkwamen. We stonden opgelaten naar de tafel te kijken tot Giles Benwick brulde: 'Bridget! Hierzo!'

Ik werd tussen Giles en Magda's Jeremy gezet, die leek te zijn vergeten dat ik ooit iets had gehad met Mark Darcy en van wal stak met: 'Zo! Darcy lijkt zijn oog uiteindelijk op je vriendin Rebecca te hebben laten vallen. Gek, want er was een mokkeltje, Heather nog wat, vriendin van Barky Thompson, die ook wel iets zag in die ouwe schoft.'

Het feit dat Mark en Rebecca binnen gehoorsafstand zaten leek Jeremy geheel te ontgaan, maar mij niet. Ik probeerde me op zijn woorden te concentreren en niet naar hun gesprek te luisteren, dat nu ging over een villavakantie in Toscane die Rebecca samen met Mark aan het organiseren was – zo moesten we kennelijk begrijpen – waarvoor iedereen van harte was uitgenodigd, behalve waarschijnlijk Shaz en ik.

'Wat is dat, Rebecca?' loeide een of andere verschrikkelijke braller die ik me nog vaag van de wintersport herinnerde. Iedereen keek naar de open haard waar een nieuw uitziend familiewapen was gegraveerd met de spreuk 'Per Determinam ad Victoriam'. Het was nogal vreemd om een wapen te hebben aangezien Rebecca's familie niet van adel is, maar iets belangrijks bij makelaarskantoor Knight, Frank en Rutley.

'Per Determinam ad Victoriam?' brulde de braller. 'Door wreedheid naar de overwinning. Rebecca ten voeten uit.'

Iedereen brulde het uit van het lachen en Shazzer en ik keken elkaar even opgetogen aan.

'Het betekent door vastberadenheid naar voorspoed, toevallig,' zei Rebecca ijzig. Wierp blik naar Mark, flauw lachje verdween net achter zijn hand.

Wist het etentje op een of andere manier door te komen met luisteren naar Giles die heel traag en psychologiserend over zijn vrouw praatte, terwijl ik probeerde met het spuien van zelfhulpboekenkennis me niet te laten afleiden door Marks deel van de tafel.

Wilde dolgraag naar bed en ontsnappen aan hele pijnlijke nachtmerrie, maar we moesten allemaal naar de grote kamer om te dansen.

Ik begon de cd-verzameling te inventariseren om maar niet te hoeven kijken naar Rebecca die Mark langzaam in rondjes over de vloer draaide, haar armen om zijn hals, ogen die tevreden door de kamer schoten. Ik voelde me misselijk, maar vastbesloten niets te laten merken.

'Allemachtig, Bridget. Doe toch even normaal,' zei Sharon, die naar de cd's banjerde en 'Jesus to a Child' eruit haalde en een of andere opgefokte garage-acidmedley opzette. Ze beende de vloer op, rukte Mark weg bij Rebecca en begon met hem te dansen. Was eigenlijk vrij grappig om Mark te zien lachen om Shazzers pogingen een trendy iemand van hem te maken. Rebecca keek of ze tiramisu had gegeten en net had gecheckt hoe hoog het vetgehalte is.

Opeens werd ik door Giles Benwick vastgepakt die woest met me begon te rock-'n-rollen, zodat ik met een vastgelijmde lach op mijn gezicht door de kamer werd geslingerd, terwijl hoofd op en neer stuiterde als lappenpop die geneukt wordt.

Op het laatst kon ik er letterlijk niet meer tegen.

'Ik moet echt gaan,' fluisterde ik tegen Giles.

'Dat begrijp ik,' zei hij samenzweerderig. 'Zal ik je naar je huisje brengen?'

Wist hem af te poeieren en wankelde uiteindelijk over grind op mijn Pied à Terre-schoentjes met open hiel en liet me zelfs dankbaar op dit belachelijk oncomfortabele bed vallen. Op dit moment kruipt Mark waarschijnlijk in bed met Rebecca. Wou dat ik ergens anders was, waar dan ook: het zomerfeest van de Kettering Rotary, de ochtendbespreking van *Sit Up Britain*, de fitness. Maar is eigen schuld. Moest zo nodig zelf komen.

ZONDAG 13 JULI

135 kilo, alcohol: 0 eenheden, sigaretten: 12 (allemaal stiekem), mensen van ongeluk op water gered: 1, mensen die niet van ongeluk op water gered hadden moeten worden maar in water achtergelaten om helemaal rimpelig te worden: 1.

Bizarre, tot nadenken stemmende dag.

Besloot na ontbijt ertussenuit te knijpen en zwierf door watertuin, die erg lieflijk was, met kleine beekjes tussen grazige oevers en onder stenen bruggetjes door, omringd door een heg met daarachter weilanden zo ver het oog reikte. Ik ging bij een stenen bruggetje naar het beekje zitten kijken en bedacht dat niets ertoe deed omdat er altijd de natuur zou zijn, toen ik achter de heg stemmen dichterbij hoorde komen.

'... Niemand rijdt zo slecht auto als hij... Moeder is hem voortdurend... aan het corrigeren maar... geen benul... van hoe je een auto moet besturen. Vijfenveertig jaar terug is hij zijn no-claimbonus kwijtgeraakt en hij heeft hem nooit meer teruggekregen.' Het was Mark. 'Als ik mijn moeder was, zou ik weigeren bij hem in de auto te stappen, maar ze zijn nu eenmaal onafscheidelijk. Eigenlijk nogal vertederend.'

'O, wat enig!' Rebecca. 'Als ik getrouwd was zou ik ook constant bij mijn man willen zijn.'

'O, ja?' vroeg hij gretig. Toen ging hij verder. 'Ik denk dat als je ouder wordt, dat dan... het gevaar bestaat dat als je een hele tijd alleen bent, je zo ingekapseld raakt in een netwerk van vrienden – dit geldt vooral voor vrouwen – dat er eigenlijk geen ruimte is voor een man in je leven, emotioneel of anderszins, omdat je vrienden en hun opvattingen je belangrijkste referentiekader zijn.'

'O, helemaal mee eens. Ik zelf ben dol op mijn vrienden, maar ze komen zeker niet op de eerste plaats.'

Dat was ons al duidelijk, dacht ik. Er viel een stilte waarna Mark weer losbarstte.

'Die zelfhulpboeken-onzin, al die verzonnen gedragsregels waaraan je je moet houden. En je weet dat elke beweging die je maakt wordt ontleed door een commissie van vriendinnen met in hun hand een of ander volslagen willekeurig normenstelsel dat ze hebben gehaald uit *Hedendaags boeddhisme, Venus en Boeddha maken een nummertje* en de koran. Op het laatst voel je je gewoon een laboratoriummuis met een oor op zijn rug!'

Ik omklemde mijn boek, mijn hart bonkte. Zo zag hij toch zeker niet hoe het met mij was gelopen?

Maar Rebecca brandde weer los. 'O, helemaal mee eens,' zei

ze overdreven. 'Ik moet niets hebben van dat gedoe. Als ik besluit dat ik van iemand hou, dan kan niets me tegenhouden. Niets. Geen vrienden, geen theorieën. Ik volg gewoon mijn instinct, volg mijn hart,' zei ze op een onbekende, gemaakt naïeve toon, als een bloemenkind van de natuur.

'Dat vind ik in je te prijzen,' zei Mark rustig. 'Een vrouw moet weten waar ze in gelooft, hoe kun je anders in háár geloven?'

'Maar bovenal moet ze haar man vertrouwen,' zei Rebecca op weer een andere toon, sonoor en met adembeheersing, als een geaffecteerde Shakespeare-actrice.

Er viel een ondraaglijke stilte. Ik bestierf het, bestierf het van angst en zenuwen, in de veronderstelling dat ze aan het kussen waren.

'Dit heb ik natuurlijk ook al tegen Jude gezegd,' begon Rebecca weer. 'Ze maakte zich zo druk om wat Bridget en Sharon hadden gezegd, dat ze niet met Richard moest trouwen – zo'n geweldige vent – en ik zei gewoon: "Jude, volg je hart."'

Mijn mond viel open en om kalm te blijven keek ik naar een langsvliegende bij. Dit kon Mark toch zeker niet rustig over zijn kant laten gaan?

'Ja-a-a,' zei hij aarzelend. 'Tja, ik weet niet precies...'

'Giles heeft volgens mij een oogje op Bridget!' onderbrak Rebecca hem snel, omdat ze duidelijk in de gaten had dat ze zich op glad ijs had begeven.

Er viel een korte stilte. Toen vroeg Mark met een ongewoon schelle stem: 'O, echt. En is... is het wederzijds?'

'Ach, je kent Bridget,' zei Rebecca luchtig. 'Volgens Jude lopen er hordes mannen achter haar aan' – Goeie ouwe Jude, dacht ik al – 'maar ze is zo verknipt dat het haar niet lukt – nou ja, zoals jij zegt, dat het nooit met iemand klikt.'

'Echt?' sprong Mark tussenbeide. 'Dus er zijn...'

'Ach, dat denk ik wel, maar jij weet ook dat ze zo vastzit aan die relatieregels of wat het ook zijn, dat niemand goed genoeg is.'

Kon niet precies zeggen wat er gaande was. Misschien probeerde Rebecca hem zijn schuldgevoel over mij uit zijn hoofd te praten.

'Echt?' vroeg Mark weer. 'Dus ze heeft geen...'

'O, kijk, een jong eendje! O, kijk, een heel nest jonge eendjes! En daar heb je vader en moeder. O, wat fantastisch! O, laten we gaan kijken!'

En weg waren ze en lieten mij achter, buiten adem, met tollend hoofd.

Na de lunch was het bloedheet en iedereen ging zich verpozen onder een boom aan de kant van het meer. Het was een idyllisch, arcadisch tafereeltje: een eeuwenoude stenen brug over het water, treurwilgen in het gras op de oevers. Rebecca was in extase. 'O, wat is dit enig! Vinden jullie ook niet? Is het niet enig?'

Dikke Nigel van Marks kantoor probeerde voor de grap een bal naar een van de brallers te koppen, waarbij zijn enorme pens trilde in het felle zonlicht. Hij deed een uitval, miste en plonsde halsoverkop in het water, waardoor een gigantische golf werd verplaatst.

'Yesss!' zei Mark lachend. 'Ongelooflijk staaltje onkunde.'

'Heerlijk hier, hè?' zei ik vaag tegen Shaz. 'Je verwacht zo om de leeuwen met de lammeren te zien liggen.'

'Leeuwen, Bridget?' vroeg Mark. Ik schrok. Hij zat vlak aan de andere kant van de groep en keek naar me door een gat in de anderen en trok een wenkbrauw op.

'Ik bedoel zoals in psalm weetikveel,' legde ik uit.

'Aha,' zei hij. Hij had die bekende plagerige blik in zijn ogen. 'Denk je soms dat je aan de Leeuwen van Longleat dacht?'

Rebecca sprong plotseling op. 'Ik ga van de brug springen!'

Stralend keek ze met een verwachtingsvolle blik om zich heen. Iedereen had een korte broek of zomerjurkje aan, alleen zij was naakt op een flintertje bruin nylon van Calvin Klein na.

'Waarom?' vroeg Mark.

'Omdat ze vijf minuten niet in het middelpunt van de belangstelling staat,' zei Sharon binnensmonds.

'Dat deden we vroeger altijd toen we klein waren! Het is goddelijk!'

'Maar het water is niet erg diep,' zei Mark.

Dat klopte, om de hele waterlijn was een dikke rand drooggevallen grond.

'Nee, nee. Hier ben ik goed in, ik ben heel dapper.'

'Ik zou het niet doen, Rebecca,' zei Jude.

'Ik ga het doen. Ik ben vastbesloten!' knipoogde ze schalks, schoof in een paar Prada-muiltjes en heupwiegde naar de brug toe. Gelukkig zat er wat modder en gras op haar rechterbil gekleefd, wat het effect geweldig verhoogde. Onder onze blikken deed ze haar muiltjes uit, hield ze in haar hand en klom naar de rand van de brugleuning.

Mark was opgestaan en keek bezorgd naar het water en omhoog naar de brug.

'Rebecca!' riep hij. 'Ik zou het niet doen...'

'Rustig maar, ik vertrouw op mijn eigen oordeel,' zei ze speels en schudde haar haar naar achteren. Toen keek ze omhoog, spreidde haar armen, wachtte even dramatisch en sprong.

Iedereen keek hoe ze in het water terechtkwam. Het moment kwam dat ze boven moest komen. Dat gebeurde niet. Mark liep al naar het meer toe toen ze eindelijk gillend boven water verscheen.

Hij ploegde naar haar toe, evenals de twee andere jongens. Ik haalde mijn mobiele uit mijn tas.

Ze trokken haar naar het ondiepe gedeelte en uiteindelijk, na veel spartelen en huilen, kwam Rebecca hinkend op het droge, ondersteund door Mark en Nigel. Het was duidelijk dat het niet al te ernstig kon zijn.

Ik stond op en gaf haar mijn handdoek. 'Zal ik het alarmnummer bellen?' vroeg ik min of meer bij wijze van grap.

'Ja... ja.'

Iedereen dromde om de gewonde voet van de gastvrouw heen. Ze kon haar tenen nog bewegen, die elegant en deskundig met Rouge Noir waren gelakt, dus dat was een geluk bij een ongeluk.

Uiteindelijk kreeg ik het nummer van haar huisarts, noteerde het nummer voor spoedgevallen van het antwoordapparaat, draaide het en gaf de telefoon aan Rebecca.

Ze sprak uitgebreid met de arts, terwijl ze op zijn aanwijzingen haar voet bewoog en een geweldig scala aan geluiden uitstootte, maar ten slotte was de algemene conclusie dat er niets was gebroken, niet eens verstuikt, alleen een lichte verdraaiing.

'Waar is Benwick?' vroeg Nigel, die zich afdroogde en een flinke slok gekoelde witte wijn achteroversloeg.

'Ja, waar is Giles?' vroeg Louise Barton-Foster. 'Ik heb hem al de hele ochtend niet gezien.'

'Ik ga wel even kijken,' zei ik, blij dat ik verlost was van de helse aanblik van Mark die Rebecca's tere enkeltje masseerde.

Het was fijn om in de koele hal te stappen met zijn indrukwekkende trappenhuis. Er stond een rij beelden op marmeren sokkels, oosterse tapijten op de plavuisvloer en alweer zo'n reusachtig opzichtig wapen boven de deur. Ik bleef even staan om van de rust te genieten. 'Giles?' riep ik en mijn stem galmde in het rond. 'Giles?'

Geen antwoord. Ik had geen idee waar zijn kamer was, dus klom ik de prachtige trap maar op.

'Giles!'

Ik gluurde in een van de kamers en zag een enorm hemelbed van bewerkt eikenhout. De hele kamer was rood en keek uit over het landschap met het meer. De rode jurk die Rebecca bij het avondeten aanhad hing over de spiegel. Ik keek naar het bed en had het gevoel of ik in mijn maag werd gestompt. De boxershort van Newcastle United die ik Mark voor Valentijnsdag had gegeven lag netjes opgevouwen op de sprei.

Ik speerde de kamer uit en ging onrustig ademend met mijn rug tegen de deur staan. Toen hoorde ik een kreun.

'Giles?' zei ik. Niets. 'Giles? Dit is Bridget.'

Weer dat gekreun.

Ik liep de gang door. 'Waar zit je?'

'Hier.'

Ik duwde de deur open. Deze kamer was gifgroen en gruwelijk, met overal enorme brokken donker houten meubilair. Giles lag op zijn rug met zijn hoofd opzij zacht te kreunen. Naast hem lag de hoorn van de haak.

Ik ging op het bed zitten en hij deed zijn ogen een beetje open en toen weer dicht. Zijn bril hing scheef op zijn neus. Ik zette hem af.

'Bridget.' Hij had een buisje pillen in zijn hand.

Dat pakte ik af. Temazepam.

'Hoeveel heb je genomen?' vroeg ik en pakte zijn hand.

'Zes... of vier?'

'Wanneer?'

'Pas... ongeveer... pas.'

'Je moet je vinger in je keel steken,' zei ik, het idee indachtig dat ze de maag van mensen met een overdosis altijd leegpompen.

We gingen samen naar de badkamer. Het was niet prettig, eerlijk gezegd, maar daarna gaf ik hem veel water te drinken en hij liet zich weer op het bed vallen en begon met mijn hand in de zijne zachtjes te huilen. Hij had Veronica, zijn vrouw, gebeld, zo kwam er met horten en stoten uit, terwijl ik hem over zijn hoofd streek. En hij had al zijn zelfbeheersing en trots laten varen en haar gesmeekt weer terug te komen, waarmee hij zijn loffelijke, waardige gedrag van de afgelopen twee maanden volkomen ontkrachtte. Daarop had ze verkondigd dat ze nu helemaal wilde scheiden en hij was de wanhoop nabij, wat ik me heel goed kon voorstellen. Ik zei dat zoiets iedereen naar de Temazepam zou doen grijpen.

Er klonken voetstappen in de gang, een klopje en toen verscheen Mark in de deuropening.

'Kun je de dokter nog een keer bellen?' vroeg ik.

'Wat heeft hij ingenomen?'

'Temazepam. Een stuk of zes. Hij heeft overgegeven.'

Hij liep de gang op. Er waren meer stemmen. Ik hoorde Rebecca roepen 'O, godallemachtig!' en Mark die haar probeerde te kalmeren, waarna nog meer onverstaanbaar gemompel.

'Ik wil gewoon dat alles ophoudt. Ik wil me niet langer zo voelen. Ik wil gewoon dat alles ophoudt,' kreunde Giles.

'Nee, nee,' zei ik. 'Je moet hoop en vertrouwen hebben dat alles weer goed zal komen, en dat gebeurt ook.'

Er klonken nog meer voetstappen en stemmen in het huis. Toen kwam Mark weer terug.

Hij lachte flauwtjes. 'Sorry voor dat gedoe.' Toen keek hij weer ernstig. 'Het komt wel in orde, Giles. Je bent in goede handen hier. De dokter zal er over een kwartiertje zijn maar hij zei dat we ons geen zorgen hoefden te maken.'

'Gaat het?' vroeg hij aan mij.

Ik knikte.

'Je bent een kraan,' zei hij. 'Een appetijtelijker uitvoering van George Clooney. Blijf je bij hem tot de dokter er is?'

Toen de dokter na een tijdje Giles er weer bovenop had geholpen, was de helft van de gasten vertrokken. Rebecca zat in de statige hal betraand met haar voet omhoog met Mark te praten en Shaz stond bij de voordeur een sigaret te roken, met onze tassen gepakt naast haar.

'Ik vind het gewoon onbeschoft,' zei Rebecca. 'Het hele weekend naar de maan! Mensen moeten sterk en vastberaden zijn, dit is zo... slap en egoïstisch. Gewoon kiezen op elkaar, vind je ook niet?'

'Ik vind dat we er... later over moeten praten,' zei Mark.

Toen Shaz en ik afscheid hadden genomen en onze tassen in de auto legden, kwam Mark naar ons toe.

'Prima werk,' blafte hij. 'Sorry. God, ik klink als een sergeant-majoor. Komt door de omgeving. Je was echt fantastisch, zonet, met... met... ach, eigenlijk met alle twee.'

'Mark!' riep Rebecca. 'Ik heb mijn wandelstok laten vallen.'

'Apporteer!' zei Sharon.

Een fractie van een seconde verscheen er een blik van onversneden gêne in Marks ogen, maar hij herstelde zich snel en zei: 'Nou, leuk dat jullie er waren, meiden, rij voorzichtig.'

Toen we wegreden, giechelde Shaz vals om het idee dat Mark de rest van zijn leven achter Rebecca moest aan hollen, haar bevelen moest uitvoeren en als een jonge hond stokken moest apporteren, maar ik kon aan niets anders denken dan het gesprek dat ik achter de heg had opgevangen.

10

MARS EN VENUS IN DE VUILNISBAK

MAANDAG 14 JULI

58,8 kilo, alcohol: 4 eenheden, sigaretten: 12 (niet langer prioriteit), calorieën: 3752 (pre-dieet), zelfhulpboeken met bestemming vuilnisbak: 47.

8.00 Grote verwarring. Kan toch niet dat het lezen van zelf-hulpboeken om mijn relatie te verbeteren de hele relatie om zeep heeft geholpen? Gevoel alsof hele levenswerk een fiasco is. Maar heb tenminste één ding geleerd uit zelfhulpboeken: het verleden loslaten en doorgaan met je leven.

WAT WEGGEGOOID GAAT WORDEN:
Wat mannen willen
Hoe mannen denken en wat ze voelen
Waarom mannen voelen dat ze willen wat ze denken dat ze willen
De regels
De regels overboord
Niet nu, schat, ik kijk naar voetballen
Hoe zoek en vind ik de ware liefde
Hoe vind ik de ware liefde zonder te zoeken
Hoe vind ik de ware liefde die ik niet zocht
Blij om alleenstaand te zijn
Hoe blijf ik niet alleenstaand
Boeddha op vrijersvoeten
Mohammed op vrijersvoeten
Jezus en Aphrodite op vrijersvoeten
De roodbestoven weg van Ben Okri (niet echt zelfhulpboek, zover ik weet, maar kom toch nooit door dat rotboek heen)

Goed. Die gaan allemaal de vuilnisbak in plus de andere 32. O, god, maar. Kan niet over hart verkrijgen om *The Road Less*

Travelled en *Je kunt je leven helen* weg te gooien. Waar moet ik geestelijke bijstand zoeken voor problemen van deze tijd als ik geen zelfhulpboeken meer heb? Misschien weggeven aan Oxfam? Ach, nee. Moet andermans relaties niet kapotmaken, vooral niet in de Derde Wereld. Zou nog erger zijn dan gedrag van grote tabaksfabrikanten.

PROBLEMEN:
Gat in muur van flat.
Saldotekort vanwege tweede hypotheek voor gat in muur van flat.
Vriendje heeft iets met Andere Vrouw.
Niet meer willen spreken met gezamenlijke beste vriendin aangezien die op vakantie met vriendje en Andere Vrouw gaat.
Werk klote maar nodig vanwege tweede hypotheek voor gat in muur van flat.
Moet hoognodig met vakantie vanwege vriendje/vrienden/gat in muur van flat/crises op werk en financieel gebied maar heb niemand om mee te gaan. Tom gaat weer naar San Francisco. Magda en Jeremy gaan naar Toscane met Mark en kutwijf Rebecca en waarschijnlijk komen Jude en Ranzige Richard ook, voor zover ik weet. Shazzer houdt zich op vlakte, wacht natuurlijk tot Simon ergens met haar naar toe wil waar lits-jumeaux is (geen smalletjes) in de hoop dat hij bij haar in bed kruipt.
Bovendien geen geld om met vakantie te gaan vanwege financiële crisis vanwege gat in muur van flat.

Nee. Hou mijn poot stijf. Ben al te veel door andermans ideeën beïnvloed. Ze gaan. In. De. Vuilnisbak. Ik ga. Op. Eigen Benen. Staan.

8.30 Flat is gezuiverd van alle zelfhulpboeken. Voel me leeg en geestelijk alle houvast kwijt. Maar er zal toch wel iets van informatie zijn blijven hangen in hoofd?

GEESTELIJKE PRINCIPES VERGAARD UIT STUDIE ZELFHULPBOEKEN (AFGEZIEN VAN RELATIEWIJSHEDEN):
1   Belang van positief denken, vergelijk *Emotionele intelligentie, Emotioneel zelfvertrouwen, The Road Less Travelled, Hoe raak ik*

in 30 dagen mijn cellulitis kwijt, het evangelie naar Lucas, hoofdst. 13.

2 Belang van vergevensgezindheid.

3 Belang van leven op gevoel en instinct in plaats van alles in vorm willen gieten en alles van tevoren plannen.

4 Belang van vertrouwen in zelf.

5 Belang van eerlijkheid.

6 Belang van genieten van moment en niet dagdromen en spijt hebben van zaken.

7 Belang van niet geobsedeerd worden door zelfhulpboeken.

DUS OPLOSSING IS OM:

1 Denken hoe leuk het is om lijstjes op te stellen met problemen en geestelijke oplossingen in plaats van dingen van tevoren plannen en...

Aaah! Aaah! Is al 8.45! Kom veel te laat voor ochtendbespreking en heb geen tijd meer voor cappuccino.

10.00 Op werk. Heb godzijdank cappuccino om bij te komen van vreselijk gedoe om cappuccino te bemachtigen wanneer te laat. Is bizar hoe door wachtende rijen voor cappuccino bepaalde delen van Londen lijken op stad in oorlogssituatie of zuchtend onder communistisch juk, waarbij mensen geduldig urenlang in enorme rijen staan alsof ze wachten op brood in Sarajevo terwijl anderen zweten, roosteren en malen, luidruchtig in de weer zijn met metalen voorwerpen vol smurrie en overal stoom sist. Is toch vreemd dat mensen over algemeen steeds minder bereid zijn op iets te wachten maar hiervoor rustig de tijd uittrekken: alsof je in de wrede moderne wereld nog maar op één ding kunt vertrouwen en kunt bouwen... Aaah!

10.30 Plee op werk. Was Richard Finch die tegen mijn persoon brulde. 'Kom op, Bridget. Niet zo bedeesd,' schreeuwde de grote papzak waar iedereen bij was, krampachtig trekkend en kauwend vanwege zichtbare post-coke-snuiffuif. 'Wanneer ga je?'

'Eh...' zei ik in de hoop dat ik 'Waarheen?' later aan Patchouli kon vragen.

'Je hebt geen idee waar ik het over heb, hè? Het is letterlijk niet te geloven. Wanneer ga je met vakantie? Als je dat niet snel invult op de kaart, ga je helemaal niet.'

'O, eh, tuurlijk,' zei ik luchtig.

'No kaarto no vertrekko.'

'Ja, ja, tuurlijk, nog even in mijn agenda kijken,' zei ik verbeten. Zodra de bespreking was afgelopen, speerde ik naar de plee voor opbeurende sigaret. Geeft niet dat ik de enige in hele kantoor ben die niet met vakantie gaat. Echt niet. Wil niet zeggen dat ik sociale paria ben. Zeker niet. Alles gaat goed in mijn wereld. Ook al moet ik, voor zoveelste keer, een item over draagmoederschap doen.

18.00 Verschrikkelijke dag achter de rug met proberen vrouwen te bewegen iets te zeggen over verschillende varianten op eieren uitbroeden waarvan ik over mijn nek ga. Kan gedachte niet aan om direct uit werk naar bouwput terug te keren. Is heerlijke, zwoele zonnige avond. Ga misschien wandeling maken in Hampstead Heath.

21.00 Niet te geloven. Niet te geloven. Zo zie je maar weer dat als je geen moeite meer doet om problemen uit de weg laat ruimen en je op zen-achtige positieve manier met de 'flow' mee laat gaan, oplossingen vanzelf komen.

Liep lekker over pad naar de top van Hampstead Heath en bedacht hoe fantastisch Londen in de zomer is als mensen na hun werk hun stropdas losmaken en zich wellustig languit in de zon uitstrekken, toen oog op een gelukkig uitziend stel viel: zij op haar rug met haar hoofd op zijn buik, hij glimlachend en strelend over haar haar terwijl hij aan het praten was. Ze hadden iets bekends. Toen ik dichterbij kwam, zag ik dat het Jude en Ranzige Richard waren.

Besefte dat ik hen nog nooit alleen met z'n tweeën had gezien – nou ja, dat is logisch, want als ik erbij ben zijn zij niet meer met z'n tweeën. Jude barstte opeens in lachen uit om een opmerking van Ranzige Richard. Ze zag er echt gelukkig uit. Ik weifelde of ik langs ze moest lopen of terug moest gaan toen Ranzige Richard zei: 'Bridget?'

Ik bleef stokstijf staan en Jude keek op met een onbevallig openhangende mond.

Ranzige Richard kwam overeind en veegde het gras van zich af.

'Hé, leuk je te zien, Bridget,' zei hij grijnzend. Besefte dat ik hem tot dusver alleen in sociale context met Jude had gezien, wanneer ik me gedekt wist door Shazzer en Tom en hij nurks en chagrijnig deed.

'Ik ging net even wat wijn halen, ga jij bij Jude zitten. O, kom zeg, ze eet je heus niet op. Ze is allergisch voor zuivelproducten.'

Toen hij weg was, glimlachte Jude opgelaten. 'Ik vind het helemaal niet leuk om je te zien, hoor.'

'Dat is dan wederzijds,' zei ik nors.

'Nou, ga je nog zitten, of niet?'

'Oké,' zei ik terwijl ik op de deken ging zitten, waarop ze me onhandig op mijn schouder beukte zodat ik bijna omviel.

'Ik heb je gemist,' zei ze.

'Ach, houwtochop,' zei ik uit mijn mondhoek. Even was ik bang dat ik zou gaan huilen.

Jude bood haar excuses aan dat ze zich zo ongevoelig had opgesteld inzake Rebecca. Ze zei dat ze het gewoon zo heerlijk vond dat iemand oprecht blij was dat ze met Ranzige Richard ging trouwen. Blijkt dat zij en Ranzige Richard niet met Mark en Rebecca naar Toscane gaan, ook al zijn ze wel uitgenodigd, omdat Ranzige Richard zei dat hij geen zin had om gekoeioneerd te worden door sociale intrigante en liever met z'n tweetjes ging. Merkte dat ik onverklaarbare genegenheid voelde opbloeien voor Ranzige Richard. Ik zei dat het me speet dat ik ruzie had gemaakt om zoiets stompzinnigs als dat gedoe met Rebecca.

'Het was niet stompzinnig. Je was echt gekwetst,' zei Jude. Toen zei ze dat ze het huwelijk hadden uitgesteld omdat het allemaal zo gecompliceerd was geworden maar ze wilde nog steeds dat Shaz en ik haar bruidsmeisjes zouden zijn. 'Als jullie willen,' zei ze verlegen. 'Maar ik weet niet of jullie hem wel mogen.'

'Je houdt echt van hem, hè?'

'Ja,' zei ze blij. Toen betrok ze. 'Maar ik weet niet of ik de juiste keuze maak. In *The Road Less Travelled* staat dat liefde niet iets is wat je voelt maar iets wat je besluit. En verder staat in *Hoe krijg ik de liefde die ik wil* dat als je een relatie met iemand hebt die niet goed in zijn eigen onderhoud kan voorzien en steun van zijn ouders krijgt, dat hij dan nog niet los is van zijn ouders en dat de relatie geen kans van slagen heeft.'

Wat door mijn hoofd spookte was het nummer van Nat King Cole dat mijn vader in de schuur had gedraaid. '*The greatest thing... you'll ever learn...*'

'Bovendien denk ik dat hij verslaafd is omdat hij wiet rookt en verslaafden kunnen geen relatie aangaan. Mijn therapeut zegt...'

'*... is how to love and be loved in return.*'

'... dat ik nog minstens een jaar moet wachten voor ik aan een relatie begin omdat ik een relatieverslaafde ben,' ging Jude verder. 'En jij en Shaz vinden dat hij een macho zak is. Bridge? Luister je wel?'

'Ja, ja, sorry. Als het goed voelt, moet je het doen, vind ik.'

'Precies,' zei Ranzige Richard, die als Bacchus boven ons uittorende met een fles witte wijn en twee pakjes Silk Cut.

Was geweldig leuk met Jude en Ranzige Richard en wurmden ons gezamenlijk in taxi en reden samen naar huis. Toen ik thuis was, belde ik meteen Shazzer op om haar het nieuws te vertellen.

'O,' zei ze toen ik haar het zen-achtige wonder van Flow had uitgelegd. 'Eh, Bridge?'

'Wat?'

'Heb je zin in vakantie?'

'Ik dacht dat je niet met mij wilde.'

'Nou, ik wilde eigenlijk alleen wachten tot...'

'Tot wat?'

'Niets, laat maar. Hoe dan ook...'

'Shaz?' drong ik aan.

'Simon gaat naar Madrid om een meisje te ontmoeten dat hij via internet heeft leren kennen.'

Verkeerde in tweestrijd tussen medelijden met Sharon, enorme blijdschap dat ik iemand had om mee op vakantie te gaan en gevoelens van ontoereikendheid dat ik geen lange architect was met penis, integendeel.

'Bèèèh. Het is gewoon kasjmierisme. Ze blijkt natuurlijk een man te zijn,' zei ik om Shazzer een hart onder de riem te steken.

'Nou ja,' zei ze opgewekt, na een stilte waarin enorme pijnvibraties door de telefoon schoten, 'ik heb een fantastische vliegreis naar Thailand gezien voor maar 249 pond en we zouden naar Koh Samui kunnen gaan en hippies worden en het kost haast geen cent!'

'Jippie!' zei ik. 'Thailand! Dan kunnen we het boeddhisme bestuderen en een goddelijke openbaring beleven.'

'Ja!' zei Shaz. 'Ja! En geen gedoe met STOMME ROTMANNEN.'

Zo zie je maar weer... O, telefoon. Misschien Mark Darcy!

Middernacht. Telefoontje was van Daniel, die anders dan normaal klonk, al was hij natuurlijk wel bezopen. Hij zei dat hij erg depri was omdat het slecht ging op zijn werk en dat het hem speet van het gedoe met Duitsland. Hij erkende dat ik juist erg goed was in aardrijkskunde en of we vrijdag uit eten konden gaan? Gewoon om te praten. Dus ik zei ja. Voel me bijz. g. hierover. Waarom zou ik Daniel niet als vriendin mogen bijstaan als hij in nood zit? Je moet geen wrok koesteren want dat verkilt. Je moet juist vergeven.

Bovendien blijkt dat mensen kunnen veranderen – zie Jude en Ranzige Richard – en ik was echt stapelgek op hem.

En ben z. eenzaam.

En is alleen maar etentje.

Ga in ieder geval níet met hem naar bed.

VRIJDAG 18 JULI

57,5 kilo (geweldig voorteken), condooms getracht te kopen: 84, gekochte condooms: 36, gekochte bruikbare condooms: 12 (lijkt me ruimschoots voldoende. Vooral omdat ze toch niet daadwerkelijk gebruikt gaan worden).

14.00   Ga in lunchpauze erop uit om condooms te kopen. Niet omdat ik naar bed wil met Daniel of zo. Gewoon voor alle zekerheid.

15.00   Condoomexpeditie op totale mislukking uitgelopen. Aanvankelijk opgetogen over plotse gevoel condoomklant te zijn. Als ik geen seksleven heb, word ik altijd depri als ik langs condoomschap loop want is compleet aspect van leven waar ik geen deel aan heb. Maar toen ik bij toonbank kwam, trof ik daar verbijsterend assortiment condooms aan: Ultra Safe 'voor meer gevoel', Variatiepakket 'voor extra keuze' (aantrekkelijke Kelloggs-achtige suggestie), Ultra Dun 'met zaaddodende pasta', Rag-fijn, 'met glijmiddel zonder' (vreselijk misselijkmakend woord komt weer) 'zaaddodende eigenschappen', Natuurlijk Vormge-geven voor Extra Comfort (betekent dat groter – maar stel nu te groot?). Keek verwoed onder wimpers door naar condoomuit-stalling. Je zou toch aannemen dat iedereen én Meer Gevoel wil én Extra Comfort én Ultra Dun, dus waarom moet je dan kiezen?

'Kan ik u helpen?' vroeg nieuwsgierige drogist met veelbete-kenende grijns. Kon natuurlijk niet zeggen dat ik condooms wilde, want gelijk aan mededeling 'ga straks seks bedrijven': on-geveer hetzelfde als vrouwen die hoogzwanger rondlopen en daarmee lijken te willen zeggen 'Kijk eens, ik heb seks gehad'. Onvoorstelbaar die condoomindustrie die toch bestaat bij gra-tie van ruiterlijke bekentenis dat iedereen constant seks heeft (behalve ik), in plaats van net te doen of niemand ooit de liefde bedrijft, wat zeker in ons land normaler is.

Enfin. Heb toen alleen maar Bradasol-zonnebrand gekocht.

18.10   Baalde dat ik tot zes uur op werk moest blijven en nu is de drogist dicht en zit ik zonder condooms. Ideetje: ga naar Tes-co Metro. Zal ze vast hebben want is winkel speciaal bedoeld voor impulsieve Vrijstaanden.

18.40   Liep onopvallend op en neer langs schap met tandpas-ta. Nop. Ten einde raad benaderde ik schuchter een dame die er als filiaalchef uitzag en fluisterde, op een soort ouwe-jongens-krentenbroodtoon, de ene wenkbrauw arrogant opgetrokken: 'Waar liggen jullie condooms?'

'Die komen binnenkort,' zei ze bedachtzaam. 'Hopelijk over een paar weken.'

'Fijn, daar heb ik wat aan!' wilde ik uitroepen. 'En hoe moet het dan vanavond?' Maar ben absoluut niet van plan om met hem naar bed te gaan!

Huh. *Soi-disant* moderne, grootsteedse op Vrijstaanden gerichte supermarkt. Mooi niet.

19.00 Net naar stomme, twee keer zo dure rotwinkel op de hoek geweest. Zag condooms achter toonbank liggen met sigaretten en walgelijke panty's maar besloot ervan af te zien vanwege ranzigheid van het geheel. Wou dat condoomproduct in aangename schone Boots-achtige winkel kon worden verkregen. Bovendien hachelijke keuze. Alleen Eerstekwaliteit met Tuitje.

19.15 Kreeg net inval. Ga naar tankstation, in rij wachten en ondertussen stiekem naar condooms kijken en dan... Moet me overigens niet te veel laten leiden door achterhaalde mannelijke stereotypes dat je onbeschaamd of hoerig bent als je condooms bij je hebt. Alle schone meisjes hebben condooms. Is hygiënisch.

19.30 Lalala. Gelukt. Was makkie. Wist zelfs twee pakjes te bemachtigen: een Variatiepakket (extra spannend) en Verbeterde Ultra Lichtgewicht Latex met Tuitje voor Extra Veel Gevoel. Kassabediende keek verbijsterd naar assortiment en hoeveelheid condooms maar vreemd genoeg ook met groot respect: dacht zeker dat ik biologiedocente was of zoiets die condooms koopt om vroegrijpe leerlingen op de hoogte te brengen.

19.40 Geschokt door onverbloemde tekeningen in gebruiksaanwijzing, die me op verontrustende wijze aan Mark Darcy deden denken in plaats van Daniel. Hmmm. Hmmm.

19.50 Ze vonden het vast heel lastig om te besluiten hoe groot plaatjes moesten worden, want niemand mag zich ontmoedigd of al te verwaand voelen. Variatiepakket is krankzinnig. 'Gekleurde partnercondooms zijn vrolijk gekleurd voor extra plezier.' Extra plezier. Zag opeens bont tafereel voor me van stellen met vrolijk gekleurde aanstootgevende dingetjes om, feesthoedjes op, die elkaar gierend van de pret met ballonnen sloegen. Denk dat ik idioot Variatiepakket weggooi. Goed, moest me maar eens optutten. O, god, telefoon.

20.15 O, jezusmina. Was Tom die zeurde dat hij zijn mobiele kwijt was en dacht dat hij hem bij mij had laten liggen. Dwong me om overal te gaan zoeken, ook al was ik erg laat, maar kon hem niet vinden en was zelfs bang dat ik hem met de zelfhulpboeken en kranten had weggegooid.

'Nou, kun je dan niet even gaan kijken?' vroeg hij gretig.

'Ik ben al veel te laat. Kan het niet morgen?'

'Maar als het vuil nu wordt opgehaald? Op welke dag komen ze?'

'Morgenochtend,' zei ik met een mismoedig, verslagen gevoel. 'Maar het vervelende is dat ik mijn vuil altijd in die grote gemeentecontainers kieper en ik weet niet in welke hij zit.'

Uiteindelijk deed ik lang leren jasje aan over beha en onderbroek en ging de straat op om te wachten tot Tom belde, zodat ik wist in welke container hij zat. Stond net op muurtje in de containers te turen toen bekende stem 'Hallo' zei.

Draaide me om en daar stond Mark Darcy.

Hij keek omlaag en ik besefte dat ik in – gelukkig bij elkaar passend – ondergoed te kijk stond.

'Wat ben je aan het doen?' vroeg hij.

'Ik wacht tot de container rinkelt,' antwoordde ik waardig terwijl ik jas om me heen sloeg.

'Aha.' Er viel een stilte. 'Wacht je hier al... lang?'

'Nee,' zei ik voorzichtig. 'Niet langer dan normaal.'

Op dat moment begon een van de containers te rinkelen. 'Ah, dat is voor mij,' zei ik en ik stopte mijn arm erin om de telefoon te pakken.

'Laat mij het alsjeblieft doen,' zei Mark, die zijn aktetas neerzette, heel lenig op het muurtje sprong en zijn hand in de container stak en de telefoon eruit haalde.

'Telefoon van Bridget Jones,' zei hij. 'Ja, natuurlijk, hier komt ze.'

Hij gaf de telefoon aan mij. 'Het is voor jou.'

'Wie is dat?' siste Tom buiten zichzelf van opwinding. 'Sexy stem – wie is het?'

Ik legde mijn hand over het oorstuk. 'Heel erg bedankt,' zei ik tegen Mark Darcy, die een handje zelfhulpboeken uit de container had opgevist en daar met een verwarde uitdrukking naar keek.

'Graag gedaan,' zei hij, terwijl hij de zelfhulpboeken teruglegde. 'Eh...' Hij zweeg even en keek naar mijn leren jasje.

'Ja?' vroeg ik met bonzend hart.

'O, niks, eh, gewoon, nou, leuk je te zien.' Hij aarzelde. 'Nou... leuk je weer te zien.' Toen lachte hij zo'n beetje, draaide zich om en liep weg.

'Tom, ik bel je zo terug,' zei ik in de tegensputterende mobiele. Mijn hart bonkte als een gek. Volgens alle wetten van de afspraakjesetiquette had ik hem gewoon moeten laten gaan, maar ik dacht aan het opgevangen gesprek achter de heg. 'Mark?'

Hij draaide zich om met een geëmotioneerd gezicht. Even keken we elkaar zwijgend aan.

'Hé! Bridge! Ga je uit eten zonder rokje aan?'

Het was Daniel die, te vroeg, achter me kwam aanlopen.

Ik zag dat Mark hem opnam. Hij wierp me een indringende, gekwetste blik toe, draaide zich abrupt om en beende weg.

23.00 Daniel had Mark Darcy niet gezien – wat zowel fijn als vervelend was want aan de ene kant hoefde ik niet uit te leggen wat hij hier deed maar aan de andere kant kon ik niet verklaren waarom ik zo van slag was. We waren nog niet bij mij thuis of Daniel probeerde me te kussen. Was erg vreemd gevoel dat ik dat niet wilde na een heel jaar niets liever te hebben gewild dan dat hij me zou kussen en maar niet begreep waarom hij het niet deed.

'Oké, oké,' zei hij met zijn handen verontschuldigend opgeheven. 'Geen probleem.' Hij schonk ons alle twee een glas wijn in en ging op de bank zitten, lange slanke benen supersexy in zijn spijkerbroek. 'Luister. Ik weet dat ik je pijn heb gedaan en dat spijt me. Ik weet dat je op je hoede bent maar ik ben veranderd, echt waar. Kom eens bij me zitten.'

'Even wat kleren aantrekken.'

'Nee. Nee. Kom hier,' zei hij en klopte naast hem op de bank. 'Kom op, Bridge. Ik zal je met geen vinger aanraken, erewoord.'

Ik ging voorzichtig zitten, trok mijn jasje dichter om me heen, handen zedig gevouwen op mijn knie.

'Zo, dat is beter,' zei hij. 'Neem nou een slokje en ontspan je.'

Voorzichtig legde hij zijn arm om mijn schouders.

'Ik vind het vreselijk hoe ik je heb behandeld. Het was onvergeeflijk.' Het was zo fijn weer eens een arm om me heen te voelen. 'Jones,' fluisterde hij teder. 'Kleine Jones van me.'

Hij trok me naar zich toe en vlijde mijn hoofd tegen zijn borst. 'Dat had je niet verdiend.' Zijn oude vertrouwde geur dreef naar me toe. 'Zo. Lekker even knuffelen. Alles is weer in orde.'

Hij streelde mijn haar, streelde mijn hals, streelde mijn rug, hij begon het jasje van mijn schouders te trekken, zijn hand ging naar beneden en met één snelle beweging had hij mijn beha losgemaakt.

'Houwop!' zei ik en probeerde het jasje weer om me heen te trekken. 'Jemig, Daniel.' Ik moest een beetje lachen. Opeens zag ik zijn gezicht. Hij moest niet lachen.

'Waarom?' zei hij en trok het jasje weer ruw van mijn schouders. 'Waarom niet? Kom op.'

'Nee!' zei ik. 'Daniel, we zouden alleen uit eten gaan. Ik wil niet met je zoenen.'

Hij liet zijn hoofd voorovervallen, snel ademend, toen ging hij rechtop zitten, hoofd achterover, ogen gesloten.

Ik kwam overeind, trok mijn jas om me heen en liep naar de tafel. Toen ik omkeek, zat Daniel met zijn hoofd in zijn handen. Ik besefte dat hij aan het huilen was.

'Het spijt me, Bridge. Ik ben gedegradeerd. Perpetua heeft mijn baan gekregen. Ik voel me overbodig en jij wil me ook al niet. Geen enkel meisje wil me nog. Niemand wil een man van mijn leeftijd zonder carrière.'

Ik keek hem verbijsterd aan. 'En hoe denk je dat ik me vorig jaar voelde? Toen ik in het verdomhoekje zat op dat kantoor en jij me bedonderde en me het gevoel gaf een spijt-tante te zijn?'

'Spijt-tante, Bridge?'

Wilde net uitleggen over spijt-tantetheorie, maar leek me ergens beter om het maar te laten zitten.

'Het lijkt me het beste als je weggaat,' zei ik.

'O, kom nou, Bridge.'

'Ga weg,' zei ik.

Hmm. Nou ja. Zal me van hele gedoe losmaken. Blij dat ik wegga. Zal in Thailand eigen hoofd kunnen zuiveren van alle mannenproblemen en me op eigen persoon richten.

ZATERDAG 19 JULI

58,4 kilo (waarom? Op bikinikoopdag, waarom?), verwarrende gedachten over Daniel: te veel, bikinibroekjes die pasten: 1, bovenstukjes die pasten: halve, obscene gedachten over prins William: 22, aantal k. 'Prins William en zijn mooie vriendin Miss Bridget Jones op Ascot' op tijdschrift Hello! *geschreven: 7.*

18.30 Godverdegodver. Hele dag doorgebracht in pashokjes in Oxford Street alwaar geprobeerd mijn borsten in bovenstukjes te persen die ontworpen lijken voor mensen met borsten die óf in het midden van hun borstkas boven elkaar zitten óf zich onder beide armen bevinden. En in de felle plafondverlichting zag ik eruit als frittata van River Café. Beste oplossing is natuurlijk badpak maar kom dan terug met reeds papperig buikje dat melkwit tegen rest van lichaam afsteekt.

STREEFDOELEN SPOEDEISEND BIKINI-AFSLANKDIEET: WEEK 1:

Zond. 20 juli	58,4 kilo
Maand. 21 juli	57,9 kilo
Dinsd. 22 juli	57,5 kilo
Woensd. 23 juli	57 kilo
Donderd. 24 juli	56,6 kilo
Vrijd. 25 juli	56,1 kilo
Zaterd. 26 juli	55,6 kilo

Hoera! Dus vandaag over een week zal ik ongeveer mijn streefgewicht hebben bereikt en dan, met aangepast lichaamsgewicht, hoef ik alleen nog maar structuur en ordening van vet door training te veranderen.

O, kut. Lukt nooit. Zal kamer en waarschijnlijk bed toch alleen met Shaz delen. Ga me daarom maar op mijn geest richten. Jude en Shaz komen trouwens zo langs. Hoera!

Middernacht. Geweldige avond. Bijz. leuk om weer samen met de meiden te zijn, al wond Shaz zich zo enorm op over Daniel dat het weinig scheelde of ze had de politie gebeld en hem voor date rape aangegeven.

'Overbodig? Snappen jullie?' tierde ze. 'Daniel is het typische schoolvoorbeeld van de fin-de-millennium-man. Het begint hem te dagen dat de vrouw de superieure sekse is. Hij beseft dat hij geen rol of functie meer vervult dus wat doet hij? Hij neemt zijn toevlucht tot geweld.'

'Nou ja, hij probeerde haar alleen maar te zoenen,' zei Jude mild, terwijl ze doelloos door de *What Marquee* bladerde.

'Pah! Dat bedoel ik nou juist. Ze heeft gewoon ontzettend geluk dat hij niet met een bivakmuts over zijn kop haar bank binnen is gevallen en zeventien mensen met een mitrailleur heeft neergemaaid.'

Op dat moment ging de telefoon. Het was Tom en hij belde niet, vreemd genoeg, om me te bedanken dat ik zijn mobiele had opgestuurd na alle heisa die dat beroerde ding had veroorzaakt, maar om het nummer van mijn moeder. Tom schijnt heel dik met ma te zijn en vermoedelijk heeft hij een soort kitscherig idee van haar als Judy Garland/Ivana Trump (wat vreemd is, omdat ik me herinner dat ma me vorig jaar erop heeft gewezen dat homoseksualiteit 'niets dan luiheid is, schat, ze hebben gewoon geen zin om zich in het andere geslacht te verdiepen' – maar dat was tenslotte vorig jaar). Opeens bang dat Tom mijn moeder ging vragen om 'Non, je ne regrette rien' in lovertjesjurk te komen zingen in club die Pump heet, waartoe ze – naïef maar verblind door ijdelheid – bereid zou zijn, in de veronderstelling dat het iets met oude werktuigen in Cotswold Mill Houses te maken heeft.

'Waarom wil je haar nummer?' vroeg ik achterdochtig.

'Ze zit toch in een leesclub?'

'Geen idee. Alles is mogelijk. Hoezo?'

'Jerome heeft het gevoel dat zijn gedichten klaar zijn, dus zoek ik voor hem een podium bij leesclubjes. Vorige week heeft hij in Stoke Newington voorgedragen en het was helemaal te gek.'

'Helemaal te gek?' zei ik terwijl ik een opgeblazen-wangen-kotsgezicht tegen Jude en Shaz trok. Heb ten slotte nummer aan Tom gegeven ondanks bedenkingen, want vermoed dat mam wel toe is aan afleiding nu Wellington er niet meer is.

'Wat is dat toch met die leesclubjes?' vroeg ik toen ik had opgehangen. 'Ligt het nou aan mij of rijzen die opeens als paddestoelen uit de grond? Moeten wij ook ergens lid worden of is het alleen voor Zelfingenomen Echtgenotes?'

'Je moet Zelfingenomen Echtgenote zijn,' zei Shaz beslist. 'Dat komt omdat ze bang zijn dat ze afstompen door de paternalistische eisen van... O, mijn god, moet je prins William zien.'

'Kijken, kijken,' onderbrak Jude haar, terwijl ze de *Hello!* weggriste met de foto van de elegante jonge koninklijke blaag. Moest me bedwingen blad ook niet weg te grissen. Al zwijmel ik graag bij zoveel mogelijk foto's van prins William, het liefst in allerlei verschillende outfits, ik besef natuurlijk best dat neiging opdringerig en verkeerd is. Kan me desondanks niet aan indruk onttrekken dat in jong koninklijk brein geweldige dingen aan het gisten zijn en dat hij, eenmaal volwassen, als middeleeuwse ridder van de Ronde Tafel zal opstaan, zijn zwaard verheffen en schitterend nieuw staatsbestel introduceren, waarbij president Clinton en Tony Blair als ouderwetse bejaarde heren zullen afsteken.

'Hoe jong is te jong, vinden jullie?' vroeg Jude dromerig.

'Te jong om je wettige zoon te zijn,' zei Shaz beslist alsof het al een wetsbepaling was: wat het misschien ook wel is, afhankelijk van hoe oud je bent. Op dat moment ging de telefoon.

'O, hallo, lieverd. Moet je horen.' Mijn moeder. 'Je vriend Tom – je weet wel, de "homo" – nou, die neemt een dichter mee naar de Lifeboat-leesclub om voor te dragen! Hij gaat romantische gedichten voordragen. Net als Lord Byron! Is dat niet leuk?'

'Eh... ja?' hakkelde ik.

'Het is trouwens niets bijzonders, hoor,' snoof ze aanstellerig. 'We krijgen vaak schrijvers op bezoek.'

'O, ja? Wie dan?'

'O, zoveel, schat. Penny is erg goed bevriend met Salman Rushdie. Enfin, jij komt toch zeker ook, schat?'

'Wanneer is het?'

'Vrijdag over een week. Una en ik maken pasteitjes met kippenragout.'

Ik werd bevangen door een plotse angst. 'Komen admiraal en Elaine Darcy ook?'

'Welnee! Jongens mogen er niet in, gekkie. Elaine gaat wel maar de kerels komen pas later.'

'Maar Tom en Jerome komen.'

'O, maar dat zijn geen jongens, schat.'

'Weet je zeker dat Jeromes gedichten wel goed zullen vallen bij...'

'Bridget. Ik weet niet waar je op aanstuurt. We zijn niet van gisteren, hoor. En bij literatuur draait het nu eenmaal om vrije expressie. Oo, en ik geloof dat Mark later ook komt. Hij gaat Malcolms testament opmaken – dus wie weet!'

VRIJDAG I AUGUSTUS

58,4 kilo (bikinidieet totaal mislukt), sigaretten: 19 (ter ondersteuning dieet), calorieën: 625 (vast nog niet te laat).

18.30 Grr. Grrr. Vertrek morgen naar Thailand, heb nog niets ingepakt en drong pas net tot me door dat 'vrijdag over een week' van leesclubje vanavond is, gvd. Heb echt totaal geen zin om helemaal naar Grafton Underwood te rijden. Is warme zwoele avond en Jude en Shaz gaan naar fantastische party in River Café. Is natuurlijk belangrijk om mam, Toms liefdesleven, kunst met een grote k, enz., te steunen. Respect voor jezelf hebben door respect voor anderen te hebben. Is verder niet erg als ik morgen moe ben in vliegtuig want ga met vakantie.

Voorbereiden voor reis is vast zo gepiept want neem alleen hoognodige mee (een paar bodystockings en een sarong!) en hoe lang je over pakken doet is altijd afhankelijk van hoeveel tijd je hebt, dus het beste is om beschikbare tijd zo kort mogelijk te houden. Yes! Zie je wel! Ga dus en/en doen!

Middernacht. Net terug. Kwam erg laat aan vanwege typische niet te volgen bewegwijzering (als oorlog uitbreekt, moeten we wegwijzers maar laten staan om Duitsers in verwarring te brengen). Werd begroet door mam, die een hoogst merkwaardige kastanjebruine fluwelen kaftan aanhad waarin ze er vermoedelijk literair meende uit te zien.

'Hoe gaat het met Salman?' vroeg ik toen ze me op m'n kop gaf dat ik te laat was.

'O, we hebben toch maar besloten kip te doen,' zei ze snuivend terwijl ze me voorging door de openslaande deuren van ribbelglas naar de zitkamer, waar mijn oog het eerst viel op een opzichtig nieuw 'familiewapen' boven de imitatie-stenen open haard met het motto '*Hakuna Matata*'.

'Sst,' zei Una, die volkomen in vervoering haar vinger opstak.

Jerome de Opgeblazene, tepelpiercing duidelijk zichtbaar door een zwart wetlook hemdje, stond voor de verzameling borden van geslepen glas en brulde strijdlustig: 'Ik bekijk zijn harde, strakke, geile hammen. Ik bekijk, ik begeer, ik betast,' tegen een halve kring geschokte dames in jaeger mantelpakjes van de Lifeboat Luncheonleesclub die op namaak Regency-stoelen zaten. Aan de andere kant van de kamer zag ik Elaine, de moeder van Mark Darcy, die een uitdrukking van ingehouden plezier op haar gezicht had.

'Ik begeer,' ging Jerome brullend verder. 'Ik grijp zijn geile, harige hammen. Ik moet hebben. Ik verrijs, ik bestijg, ik...'

'Zo! Dat was werkelijk prachtig mooi!' zei mijn moeder, die opsprong. 'Iemand zin in een pasteitje?'

Het is onvoorstelbaar hoe de wereld van goedburgerlijke dames alle situaties weet glad te strijken, hoe ze alle chaos en verwikkelingen van de buitenwereld tot een heerlijke geborgen moederstroom ombuigen, ongeveer zoals een toiletreiniger alles in de pot roze kleurt.

'O, ik ben dol op het gesproken en geschreven woord! Het geeft me zo'n gevoel van vrijheid!' blaatte Una tegen Elaine terwijl Penny Husbands-Bosworth en Mavis Enderbury met Opgeblazen Jerome in de weer waren of hij T.S. Eliot was.

'Maar ik was nog niet klaar,' dreinde Jerome. 'Ik wilde nog "Overpeinzingen van een fistfucker" en "Glorieuze Gloryholes" doen.'

Op dat moment steeg er een gebrul op.

'Wie niet het hoofd verliest als allen om hem heen dat wél doen, en het hem verwijten bovendien.' Het waren pa en admiraal Darcy. Allebei lam. O, god. Elke keer dat ik pa tegenwoordig zie lijkt hij straalbezopen, in bizarre omgekeerde vader-dochterrol.

'Wie op zichzelf vertrouwt als allen aan hem twijf'len,' brulde admiraal Darcy, die op een stoel sprong terwijl er een siddering door het damesgezelschap ging.

'En hun dat niet verwijt, maar steeds het licht blijft zien,' viel pa hem bij, zowat in tranen, en hij leunde wankelend tegen de admiraal.

Het bezopen duo ging verder met het opzeggen van de hele 'Wie' van Rudyard Kipling, alsof ze Sir Laurence Olivier en John Gielgud waren, tot grote woede van mam en Opgeblazen Jerome die tegelijkertijd een sissende toeval kregen.

'Het is ook altijd hetzelfde,' siste mam terwijl admiraal Darcy op zijn knieën, zich op zijn borst trommelend, reciteerde: *'Belasterd wordt, maar zelf van laster zich onthoudt.'*

'Het is reactionaire, kolonialistische rijmelarij,' siste Jerome.

'Wie hart en lijf en ziel kan dwingen te volharden.'

'Mijn lul wordt er slap van,' siste Jerome weer.

'Jerome, ik wil niet dat je zulke dingen zegt in mijn huis,' siste mam op haar beurt weer.

'Al is er verder niemand meer gebleven die dat doet,' zei pa, waarna hij zich op het krullerige kleed wierp en zich dood hield.

'Waarom hebt u me dan uitgenodigd?' siste Jerome supersissend.

'Wie volhoudt, ook al is hij leeg en moe vanbinnen,' loeide de admiraal.

'En heeft hij enkel nog zijn Wil,' bromde pa vanaf het kleed.

'*Die tot hem zegt*' – hij sprong op zijn knieën en spreidde zijn armen – '*Houd moed!*'

Er klonk luid gejuich en applaus op van de dames terwijl Jerome driftig naar buiten stormde, de deur hard dichtsloeg, op de hielen gevolgd door Tom. Wanhopig keek ik naar de andere kant van de kamer, recht in de ogen van Mark Darcy.

'Nou! Dat was heel interessant!' zei Elaine Darcy, die naar de plek was gelopen waar ik met gebogen hoofd stond om weer kalm te worden. 'De dichtkunst die jong en oud verenigt.'

'De zatten en de nuchteren,' voegde ik eraan toe.

Daarop kwam admiraal Darcy aangeslingerd, zijn gedicht in zijn hand geklemd.

'Schat, schat, allerliefste!' zei hij en wierp zich op Elaine. 'O, daar heb je dingetje ook,' zei hij terwijl hij me indringend aankeek. 'Geweldig! Mark is er, brave jongen! Om ons op te halen, broodnuchter. Helemaal in zijn eentje. Ik weet niet, hoor!' zei hij.

Ze draaiden zich alle twee om naar Mark die aan Una's piepkleine bijzettafeltje iets aan het opschrijven was, onder het wakend oog van een blauwglazen dolfijn.

'Mijn testament op een feestje laten opmaken! Ik weet niet. Altijd maar aan het werk!' riep de admiraal. 'Had dat mokkeltje mee naar huis genomen, hoe heet ze ook alweer, Rachel, of zoiets? Betty?'

'Rebecca,' zei Elaine vinnig.

'En het volgende ogenblik is ze weer verdwenen. Vraag je wat er met haar is gebeurd, en dan mompelt hij alleen wat! Bloedhekel aan mompelende mensen! Altijd de pest aan gehad.'

'Ach, ik vond haar niet echt...' prevelde Elaine.

'Waarom niet! Waarom niet! Geknipt juist! Ik weet niet! Dan is dit weer niet goed, dan is daar wat mis mee! Ik hoop dat jullie jonge vrouwen niet steeds van de een naar de ander fladderen zoals die kerels van tegenwoordig schijnen te doen!'

'Nee,' zei ik quasi-sip. 'Als wij van iemand houden kunnen we ze moeilijk vergeten als ze zijn opgerot.'

Er klonk geraas achter me. Ik draaide me en zag dat Mark Darcy de blauwglazen dolfijn had omgestoten, die op zijn beurt een vaas met chrysanten en een ingelijste foto aan het schuiven had gebracht waardoor er een slagveld van gebroken glas, bloemen en stukjes papier was ontstaan, alleen de afzichtelijke dolfijn was op wonderbaarlijke wijze heel gebleven.

Grote consternatie terwijl mam, Elaine en admiraal Darcy toesnelden naar de plek des onheils, de admiraal stampend en brullend, pap die de dolfijn op de grond liet stuiteren met de woorden: 'Weg met dat rotding' en Mark die naar zijn papieren graaide en aanbood om alles te vergoeden.

'Ben je klaar om te gaan, pa?' bromde Mark, die er vreselijk opgelaten uitzag.

'Nee, nee, ik heb geen haast, ik amuseer me opperbest met Brenda hier. Haal nog even een port voor me als je wilt, jongen.'

Er viel een penibele stilte waarin Mark en ik elkaar aankeken.

'Hallo, Bridget,' zei Mark bruusk. 'Kom op, pa, we moeten nu echt weg.'

'Ja, kom mee, Malcolm,' zei Elaine, die teder zijn arm pakte. 'Zo meteen pis je nog het kleed onder.'

'Ach, onderpissen, onderpissen, ik weet niet, hoor.'

Ze namen alle drie afscheid en Mark en Elaine loodsten de admiraal behoedzaam de deur door. Ik keek toe, met een leeg en mat gevoel, toen Mark opeens terugkwam en naar mij toe liep.

'Ah, pen vergeten,' zei hij en hij pakte zijn Mont Blanc van het bijzettafeltje. 'Wanneer ga je naar Thailand?'

'Morgenochtend.' Een fractie van een seconde meende ik dat hij teleurgesteld keek.

'Hoe wist je dat ik naar Thailand ging?'

'Heel Grafton Underwood heeft het erover. Heb je al gepakt?'

'Wat denk je?'

'Nog geen onderbroek,' zei hij spottend.

'Mark,' brulde zijn vader. 'Kom op, jongen, dacht dat jij zo nodig weg moest.'

'Ik kom,' zei Mark met een blik achterom. 'Dit is voor jou.' Hij gaf me een gekreukt stukje papier, keek me even... eh... doordringend aan en liep toen weg.

Ik wachtte tot niemand keek en vouwde met trillende handen

het velletje open. Het was alleen maar een kopie van het gedicht van pa en admiraal Darcy. Waarom gaf hij me dat?

ZATERDAG, 2 AUGUSTUS

*57,9 kilo (huh, pre-vakantiedieet totaal mislukt), alcohol: 5 eenheden,
sigaretten: 42, calorieën: 4457 (volkomen hopeloos), ingepakte spullen:
0, ideeën waar paspoort zou kunnen liggen: 6, nuttig gebleken ideeën
waar paspoort zou kunnen liggen: 0.*

5.00 Waarom ga ik toch in godsnaam op vakantie? Ik zal hele
vakantie natuurlijk liefst willen dat Sharon Mark Darcy was en
zij dat ik Simon was. Het is vijf uur 's ochtends. Mijn hele slaapkamer is bezaaid met nat wasgoed, balpennen en plastic tassen.
Ik weet niet hoeveel beha's ik moet meenemen, ik kan mijn
zwarte jurkje van Jigsaw nergens vinden maar kan zonder niet
met vakantie en mijn andere roze muiltje is ook weg, ik heb nog
geen travellerscheques en volgens mij doet mijn creditcard het
niet. Ik heb nog maar anderhalf uur voor ik aanstalten moet
maken om weg te gaan en alles past nooit in mijn koffer. Misschien even sigaretje roken en in brochure kijken om tot rust te
komen.

Mmm. Verheug me er al op om op strand te liggen en door en
door bruin te worden. Zon en zwemmen en... Ooh. Lampje
antwoordapparaat knippert. Waarom zie ik dat nu pas?

5.10 Drukte op 'bericht afluisteren'.

'O, Bridget, met Mark. Schoot me net iets te binnen. Je weet
toch dat het nu regentijd in Thailand is? Ik zou dus maar een
paraplu meenemen.'

11

TROPISCHE VERRASSINGEN

ZONDAG 3 AUGUSTUS

Gewichtloos (in de lucht), alcohol: 8 eenheden (maar in het vliegtuig, dus telt niet vanwege hoogte), sigaretten: 0 (afschuwelijk, zit in niet-rokersgedeelte), calorieën: 1 miljoen (uitsluitend dingen die ik anders nooit in mijn mond zou steken, maar ze lagen nu eenmaal op dat blad), scheten van reisgenoot: 38 (tot dusver), variaties in aroma van voornoemde scheten: 0.

16.00   Engelse tijd. In vliegtuig in lucht. Moet doen alsof ik het vreselijk druk heb, walkman op en schrijven, want afschuwelijke man naast me in lichtbruin synthetisch pak probeert steeds met me in gesprek te komen, tussen zijn stille, maar daarom niet minder giftige scheten door. Heb gedaan alsof ik in slaap was gevallen, hield ondertussen mijn neus dicht, maar na een paar minuten tikte de afschuwelijke kerel op mijn schouder om te vragen: 'Heb je ook hobby's?'

'Ja, slapen,' antwoordde ik, maar zelfs dat drong niet tot hem door en luttele seconden later zat ik tot mijn nek in de duistere wereld van de Vroeg-etruskische munten.

Sharon en ik zitten niet naast elkaar, want we hebben onze tickets zo laat gekocht dat we alleen nog maar aparte plaatsen konden krijgen, en Shazzer was heel nijdig op me. Daar is ze echter kennelijk om onverklaarbare redenen weer overheen, en dat heeft natuurlijk helemaal niets te maken met het feit dat ze naast een op Harrison Ford lijkende, in spijkerbroek en gekreukt kaki overhemd gehulde onbekende zit, die zijn mond niet kan opendoen of ze ligt in een deuk (rare uitdrukking toch). En dat terwijl Shaz alle mannen haat omdat ze hun rol kwijt zijn en hun toevlucht zoeken tot 'kasjmin-of-meer'-gedrag en zinloos geweld. Ondertussen zit ik met meneer de Synthetische Scheetmachine opgescheept en mag ik twaalf uur lang niet roken. Goddank heb ik mijn Nicorette.

Geen z.g. begin maar toch z. opgewonden vanwege Thailand. Sharon en ik zijn *reizigers*, geen toeristen, d.w.z. we verblijven niet in hermetisch afgesloten toeristenenclaves, maar willen de religie en de cultuur ervaren.

DOELEN VOOR DEZE VAKANTIE:

1   Reizen, in oude hippiestijl.
2   Afvallen d.m.v. lichte, liefst niet-levensbedreigende dysenterie.
3   Het verkrijgen van subtiele, biscuitkleurige bruining – niet feloranje zoals Sheryl Gascoigne, geen melanoomverwekkende of rimpelvormende verbranding.
4   Me amuseren.
5   Mezelf en zonnebril vinden. (De laatste zit hopelijk in mijn koffer.)
6   Zwemmen en zonnebaden (natte moesson brengt toch alleen korte, hevige tropische buien met zich mee).
7   Tempels zien (maar hopelijk niet te veel).
8   Spirituele verlichting bereiken.

MAANDAG 4 AUGUSTUS

55,5 kilo (wegen niet meer mogelijk, dus kan zelf gewicht kiezen, naargelang stemming: groot voordeel van reizen), calorieën: 0, aantal minuten niet op wc doorgebracht: 12 (zo voelt het tenminste).

2.00   Plaatselijke tijd. Bangkok. Shazzer en ik proberen in slaap te komen in ergste kamer die ik ooit heb gezien. Heb het gevoel dat ik stik en geen lucht meer kan krijgen. Toen we boven Bangkok kwamen aanvliegen, was het zwaar bewolkt en het zeek van de regen. In pension Sin Sae hebben ze geen echte wc's, alleen hokjes met smerige gaten in de grond. Open ramen en ventilator helpen niets, want de lucht lijkt hier zo op warm water dat het verschil moeilijk is uit te maken. Hieronder is een disco (onder het hotel, niet onder de wc) en als het even stil is hoor je iedereen in de hele straat kreunen omdat zij ook niet kunnen slapen. Ik voel me een enorm wit flubberig opgeblazen geval. Mijn haar werd eerst een soort dons en daarna ging het helemaal tegen mijn hoofd plakken. Het ergste is nog wel dat Sharon almaar over die Harrison Ford-achtige onbekende uit het vliegtuig zit door te emmeren. '... Zo bereisd... zat in dat vliegtuig van Sudan Airways toen de piloot en de copiloot in de cabine alle passagiers een hand gingen geven en de deur van de cockpit achter ze in het slot viel! Ze moesten hem met een bijl openhakken. Zo geestig. Hij zit in het Oriental – hij zei dat we eens langs moesten komen.'

'Ik dacht dat we niets met mannen te maken wilden hebben,' zei ik knorrig.

'Nee, nee, ik dacht alleen, als we in een land zijn dat we niet kennen is het misschien nuttig om eens met een echt bereisd iemand te praten.'

6.00   Viel om halfvijf eindelijk in slaap, maar werd om kwart voor zes gewekt door Sharon, die op het bed op en neer zat te springen en zei dat we naar een tempel moesten om de zonsopgang te zien (door een wolkendek van honderd meter?). Dit hou ik niet vol. Bèèèh! Er gebeurt geloof ik iets bijz. griezeligs in mijn buik. Laat steeds van die kleine, naar ei smakende boertjes.

11.00   Sharon en ik zijn nu al vijf uur op, waarvan we er viereenhalf hebben doorgebracht met om beurten naar de 'wc' gaan. Sharon zegt dat lijden en een sober leven bij spirituele verlichting horen. Materieel comfort is niet alleen overbodig, maar zelfs een beletsel voor spiritualiteit. We gaan mediteren.

12.00   Hoera! We zijn naar het Oriental Hotel verhuisd! Ben me ervan bewust dat dat voor één nacht meer kost dan een hele week op Korfoe, maar dit is een noodgeval en waar heb je anders creditcards voor? (Shazzer heeft nog een baan en zegt dat ze het wel van me terugkrijgt. Zou het wel in orde zijn als je op andermans creditcard op zoek gaat naar geestelijke verlichting?)

Waren het erover eens dat hotel geweldig is, trokken meteen lichtblauwe kamerjas aan en gingen met bubbelbad spelen enz.

Bovendien zegt Shazzer dat het niet nodig is om op reis de hele tijd sober te leven, want juist het contrast tussen verschillende werelden en manieren van leven leidt tot spirituele verlichting. Was het roerend met haar eens. Waardeer bijvoorbeeld zeer de gelijktijdige beschikbaarheid van wc en bidet, met het oog op toestand van ingewanden.

20.00   Shazzer sliep (of was aan dysenterie overleden), besloot dus eindje te gaan lopen over terras van hotel. Schitterend. Stond in het pikkedonker uit te kijken over de bocht in de Chao Phraya-rivier in de zachte, warme wind die het plakkerige dons uit mijn gezicht blies – overal flonkerende lichtjes en oosterse boten die lagen te dobberen. Vliegen is geweldig – zat nog maar 24 uur geleden thuis op bed tussen het natte wasgoed – en nu hier, waar alles ongelooflijk exotisch en romantisch is. Wilde net een sigaret opsteken toen er plotseling een gouden aansteker onder mijn neus werd gehouden. Keek naar het gezicht in het maanlicht en maakte vreemd geluid. Was de Harrison Ford uit het vliegtuig! Ober bracht gin-tonic, die volgens mij heel sterk was. Harrison Ford, of 'Jed', verklaarde dat kinine in de tropen heel belangrijk is. Begreep helemaal waarom Shaz het de hele tijd over hem had. Hij vroeg naar onze plannen. Ik zei dat we hadden besloten op het hippie-eiland Koh Samui een hut te huren en op zoek te gaan naar geestelijke verlichting. Hij zei dat hij dat misschien ook wel deed. Ik zei dat Sharon dat leuk zou vinden (want hij was duidelijk van haar, al zei ik dat niet tegen Harrison Ford), en dat ik haar misschien maar even wakker zou maken. Voelde me inmiddels wat licht in het hoofd van al die kinine en raakte even in paniek toen hij heel zacht met een vinger over mijn wang streek en zich toen naar me toe boog.

'Bridget,' siste een stem, 'en dat noemt zich een vriendin.'

O nee, o nee. Het was Shazzer.

DONDERDAG 7 AUGUSTUS

52 kilo of misschien wel 51?, sigaretten: 10, aantal keren dat we zon hebben gezien: 0.

Koh Samui, het eiland, Thailand (Hmmm: rijmt als een rap-nummer of zoiets.)

Zitten op bijz. idyllisch – afgezien van de stromende regen – hippiestrand: prachtig halfrond zandstrand met allemaal hutjes op palen en restaurantjes erlangs. De hutten zijn van bamboe en hebben een balkon dat over zee uitkijkt. De sfeer tussen Shaz en mij is nog steeds wat koeltjes en ze heeft een irrationele aversie ontwikkeld tegen 'Buurjongens', met als gevolg dat we al drie keer in de regen naar een andere hut zijn verhuisd, al zitten we hier nog geen achttien uur. De eerste keer was het wel terecht, want die jongens kwamen al na drie minuten naar ons toe en wilden ons iets verkopen wat zowel heroïne als opium of chocoladetaart had kunnen zijn. Toen kwamen we in een nieuw huttenhotel waar de jongens in de hut naast ons een heel keurige indruk maakten, zoals biochemici en dat soort mensen eruit kunnen zien. Helaas kwamen de biochemici ons vertellen dat drie dagen daarvoor iemand zich in onze hut had opgehangen, waarop Shazzer beslist weg wilde. Inmiddels was het pikkedonker. De biochemici boden nog aan ons met onze bagage te helpen, maar daar wilde Shaz niets van weten en zo moesten we dus urenlang met onze rugzakken over het strand sjouwen. Uiteindelijk, nadat we 30.000 kilometer hadden gereisd om aan zee te kunnen ontwaken, kwamen we in een hut terecht met uitzicht op de achterkant van een restaurant en een sloot. En nu moeten we het hele strand afzoeken naar een nieuwe hut die wel aan zee ligt, maar dan zonder foute buurjongens of zelfmoordkarma. Verdomme, die Shazzer ook.

23.30 Waddun ggweldige avond, zooo'n leuk rezdaurand. Shazz izzun tovve meid. Me bezte vriendin.

VRIJDAG 8 AUGUSTUS

50 kilo (fantastisch bijverschijnsel van maag-darmexplosies), alcohol: 0 eenheden, sigaretten: 0 (z.g.), paddo's: 12 (mmmm wow wieieie).

11.30 Werd wakker – tamelijk laat, dat geef ik toe – en merkte dat ik alleen was. Shaz was niet in de hut, dus ging ik naar balkon om uit te kijken. Tot mijn schrik zag ik dat de enge Zweedse meiden hadden plaatsgemaakt voor een Buurjongen, maar daar kon niemand mij de schuld van geven, want reizigers komen en gaan nu eenmaal voortdurend. Zette geslepen zonnebril op, want had lenzen nog niet in, en bij nadere inspectie bleek Nieuwe Buurjongen de knuffelige Harrison Ford uit het vliegtuig en het Oriental Hotel te zijn. Terwijl ik daar stond te kijken, draaide hij zich om en lachte tegen iemand die net uit zijn hut kwam. Het was Shazzer, die haar hele 'wees voorzichtig op reis en pas op voor Buurjongens'-filosofie bleek te hebben losgelaten, of althans te hebben aangevuld met de clausule 'tenzij ze erg aantrekkelijk zijn'.

13.00 Jed heeft ons uitgenodigd voor een omelet met paddo's in het café! Aanvankelijk hadden we onze twijfels want we zijn fel tegen verboden middelen, maar Jed legde uit dat paddo's geen drugs zijn maar natuurproducten en dat ze de spirituele verlichting dichterbij brengen. Vol verwachting klopt mijn hart.

14.00 Ik ben mooi, opvallend, exotisch mooi, en ik maak deel uit van alle kleuren en alle wetten van het leven. Als ik in het zand lig en door mijn strooien hoed naar de zon kijk, schijnen er kleine lichtstraaltjes doorheen en dat is het aller-allermooiste, kostbaarste beeld dat er bestaat. Shazzer is beeldschoon. Ik ga met mijn strooien helm de zee in, zodat de schoonheid van de zee zich kan bundelen met die prachtige lichtstraaltjes, als edelstenen.

17.00 In ganja-restaurant, in mijn eentje. Shazzer praat niet meer tegen me. Na paddo-omelet gebeurde er eerst niets, maar toen we terugliepen naar onze hut leek alles me opeens verschrikkelijk komisch en ik kreeg helaas een onstuitbare giechelbui. Shaz kon echter niet meelachen. Eenmaal terug bij onze nieuwe hut besloot ik mijn hangmat buiten op te hangen aan een dun touwtje, dat brak, zodat ik in het zand viel. Dat vond ik toen zo ongelooflijk leuk dat ik het meteen nog een keer wilde proberen, waarop ik volgens Shazzer drie kwartier achter elkaar de kostelijke hangmatval bleef herhalen, maar desondanks onverminderd grappig bleef vinden. Jed was met Shaz de hut ingegaan, maar was daarna gaan zwemmen, dus besloot ik haar te gaan opzoeken. Ze lag op bed en kermde: 'Ik ben zo lelijk, zo lelijk, zo lelijk.' Geschrokken van Shazzers zelfhaat, die in zo'n scherp contrast stond met mijn eigen stemming, schoot ik toe om haar op te vrolijken. Maar onderweg zag ik opeens mezelf in de spiegel en zo'n prachtig, fascinerend wezen had ik nog nooit in mijn hele leven gezien.

Shaz beweert dat ik de volgende drie kwartier pogingen in het werk bleef stellen om haar een hart onder de riem te steken, maar telkens werd afgeleid door de aanblik van mezelf in de spiegel, waar ik in allerlei houdingen voor ging staan terwijl ik Shaz smeekte me te bewonderen. Shaz was intussen ten prooi aan een vreselijk trauma omdat ze dacht dat haar hele gezicht en lichaam afschuwelijk misvormd waren. Ik ging iets te eten voor haar halen en kwam giechelend terug met een banaan en een bloody mary; ik zei dat de serveerster in het restaurant een lampenkap op haar hoofd had, waarop ik weer verliefd naar mijn plekje voor de spiegel terugkeerde. Daarna, zegt Shaz, heb ik nog tweeënhalf uur op het strand door mijn strooien helm omhoog liggen kijken en zachtjes met mijn vingers liggen wuiven terwijl zij zelfmoordgedachten koesterde.

Ik kan me alleen herinneren dat ik nog nooit zo gelukkig was geweest en dat ik zeker wist dat ik de diepste, eeuwige wetten van het leven had begrepen en dat dit alles nodig was om in een toestand van Flow te raken – zoals beschreven in *Emotionele intelligentie* – en dat je je zo volgens zen met die wetten mee moest laten drijven, en dat het toen opeens leek alsof er een knop werd omgedraaid. Ik ging de hut weer in, maar in plaats van die stralende Boeddha/Yasmin Le Bon-achtige vrouwelijke incarnatie in de spiegel zag ik gewoon mezelf, met een vuurrooie, bezwete kop en mijn haar aan de ene kant tegen mijn hoofd geplakt en aan de andere wild omhoogpiekend, terwijl Shaz op bed naar me lag te kijken met een gezicht als een bijlmoordenaar. Ben nu heel verdrietig, schaam me dood voor mijn gedrag, maar dat was ík niet, dat waren die paddo's.

Als ik nou terugga naar de hut en over spirituele verlichting begin, dan is ze misschien niet meer zo kwaad.

VRIJDAG 15 AUGUSTUS

50,2 kilo (voel me vandaag wat zachter en ronder), alcohol: 5 eenheden, sigaretten: 25, momenten van geestelijke verlichting: 0, rampen: 1.

9.00 We hebben een fantastische vakantie gehad, zij het zonder spirituele verlichting. Voelde me een beetje buitengesloten omdat Shaz zoveel met Jed optrok, maar de zon heeft zich best vaak laten zien, dus heb ik gezwommen en in de zon gelegen terwijl zij lagen te wippen, en 's avonds hebben we met ons drieën gegeten. Shaz heeft een beetje last van een gebroken hart, want Jed is gisteravond weggegaan, naar een ander eiland. We nemen een verwenontbijt (maar zonder paddo's) en dan zijn we gewoon weer onder ons en kunnen we lachen. Hoera!

11.30 O godverdegodverdegodverdomme. Sharon en ik kwamen net terug bij onze hut toen we zagen dat het hangslot open was en dat onze rugzakken weg waren. We hebben de deur echt, werkelijk afgesloten, maar er is ingebroken. Gelukkig hadden we ons paspoort bij ons en zat niet alles in de rugzakken, maar onze vliegtickets en onze travellercheques zijn dus wel verdwenen. Shazzers creditcard is kennelijk geblokkeerd na Bangkok met al dat winkelen dat we hebben gedaan en zo. We hebben alles bij elkaar samen nog 38 dollar, het vliegtuig van Bangkok naar Londen gaat dinsdag en we zitten kilometers overal vandaan op een eiland. Sharon huilt en ik probeer haar op te monteren, maar met weinig succes.

Het hele scenario doet aan *Thelma and Louise* denken, als Thelma met Brad Pitt naar bed is geweest en hij al hun geld heeft gestolen en Geena Davis zegt dat het niet erg is en Susan Sarandon huilt en zegt: 'Het is wél erg, Thelma, het is heel heel erg.'

Zelfs een vliegticket naar Bangkok om het vliegtuig naar huis te halen kost honderd dollar per persoon, en dan is het nog maar de vraag of ze ons op het vliegveld van Bangkok geloven als we zeggen dat we onze tickets kwijt zijn, en of we dan... O god. Moet het hoofd koel houden en niet in de put gaan zitten. Heb Shazzer voorgesteld weer terug te gaan naar het ganja-restaurant, een paar bloody mary's te nemen en er een nachtje over te slapen, en toen ging ze over de rooie.

Het probleem is dat ik enerzijds in paniek ben en het anderzijds geweldig vind om zo'n crisis, zo'n avontuur mee te maken, want dat is weer eens iets anders dan tobben over de omvang van mijn dijen. Ik denk dat ik maar gewoon wegsluip en bloody mary's ga halen. We kunnen het nu net zo goed nog even leuk hebben. We kunnen er toch pas maandag iets aan doen, want alles is nu dicht: we zouden misschien in een bar geld kunnen verdienen met exotisch dansen waarbij we pingpongballetjes uit lichaamsopeningen toveren, maar ik denk eigenlijk niet dat we tegen de concurrentie op kunnen.

13.00   Hoera! Shazza n ik blijve op KoaSamui en gaan als hippies va banane leve en zchelpe vekope optstrand. Zbirituwele velichting. Gweldigg. Obbonzzelf terugvalle. Zbirituwweel.

17.00   Hmm. Shaz slaapt nog en daar ben ik blij om, want het is bij haar nogal hard aangekomen allemaal. Ik vind dat dit een gelegenheid is om onze zelfredzaamheid op de proef te stellen. Ik weet al wat. Ga in groot hotel bij receptie informeren wat ze bij zo'n crisis voor faciliteiten te bieden hebben. Ik zou bijvoorbeeld het kantoor van de travellercheques kunnen bellen. Maar dat geld zouden we toch nooit op tijd terugkrijgen. Nee, nee. Positief blijven.

19.00   Zie je nou wel. Als je maar niet in de put gaat zitten komt er altijd wel een oplossing. Want wie liep ik in de lobby van het hotel tegen het lijf – Jed! Hij zei dat zijn uitstapje naar die andere eilanden vanwege de regen niet doorging, hij ging nu in de loop van de avond terug naar Bangkok en wilde ons net even gedag komen zeggen. (Shaz zal het wel niet leuk vinden dat hij haar niet meteen had opgezocht, maar goed. Misschien dacht hij dat we al weg waren, of... Nee, ik ga niet namens Sharon zitten piekeren.)

Maar goed, Jed voelde erg met ons mee, al zei hij wel dat we nooit iets van waarde in de hut hadden moeten laten liggen, al was die dan op slot. Hij preekte zelfs een beetje tegen me (ontzettend sexy, een soort vader/priesterfiguur) en zei dat het niet mee zou vallen om nog op tijd in Bangkok te zijn voor onze vlucht op dinsdag, want voor vandaag en morgen zaten alle vliegtuigen hier al vol, maar hij zou proberen kaartjes voor ons te regelen voor de nachttrein van morgen, dan haalden we onze verbinding ook nog wel. Hij bood ook aan ons wat geld te geven voor taxi's en onze hotelrekening hier te betalen. Hij dacht dat het reisbureau in Londen echt wel zou zorgen dat er nieuwe tickets voor ons klaarlagen op het vliegveld als we maandagochtend meteen belden.

'Je krijgt het allemaal van ons terug,' zei ik dankbaar.

'Zit daar maar niet over in,' zei hij. 'Zoveel is het niet.'

'Nee, echt,' drong ik aan.

'Nou, zie maar, als je het hebt,' lachte hij.

Hij is een royale, rijke droomgod, al is geld natuurlijk niet belangrijk. Behalve in een crisissituatie, als je zonder zit.

MAANDAG 18 AUGUSTUS

Op de trein van Surat Thani Koh Samui naar Bangkok

Treinreis is best mooi, we zien steeds rijstvelden en mensen met ronde strohoeden langskomen. Elke keer dat de trein stilstaat, komen er mensen langs de raampjes met kipsaté, heerlijk. Moet steeds maar aan Jed denken. Hij was zo aardig en zo behulpzaam, op een manier die me aan Mark Darcy deed denken toen hij er nog niet met Rebecca vandoor was. Hij heeft ons zelfs een van zijn eigen tassen gegeven om onze spullen in te doen die niet gestolen waren, en alle zeepjes en flesjes en zakjes shampoo uit zijn vorige hotels. Shaz is blij, want ze hebben elkaars adres en telefoonnummer en als ze terug is, gaan ze iets afspreken. Eerlijk gezegd is Shaz zo met zichzelf ingenomen dat het onuitstaanbaar wordt. Maar het is wel fijn, want ze heeft een hele nare tijd met Simon achter de rug. Dacht altijd wel dat ze niet alle mannen haatte, alleen de zakkige. O god. Als we ons vliegtuig nu maar halen.

DINSDAG 19 AUGUSTUS

11.00 Vliegveld Bangkok. Er lijkt zich een afschuwelijke nachtmerrie te voltrekken. Het bloed raast door mijn kop en ik zie haast niets. Shaz ging vast vooruit om het vliegtuig tegen te houden terwijl ik voor de bagage zorgde. Moest langs een beveiligingsbeambte met een hond aan een riem, die bij mijn tas enorm begon te trekken en te blaffen. Toen begonnen alle mensen van de vliegmaatschappij door elkaar heen te ratelen en werd ik door een vrouwelijke militair met tas en al naar een aparte kamer meegenomen. Ze maakten de reistas leeg, pakten toen een mes en sneden de voering open, en daar zat een plastic zak vol wit poeder in. En toen... O, god. O, god. Laat iemand me toch komen helpen.

WOENSDAG 20 AUGUSTUS

40 kilo, alcohol: 0 eenheden, calorieën: 0, kans dat ik ooit nog Thais eet: 0.

11.00 Op politiebureau in voorlopige hechtenis, Bangkok. Rustig. Rustig. Rustig. Rustig.

11.01 Rustig.

11.02 Heb voetboeien aan. Heb VOETBOEIEN aan. Zit in stinkende Derde-Wereldcel met acht Thaise prostituees en een po in de hoek. Heb het gevoel dat ik ga flauwvallen van de hitte. Dit kan niet waar zijn.

11.05 O, god. Alle stukjes vallen op hun plaats, ik begin te begrijpen wat er is gebeurd. Kan niet geloven dat iemand zó cynisch en berekenend kan zijn dat hij met iemand naar bed gaat, dan al haar spullen jat en haar vriendin erin luist. Ongelooflijk. Hoe dan ook, de ambassadeur zal nu wel gauw komen om alles uit te leggen en me vrij te krijgen.

12.00   Begin me nu toch wel af te vragen waar de ambassadeur blijft.

13.00   De ambassadeur komt natuurlijk na zijn lunch.

14.00   Misschien is de ambassadeur opgehouden, mogelijk door een dringender geval van échte drugshandel in plaats van een onschuldig slachtoffer.

15.00   O godverdegodverdomme. Als ze het maar aan de ambassadeur hebben dóórgegeven. Shazzer zal toch wel alarm hebben geslagen. Misschien hebben ze Shazzer ook opgepakt. Maar waar zit ze dan?

15.30   Ik moet, móet kalm zien te blijven. Ik heb alleen mezelf om op terug te vallen. Die klootzak van een Jed. Moet geen rancune koesteren... God, wat heb ik een honger.

16.00   Er kwam net een bewaker met wat walgelijke rijst en wat privé-spullen die ik mocht houden – één onderbroek, een foto van Mark Darcy en eentje van Jude die Shazzer laat zien hoe ze moet klaarkomen en een verfrommeld papiertje uit de zak van mijn spijkerbroek. Wilde bewaker naar de ambassadeur vragen, maar hij knikte alleen en zei iets wat ik niet kon verstaan.

16.30   Zie je wel. Zelfs als alles hopeloos lijkt, gebeuren er nog dingen die alles wat lichter maken. Het verfrommelde papiertje was pa's boekenclubgedicht dat ik van Mark had gekregen. Literatuur. Ga het lezen en aan hogere dingen denken.
 '*Wie*' door Rudyard Kipling
 Wie niet het hoofd verliest als allen om hem heen...
O god. O GOD. Worden er in Thailand eigenlijk nog steeds mensen onthoofd?

35 kilo (z.g. doch geheel denkbeeldig), alcohol: 14 eenheden (eveneens denkbeeldig), sigaretten: 0, calorieën: 12 (rijst), aantal keren dat ik bedenk dat ik beter naar Cleethorpes had kunnen gaan: 55.

5.00 Afschuwelijke nacht doorgebracht op ouwe met sokken gevulde zak vol vlooien die dienstdeed als matras. Vreemd dat je zo snel went aan vuil zijn en je niet prettig voelen. De stank is nog het ergste. Heb een paar uur kunnen slapen, wat geweldig was tot ik wakker werd en het me weer te binnen schoot wat er aan de hand was. Nog steeds taal noch teken van ambassadeur. Dit moet toch allemaal een vergissing zijn, het wordt wel rechtgezet. Moet de moed niet verliezen.

10.00 Er verscheen een bewaker bij de deur met een ballerig uitziend type in een roze overhemd.

'Bent u de ambassadeur?' riep ik en ik viel hem zowat om de hals.

'Eh. Nee. Ik ben de assistent van de consul. Charlie Palmer-Thompson. Erg leuk u te ontmoeten.' Hij drukte mijn hand op een manier die erg geruststellend Brits zou zijn overgekomen als hij niet meteen daarna zijn hand aan zijn broek had afgeveegd.

Hij vroeg wat er was gebeurd en noteerde de details in een in leer gebonden aantekenboekje, terwijl hij dingen zei als: 'Jae jae. Christus, wat afschuwelijk,' alsof ik hem een polo-anekdote zat te vertellen. Begon in paniek te raken toen ik merkte dat hij a) niet geheel van de ernst van de situatie doordrongen leek, b) niet bepaald – wil niet snobistisch doen of zo, maar toch – het buskruit leek te hebben uitgevonden, en c) naar mijn smaak veel te weinig overtuigd leek dat het allemaal een vergissing was en dat ik meteen zou worden vrijgelaten.

'Maar waarom?' vroeg ik nadat ik hem het hele verhaal nog een keer had verteld. Legde uit dat Jed zelf in de hut moest hebben ingebroken en alles vooraf moest hebben gepland.

'Tjae, ziet u, het vervelende is...' Charlie boog zich vertrouwelijk naar me toe, 'iedereen die hier terechtkomt, heeft wel een verhael, en in grote trekken komt het ongeveer altijd neer op wat u me net vertelde. Dus tenzij die vervelende Jed een volledige bekentenis aflegt, blijft het een beetje lastig.'

'Krijg ik de doodstraf?'

'Goeie god, nee. Nee zeg. Geen denken aan. Het ergste waar u rekening mee moet houden is een jaertje of tien.'

'TIEN JAAR? Maar ik heb niets gedaan.'

'Jae, jae, het is ellendig jae,' zei hij en knikte ernstig.

'Maar ik wist niet eens dat dat spul erin zat!'

'Nee, precies,' zei hij en keek alsof hij zich op een borrel in een ietwat ongemakkelijke situatie had gemanoeuvreerd.

'Zult u alles doen wat in uw vermogen ligt?'

'Absoluut,' zei hij en stond op. 'Jae.'

Hij zei dat hij een lijst voor me zou meebrengen van advocaten waar ik uit kon kiezen en dat hij namens mij twee telefoontjes kon plegen om uiteen te zetten wat er was gebeurd. Zat even behoorlijk in dubio. Praktisch gezien was Mark Darcy de beste keus, maar ik zag het niet zo zitten te moeten toegeven dat ik me weer in de nesten had gewerkt, vooral nadat hij vorig jaar dat hele gedoe met ma en Julio had geregeld. Ten slotte koos ik voor Shazzer en Jude.

Heb het gevoel dat mijn lot nu in handen ligt van een vers uit Oxbridge afkomstige bal. God, wat is het hier afschuwelijk. Benauwd, stinkend en raar. Alles lijkt onwerkelijk.

16.00 Heel somber. Heb mijn hele leven al het gevoel dat er iets vreselijks moest gebeuren en nu is het dan zover.

17.00 Moet me niet laten kisten. Moet proberen aan iets anders te denken. Ga misschien dat gedicht lezen en zal proberen eerste twee regels te negeren:

'Wie', door Rudyard Kipling

> Wie niet het hoofd verliest als allen om hem heen
> dat wél doen, en het hem verwijten bovendien;
> Wie op zichzelf vertrouwt als allen aan hem twijf'len
> en hun dat niet verwijt, maar steeds het licht blijft zien;
> Wie wachten kan en in dat wachten kan volharden

Belasterd wordt, maar zelf van laster zich onthoudt,
Gehaat wordt en toch zelf de and'ren niet gaat haten
maar wel bescheiden blijft, in 't spreken niet te boud;

Wie dromen kan, maar zich daar niet aan overgeeft;
Wie denken kan, maar ook te handelen verstaat;
Triomf en Rampspoed zonder vrezen tegemoet treedt
Doch zich door geen van beide imponeren laat;
De waarheid zegt, maar ook de waarheid aan kan horen
zelfs als die wordt verdraaid door kwade trouw;
Zijn levenswerk vernietigd ziet, maar ongebroken
De troffel opneemt en het toegewijd herbouwt;

Wie al zijn winst in één keer in durft zetten
en in de waagschaal stelt wanneer zijn lot hem wenkt,
en als hij dan verliest, niet bij de pakken neerzit,
maar aan zijn tegenslag geen verd're aandacht schenkt;
Wie hart en lijf en ziel kan dwingen te volharden
al is er verder niemand meer gebleven die dat doet,
wie volhoudt, ook al is hij leeg en moe vanbinnen
en heeft hij enkel nog zijn Wil, die tot hem zegt: 'Houd moed!'

Wie met de massa omgaat en zijn deugd weet te bewaren,
zich niet verheven acht wanneer hij met een vorst verkeert,
wie sterk is, zich door vriend noch vijand laat bezeren
En alle mensen telt, maar toch niet één te zeer;
Wie, niet ontmoedigd door 't genadeloze uurwerk,
in een minuut zestig seconden rennen kan –
Aan hem behoort de Wereld toe met alles wat daarin is,
maar bovenal, mijn zoon – zo iemand is een Man!

Gedicht goed. Heel goed, haast net zo goed als zelfhulpboek.
Misschien heeft Mark Darcy het me daarom wel gegeven! Misschien voorvoelde hij dat ik in gevaar zou komen! Of misschien
wilde hij me alleen iets duidelijk maken over mijn houding. De
brutaliteit. Weet trouwens nog zo net niet van dat rennen, en
ook niet of ik eigenlijk wel een man wil zijn. Is ook een beetje
moeilijk om me door rampspoed net zomin te laten imponeren

als door triomf, want heb voor zover ik weet nooit triomf ge-kend, maar goed. Zal hart en ziel dwingen te volharden enz., net als mensen in Eerste Wereldoorlog of soldaten in jungle of wat Kipling zelf ook was, en moed houden. Word tenminste niet beschoten en hoef geen muren te bestormen. En in de ge-vangenis geef je tenminste niets uit, dus financiële crisis wordt tenminste niet erger. Ja, moet alles positief bekijken.

GOEDE KANTEN VAN VERBLIJF IN GEVANGENIS:

1 Geef niets uit.
2 Dijen zijn veel dunner geworden en ben waarschijnlijk ten minste drie kilo afgevallen zonder er mijn best voor te hoeven doen.
3 Is goed voor mijn haar om het niet te wassen, wat me nooit is gelukt omdat ik altijd zo nodig uit moest.

Dus als ik thuiskom ben ik slank, met glanzend haar, en niet meer zo platzak. Maar wanneer kom ik thuis? Wanneer? Mis-schien ben ik dan wel oud. Of dood. Als ik hier tien jaar moet blijven, krijg ik nooit meer kinderen. Tenzij ik hormonen ga slikken en dan krijg ik er meteen acht. Ik word een eenzame, gebroken oude vrouw die haar vuist schudt tegen straatkinde-ren die drollen in de brievenbus stoppen. Maar misschien kan ik in de gevangenis een kind krijgen? Ik zou de assistent van de consul op de een of andere manier kunnen overhalen om me zwanger te maken. Maar hoe kom je in de gevangenis aan foli-umzuur? Ik zou een mismaakt kind krijgen. Moet hierover op-houden. Hou op. Hou op. Ben aan het doemdenken.

Maar dit is ook een doemscenario.

Ga gedicht maar weer lezen.

VRIJDAG 22 AUGUSTUS

Calorieën: 22, aantal seconden gerend: 0.

20.00 Vrouwengevangenis, Bangkok. Vanochtend kwamen ze me uit de politiecel halen om me naar de echte gevangenis over te brengen. Wanhopig. Heb het gevoel dat ze me nu echt hebben opgegeven en zich erbij hebben neergelegd dat er niets meer aan te doen is. Cel is groot, vuil vertrek met minstens zestig vrouwen, allemaal op elkaar gepropt. Alle kracht en iedere individualiteit lijkt genadeloos af te bladderen naarmate ik vuiler word en meer uitgeput raak. Heb vandaag voor het eerst in vier dagen gehuild. Heb het gevoel dat ik wegglijd. Dat ik nu vergeten word en hier blijf wegkwijnen, een verspild leven. Ga proberen te slapen. Zou geweldig zijn als ik kon slapen.

23.00   Aaah. Was net in slaap gevallen toen ik werd gewekt doordat er iets aan mijn nek zoog. Het was de Lesbische Bende, die me te grazen nam. Ze begonnen me allemaal te kussen en te betasten. Ik kon ze niet meer omkopen om op te houden, want ik had mijn wonderbra al weggegeven en was niet van plan ook nog zonder onderbroek te gaan rondlopen. Ik kon ook niet om de bewaker gillen, want dat is wel het stomste wat je hier kunt doen. Moest dus mijn spijkerbroek omruilen voor een vieze ouwe sarong. Hoewel ik me natuurlijk verkracht voelde, vond ik het ergens toch ook wel fijn om te worden aangeraakt. Aaah! Misschien ben ik wel lesbisch. Nee. Dacht het toch niet.

ZONDAG 24 AUGUSTUS

Aantal minuten gehuild: 0 (hoera!).

Voel me veel opgewekter nu ik heb geslapen. Ga Phrao maar eens opzoeken. Phrao is mijn vriendin, want ze is tegelijk met mij overgebracht en ik heb haar mijn wonderbra geleend. Ze lijkt hem erg mooi te vinden, al heeft ze geen borsten om erin te stoppen – ze loopt er de hele tijd in rond en zegt dan 'Madonna'. De liefde is dus waarschijnlijk niet geheel belangeloos, maar het is beter dan niets en het is fijn om een vriendin te hebben. Zou ook geen situatie willen zoals met die gijzelaars in Beiroet; toen die vrijkwamen was het duidelijk dat niemand Terry Waite echt mocht.

Zo zie je maar dat alles went, als je je best maar doet. Ben niet van plan me te laten gaan en lethargisch en somber te worden. Ze zullen thuis toch wel iets voor me doen. Shazzer en Jude organiseren waarschijnlijk publiciteitscampagnes, net als toen voor John McCarthy, en staan met spandoeken met mijn gezicht erop en brandende fakkels voor het Lagerhuis.

Er moet toch iets zijn wat ik zelf kan doen. Ik heb het idee dat als mijn vrijlating afhangt van de arrestatie van Jed en van het loskrijgen van zijn bekentenis, ze dan wel wat meer moeite mochten doen voor die arrestatie en dat loskrijgen van die bekentenis.

14.00 Hoera! Ben plotseling de populairste vrouw in onze cel. Zat rustig Phrao de tekst van Madonna-nummers te leren, want ze is helemaal gefixeerd op Madonna, toen er geleidelijk een groepje om ons heen kwam staan. Ze schijnen me hier als een soort godin te beschouwen omdat ik de tekst van de hele *Immaculate Collection* uit mijn hoofd ken. Werd ten slotte bij acclamatie gedwongen op een stapel matrassen te gaan staan om, gehuld in wonderbra en sarong en met een tampon als microfoon, 'Like a Virgin' te zingen, toen de bewaker hoog en schel iets riep. Keek op en zag dat de vertegenwoordiger van de Britse consul net werd binnengelaten.

'Ah, Charlie,' zei ik minzaam terwijl ik van de matrassen afkwam en snel naar hem toe liep, ondertussen proberend de sarong over de beha heen te trekken met het oog op mijn waardigheid. 'Fijn dat je er bent! We hebben zoveel te bepraten!'

Charlie wist kennelijk niet waar hij kijken moest, maar zijn blik leek steeds af te dwalen in de richting van de wonderbra. Hij overhandigde me een pakket van de ambassade met water, koekjes, sandwiches, insectenwerende middelen, nog wat pennen en papier en het mooiste van alles: zeep.

Was compleet overdonderd. Het mooiste cadeau dat ik ooit had gekregen.

'Dank je, dankjewel, ik weet niet hoe ik je moet bedanken,' zei ik geëmotioneerd en ik sloeg nog net niet mijn armen om hem heen om hem tegen de tralies te drukken en me bruut aan hem te vergrijpen.

'Niets te danken, maar dat krijgt iedereen, hoor. Had het je al eerder willen geven, maar dat tuig op kantoor had telkens alle sandwiches opgevroten.'

'Aha,' zei ik. 'Maar goed, Charlie. Jed.'

Lege blik.

'Jed, weet je nog?' vroeg ik op de toon van een moeder die verdergaat met voorlezen. 'De vent die me die tas had gegeven? Het is heel belangrijk dat we hem te pakken krijgen. Ik had graag dat je nog veel meer details over hem noteerde en dan iemand van de afdeling Narcotica hierheen stuurde die de jacht in gang kan zetten.'

'Juist,' zei Charlie ernstig, maar niettemin zeer weinig overtuigend. 'Juist.'

'Kom,' zei ik, en ik veranderde in een Peggy Ashcroft-achtige dame uit de nadagen van het Raj, die op het punt stond hem met een paraplu op zijn hoofd te slaan. 'Als de Thaise autoriteiten de drugssmokkel serieus willen aanpakken en er zó op gebrand zijn een voorbeeld te stellen dat ze onschuldige westerlingen zonder enige vorm van proces opsluiten, dan zouden ze toch tenminste enige belangstelling aan de dag moeten leggen voor het oppakken van de echte drugssmokkelaars.'

Charlie keek me dom aan. 'Jae, jae, precies,' zei hij, fronste zijn wenkbrauwen en knikte heftig, zonder dat er overigens enig begrip leek te dagen.

Nadat ik het nog een paar keer had uitgelegd, zag Charlie ineens het licht.

'Jae, jae. Ik begrijp wat je bedoelt. Jae. Ze moeten achter die kaerel aan die jou dit heeft geleverd, anders lijkt het alsof ze hun best niet doen.'

'Zo is het!' zei ik stralend, want dat had ik dan toch maar bereikt.

'Juist jae,' zei Charlie terwijl hij opstond, nog steeds diep ernstig kijkend. 'Ik ga ze meteen aansporen hier iets aan te doen.'

Keek hem na terwijl hij wegliep en vroeg me af hoe zo iemand nog zo hoog had kunnen opklimmen in de diplomatieke dienst. Toen kreeg ik plotseling een geniale inval.

'Charlie?' zei ik.

'Jae?' zei hij en controleerde met een snelle blik of zijn gulp wel dicht was.

'Wat doet jouw vader eigenlijk?'

'De ouweheer?' Charlies gezicht klaarde op. 'O, die werkt bij het ministerie van Buitenlandse Zaken. Ouwe sukkel.'

'Zit hij in de politiek?'

'Nee, in de ambtenarij. Hij was vroeger de rechterhand van Douglas Hurd.'

Met een snelle blik op de bewakers boog ik me naar hem toe.

'Hoe gaat het met je carrière hier?'

'Schiet niet erg op, om je de waarheid te zeggen,' zei hij monter. 'Beetje het zwarte gat van Calcutta, tenzij je naar de eilanden kunt. Ach, sorry.'

'Zou het niet helpen als je een diplomatieke doorbraak forceerde?' begon ik verleidelijk. 'Als je je vader nu eens een belletje gaf...'

MAANDAG 25 AUGUSTUS

45 kilo (magerte om aandacht te trekken), aantal – hè godverdomme, mijn hersenen zijn verschrompeld. Is vast goed voor algeheel gewicht.

12.00 Slechte dag. Lijk wel gek dat ik dacht dat ik invloed kon uitoefenen op wat dan ook. Word zowat doodgebeten door muskieten en vlooien. Ben misselijk en zwak en heb doorlopend diarree, wat lastig is gezien situatie met po. Ergens toch wel goed, want ben zo licht in het hoofd dat alles onwerkelijk lijkt: veel beter dan de werkelijkheid. Kon ik maar slapen. Zo heet. Heb misschien wel malaria.

14.00 Die klote-Jed. Ik bedoel, hoe kan iemand zo...? Maar moet geen wrok koesteren, daar heb ik alleen maar mezelf mee. Moet me onthechten. Ik wens hem geen kwaad toe en ook geen goed. Ik maak me los.

14.01 Gore vieze vuile smerige kuthufter van een pokkezwijn godverdomme. Van mij mag hij de moord stikken in een krokodillenvijver.

18.00 Resultaat! Resultaat! Een uur geleden kwam er een bewaker binnen, die me meenam, de cel uit. Geweldig om even uit die stank weg te zijn. Werd naar klein verhoorkamertje gebracht, waar een formica tafel met houtnerf stond, een grijze metalen ordnerkast en een Japans homopornoblaadje, dat de bewaker haastig wegmoffelde toen er een kleine, gedistingeerde Thaise heer van middelbare leeftijd binnenkwam, die zich voorstelde als Dudwani.

Hij bleek van de narcoticabrigade te zijn, en een behoorlijk harde baas bovendien. Ach, die goeie Charlie.

Ik begon met de details van het verhaal, het nummer van de vlucht waarmee Jed het land was binnengekomen en dat waarmee hij het waarschijnlijk weer had verlaten, de tas en het signalement van Jed.

'Hiermee moet u hem toch wel kunnen vinden?' besloot ik. 'En zijn vingerafdrukken zitten waarschijnlijk op de tas.'

'O, we weten wel waar hij is,' maakte hij zich ervan af. 'En vingerafdrukken heeft hij niet.' Ieieie. Geen vingerafdrukken. Net alsof je geen tepels hebt of zoiets.

'Waarom hebt u hem dan nog niet gearresteerd?'

'Hij zit in Dubai,' zei hij onverschillig.

Plotseling raakte ik behoorlijk geïrriteerd.

'O, dus hij zit in Dubai?' zei ik. 'En u weet alles wat er over hem te weten valt. En u weet ook dat hij het heeft gedaan. En u weet ook dat ik het niet heb gedaan en dat hij het zo heeft geregeld dat ik ervoor ben opgepakt, al heb ik het niet gedaan. Maar u gaat zo meteen naar huis, lekker saté eten met uw vrouw en uw gezin, en ik zit hier de rest van mijn vruchtbare jaren vast voor iets wat ik niet heb gedaan, alleen omdat u te belazerd bent om iemand iets te laten bekennen wat ik niet gedaan heb.'

Hij keek me ontsteld aan.

'Waarom laat u hem niet bekennen?' vroeg ik.

'Hij zit in Dubai.'

'Dan laat u toch iemand anders bekennen?'

'Mevrouw Jones, in Thailand kunnen we...'

'Iemand zal toch wel hebben gezien dat hij in die hut inbrak, of iemand heeft het voor hem gedaan. Iemand moet die drugs toch in die voering hebben genaaid. Het is met een naaimachine gedaan. Ga dat dan uitzoeken, zoals het hoort.'

'We doen wat we kunnen,' zei hij koel. 'Onze regering neemt iedere overtreding van de narcoticawetten heel serieus.'

'En mijn regering neemt de bescherming van haar staatsburgers heel serieus,' zei ik en dacht even aan Tony Blair en stelde me voor hoe hij kwam binnenmarcheren en de Thaise ambtenaar een dreun op zijn hoofd verkocht.

De Thai schraapte zijn keel en begon: 'Wij...'

'En ik ben journaliste,' viel ik hem in de rede. 'Ik werk voor een van de grootste actualiteitenprogramma's van de Britse televisie,' zei ik en probeerde beelden terug te dringen van Richard Finch die riep: 'Ik denk aan Harriet Harman, ik denk aan zwart ondergoed, ik denk aan...'

'Er wordt een grootscheepse actie voor mijn vrijlating voorbereid.'

Imaginaire cut naar Richard Finch: 'O, is Bridget met d'r bikini ergens aan blijven hangen? Ligt zeker ergens op het strand te rollebollen, straal vergeten dat ze haar vliegtuig moest halen.'

'Ik heb contacten in de hoogste regeringskringen en ik *denk*, gezien het huidige klimaat...' Ik zweeg even om hem veelbetekenend aan te kijken, want het huidige klimaat betekent toch altijd wel *iets*, niet? '... dat het in onze media heel slecht zou overkomen dat ik onder dergelijke hemeltergende omstandigheden gevangen word gehouden voor een misdrijf dat ik duidelijk niet heb gepleegd, dat geeft u zelfs toe, terwijl de politie hier niet eens in staat is met eigen mensen de eigen wetten van het land uit te voeren en een behoorlijk onderzoek in te stellen.'

En terwijl ik met een ongelooflijke waardigheid mijn sarong om me heen trok, leunde ik weer achterover om hem koel aan te kijken.

De ambtenaar begon op zijn stoel heen en weer te schuiven en keek in zijn papieren. Toen keek hij weer op met zijn pen in de aanslag.

'Mevrouw Jones, kunnen we even teruggaan naar het moment dat u merkte dat er in uw hut was ingebroken?'

Ha!

50 kilo, sigaretten: 2 (maar tegen onvoorstelbaar hoge prijs),
fantasieën waarin Mark Darcy/Colin Firth/prins William voorkomen,
die hier binnenstormen onder het uitroepen van: 'In naam van God
en Engeland, laat mijn aanstaande gaan!': voortdurend.

Twee dagen vol spanning, waarin niets is gebeurd. Geen bericht, geen bezoek, alleen doorlopende verzoeken om liedjes
van Madonna te brengen. Steeds opnieuw het gedicht 'Wie' lezen is het enige middel om niet in te storten. En vanochtend
kwam Charlie opeens binnen – in een heel nieuwe stemming!
Zeer serieus, overmatig zelfbewust, helemaal de topdiplomaat,
met een nieuw pakket, ditmaal met sandwiches met roomkaas,
waarin ik – gezien eerdere fantasieën over bezwangering in gevangenschap – tot mijn verbazing eigenlijk geen trek had.

'Jae. De zaek komt nu aen het rollen,' zei Charlie met het
zwaarwichtige air van een zaakgelastigde van de regering die
gebukt gaat onder levensgevaarlijke MI5-geheimen. 'Het gaet
eerlijk gezegd heel goed. Het ministerie van Buitenlandse Zae-
ken oefent druk uit.'

Ik verdrong met geweld visioenen van ministeriële drolletjes
en zei: 'Heb je je vader gesproken?'

'Jae, jae,' zei hij. 'Ze zijn op de hoogte.'

'Heeft er iets in de kranten gestaan?' vroeg ik opgewonden.

'Nee, nee. Het wordt stilgehouden. Ze willen geen moeilijk-
heden. Maer hoe dan ook, er is post voor je. Je vrindinnetjes
hebben brieven doorgegeven viae mijn vaeder. Bijzonder aen-
trekkelijk trouwens, zei de ouweheer.'

Met trillende handen maakte ik de grote bruine envelop van
het ministerie open. Eerst een brief van Jude en Shaz, tamelijk
behoedzaam geformuleerd, alsof ze in code schreven om eventuele spionnen om de tuin te leiden.

Bridge,
Maak je geen zorgen, we houden van je. We krijgen je wel vrij.
Jed opgespoord. Mark Darcy helpt ook (!).

Mijn hart maakte een sprongetje. Wat een geweldig bericht (nog afgezien van de tien jaar gevangenisstraf die niet doorgaat).

Denk aan Innerlijk Evenwicht en vermageringsmogelijkheden in gevangenschap. Binnenkort in 192. Nogmaals, maak je geen zorgen.
Grrrl Power!
Heel veel liefs,
Jude en Shaz

Keek nog even naar brief, knipperend van ontroering, en scheurde toen andere envelop open. Van Mark misschien?

De brief was geschreven op de achterkant van een harmonica-kaart met plaatjes van Lake Windermere. Er stond:

Zoeken oma op in St. Anne's en maken een tocht door het Merendistrict. Het weer is nogal wisselvallig, maar de winkeltjes zijn enig. Papa heeft een lammyvest gekocht! Kun jij Una bellen of ze de timer wel heeft ingesteld?
Liefs,
Mama

ZATERDAG 30 AUGUSTUS

50 kilo (hoop ik), alcohol: 6 eenheden (hoera!), sigaretten: 0, calorieën 8755 (hoera!), aantal keren dat ik tas heb gecontroleerd of er geen drugs in zaten: 24.

6.00 In vliegtuig. Ga naar huis! Vrij! Slank! Schoon! Met glanzend haar! In eigen schone kleren! Hoera! Heb roddelbladen en *Marie Claire* en *Hello!* gekocht! Geweldig.

6.30 Onverklaarbare dip. Het is desoriënterend om weer in zo'n vol vliegtuig in het donker te zitten terwijl iedereen om me heen slaapt. Voel een enorme dwang om euforisch te zijn, maar voel me in werkelijkheid alleen maar verdwaasd. Gisteravond kwamen de bewakers me roepen. Werd naar kamertje gebracht, kreeg kleren terug, er kwam een andere medewerker van de ambassade, ene Brian, met een raar nylon overhemd met korte mouwen en een ziekenfondsbrilletje. Hij zei dat er 'ontwikkelingen' in Dubai waren en dat de hoogste echelons bij het ministerie van Buitenlandse Zaken druk hadden uitgeoefend en dat ik meteen het land uit moest, voordat het klimaat weer omsloeg.

In de ambassade was het heel vreemd. Er was niemand, behalve Brian, die zei dat ik een douche moest nemen en me verkleden, maar wel snel, waarop hij me meteen naar een heel kale ouderwetse badkamer bracht waar al mijn spullen op een hoop lagen.

Niet te geloven hoe mager ik was geworden, maar er was geen föhn, dus mijn haar stond nog steeds alle kanten op. Dat deed er natuurlijk niet toe, maar het zou toch leuk zijn geweest als ik er bij mijn terugkomst goed uit had gezien. Wilde me net gaan opmaken toen Brian op de deur klopte en zei dat we nu echt weg moesten.

Alles was één grote mist, het rennen in de vochtige nacht naar de auto, de snelle autorit door de straten vol geiten en ouwe auto's en getoeter en hele gezinnen op één fiets.

Het vliegveld was onvoorstelbaar schoon. Hoefde niet door de gewone controles, maar ging via speciale diplomatieke route, alles was al gestempeld en in orde. Toen we bij de gate kwamen was er helemaal niemand, het vliegtuig was al klaar om te vertrekken en we werden opgewacht door één kerel in een lichtgevend geel jack.

'Dank u,' zei ik tegen Brian. 'En bedank Charlie ook van me.'

'Zal ik doen,' zei hij zuur, 'of zijn vader dan.' Toen gaf hij me mijn paspoort en een hand, met een hoeveelheid respect die ik zelfs vóór mijn gevangenneming niet alle dagen gewend was.

'Dat hebt u heel goed aangepakt,' zei hij. 'Mijn compliment, mevrouw Jones.'

10.00 Heb even geslapen. Ben behoorlijk opgewonden dat ik naar huis ga. Heb nu echt een spirituele openbaring gehad. Vanaf nu wordt alles anders.

NIEUWE VOORNEMENS VOOR MIJN LEVEN NA MIJN SPIRITUELE
OPENBARING:

1. Niet weer beginnen met roken en drinken, want heb elf dagen niet gedronken en maar twee sigaretten gerookt (zal maar niet zeggen wat ik moest doen om die te pakken te krijgen). Al neem ik nu misschien toch maar een klein flesje wijn. Moet dit toch vieren. Ja.

2. Niet op mannen vertrouwen, maar op mezelf. (Tenzij Mark Darcy me weer wil. O, god, ik hoop het. Ik hoop dat hij begrijpt dat ik nog van hem hou. Hoop dat het aan hem te danken is dat ik vrijkwam. Hoop dat hij op het vliegveld staat als ik aankom.)

3. Me niet meer druk maken over domme dingen zoals mijn gewicht, mijn haar en wie Jude uitnodigt voor haar trouwerij.

4. De goede raad uit zelfhulpboeken, gedichten enz. niet geheel negeren, maar wel beperken tot belangrijke zaken zoals optimisme, kalm blijven, vergiffenis (maar misschien niet voor die vuile klootzak van een Jed, zoals inmiddels duidelijk zal zijn).

5. Voorzichtiger met mannen worden, want die zijn – als die vuile klootzak van een Jed, om van Daniel nog maar te zwijgen, een maatstaf is – duidelijk gevaarlijk.

6. Me niet door mensen zoals Richard Finch op mijn kop laten zitten, maar op mezelf vertrouwen.

7. Me meer op het spirituele richten en aan spirituele principes vasthouden.

Mooi zo, nu mag ik de *Hello!* en de roddelbladen gaan lezen.

11.00 Mmm. Fantastische foto's van Diana met haar nieuwe rondingen en de behaarde Dodi. Hoewel. Net nu ik zo dun ben geworden, moet zij zo nodig een nieuwe mollige trend zetten. Lekker hoor. Ben blij dat ze gelukkig is, maar ben er niet van overtuigd dat hij de meest geschikte man voor haar is. Hoop maar dat ze niet alleen met hem omgaat omdat hij geen gevoelsarme zak is. Maar mocht dat het geval zijn, dan begrijp ik dat.

11.15 Er staat kennelijk niets over mij in de kranten – al zei Charlie wel dat de regering het allemaal stil wilde houden om de betrekkingen met Thailand niet te schaden, met het oog op de import van pindasaus enz.

11.30 Bruin is het zwart van dit seizoen! Heb net even door de *Marie Claire* gebladerd.

11.35 Eigenlijk zou er moeten staan dat bruin het grijs van dit seizoen is, want grijs was het zwart van het vorige seizoen. Ja.

11.40 Is trouwens best een ramp, want aantal bruine kleding-stukken in kast: o, al komt er nu misschien wel wat geld binnen als gevolg van onverwachte vrijlating.

11.45 Mmm. Lekker, die wijn, na al die tijd. Stijgt echt naar mijn hoofd.

12.30 Bèèèh. Ben een beetje misselijk van al die roddelbla-den. Was vergeten hoe depri en opgelaten je je daarna altijd voelt, net alsof je een kater hebt – en het gevoel dat alles en ie-dereen telkens weer in hetzelfde afschuwelijke verhaaltje te-rechtkomt, waarbij mensen eerst worden neergezet als goed en leuk en dan uiteindelijk slecht en gemeen blijken te zijn.

Heb vooral genoten, althans op het moment zelf, van het ver-haal over de priester die er relaties met vrouwen op na bleek te houden en daarin ook nog een gevoelsarme klootzak bleek te zijn. Altijd lekker als een ander zich onbehoorlijk gedraagt. Al vind ik wel dat de oprichtsters van de praatgroepen voor de slachtoffers van relaties met gevoelsarme priesters (omdat 'vrouwen die een relatie met een priester hebben vaak bij nie-mand terechtkunnen') nogal eenzijdig redeneren. Er zijn toch ook andere mensen die bij niemand terechtkunnen? Er zouden dan toch ook zelfhulpgroepen moeten komen voor slachtoffers van relaties met Tory-ministers, leden van nationale Britse sportteams die met leden van het koninklijk huis naar bed zijn geweest, katholieke geestelijken die met beroemdheden of le-den van het koninklijk huis naar bed zijn geweest en beroemd-heden die met gewone mensen naar bed zijn geweest die hun verhaal hebben opgebiecht aan katholieke geestelijken die dat verhaal vervolgens aan de zondagsbladen hebben verkocht. Misschien verkoop ik mijn verhaal ook wel aan de zondagsbladen en komt het benodigde geld dan wel uit die hoek. Nee, dat is niet goed, zie je wel, daar wordt mijn spiritualiteit alweer bezoedeld door de mentaliteit van de riooljournalistiek.

Maar misschien ga ik wel een boek schrijven. Misschien word ik in Engeland wel als een heldin ingehaald, zoals John McCarthy, en schrijf ik dan een boek met de titel *Andere wolkenformaties* of een ander meteorologisch verschijnsel. Misschien word ik wel als heldin verwelkomd door Mark, Jude, Shazzer, Tom en mijn ouders en smeken horden fotografen en Richard Finch me wel op hun blote knieën om een exclusief interview. Moet maar niet al te dronken worden. Hoop dat ik niet krankzinnig word. Vind eigenlijk dat ik door de politie of door hulpverleners moet worden opgevangen en naar geheim adres gebracht voor deprogrammering. Denk dat ik maar even een dutje ga doen.

21.00 (Britse tijd) Ben op Heathrow aangekomen met ongelooflijke vliegtuigkater en probeerde kleding te ontdoen van broodkruimels en restjes roze tandpasta die de oplichters van de luchtvaartmaatschappij voor een dessert wilden laten doorgaan, repeteerde voor mezelf wat ik zou gaan zeggen tegen het wachtende leger verslaggevers – 'Een nachtmerrie. Het was allemaal een nachtmerrie. Een donderslag bij heldere hemel. Ik voel geen haat (bitterheid?), want als hierdoor anderen worden gewaarschuwd voor het gevaar van vriendinnen die met vreemde mannen naar bed gaan, is mijn tijd in de gevangenis niet voor niets (vergeefs?) geweest.' Had echter al die tijd niet werkelijk verwacht dat dat leger daar ook zou staan. Kwam zonder complicaties door de douane en keek al uit naar bekende gezichten, maar werd toen belaagd door – nou ja, door dat leger verslaggevers. Allemaal fotografen en journalisten met flitsende camera's. Mijn hoofd was op slag helemaal leeg, ik kon niets bedenken om te zeggen of te doen en zei alleen als een papegaai: 'geen commentaar', net als een minister die op neuken met een prostituee is betrapt, ik liep maar door met mijn karretje en had het gevoel dat mijn benen het elk moment konden begeven. Toen werd mijn karretje opeens van me overgenomen, er werd een arm om me heen geslagen en iemand zei: 'Rustig maar, Bridge, we zijn er, we hebben je, rustig maar.'

Het waren Jude en Shazzer.

ZONDAG 31 AUGUSTUS

51,2 kilo (Yess! Yess! De triomfantelijke culminatie van 18 jaar dieet, al was de prijs dan misschien wat hoog), alcohol: 4 eenheden, calorieën: 8995 (dat had ik toch wel verdiend), voortgang van Gary inzake gat in muur: 0.

2.00 Thuis. Heerlijk om weer thuis te zijn. Heerlijk om Jude en Shazzer weer te zien. Op Heathrow werden we door de politie door de menigte naar een kamertje geloodst waar we werden opgewacht door mensen van de narcoticabrigade en van Buitenlandse Zaken, die allemaal vragen begonnen te stellen.

'Zeg, kan dit niet wachten?' barstte Shaz na een minuut verontwaardigd uit. 'Ziet u niet hoe ze eraan toe is?'

De mannen leken te vinden dat ze moesten doorgaan, maar uiteindelijk werden ze zo bang van Shazzer, die gromde: 'Zijn jullie mannen of monsters?' en voor haar dreigement een klacht in te dienen bij Amnesty International dat ze een politieman opdracht gaven ons naar Londen te begeleiden.

'En let de volgende keer iets beter op met wie u omgaat, dames,' zei de man van Buitenlandse Zaken.

'O, doe me een lol, zeg,' zei Shaz, net terwijl Jude zei: 'Zeker, agent,' en ze begon namens alle hoogopgeleide werkende vrouwen een soort officiële speech af te steken.

Thuis zat er allemaal lekkers in de ijskast, er stonden pizza's klaar om in de oven te worden geschoven, er waren bonbons en gewone chocola, er was gerookte zalm, er waren pakjes Minstrels en flessen witte wijn. Op het plastic over het gat was een spandoek gehangen met 'Welkom thuis, Bridget'. En er was een fax van Tom – die bij de douanebeambte in San Francisco is *ingetrokken* –

SCHAT, DRUGS ZIJN WAPENS VAN SATAN. ZEG NEE! JE ZULT NU
WEL SUPERSLANK ZIJN. LAAT ALLE MANNEN ONMIDDELLIJK
VOOR WAT ZE ZIJN EN WORD GAY. KOM BIJ ONS WONEN IN
CALIFORNISCHE GAY SEX SANDWICH MÉNAGE À TROIS. HEB
JEROMES HART GEBROKEN! HAHAHAHA. BEL ME. HEEL VEEL
LIEFS. WELKOM THUIS.

Jude en Shaz hadden in de slaapkamer alle rommel van het inpakken opgeruimd, het bed verschoond, verse bloemen neergezet en Silk Cut op het nachtkastje gelegd. Wat zijn de meiden
toch fantastisch. En die schat van een egocentrische Tom ook.

Ze maakten een bad voor me klaar en brachten me een glas
champagne en ik liet ze mijn vlooienbeten zien. Toen trok ik
mijn pyjama aan en we gingen op bed zitten met sigaretten,
champagne en Cadbury's Milk Tray om alles door te nemen
wat er gebeurd was, maar ik moet halverwege in slaap zijn gevallen, want alles is donker en Jude en Shaz zijn weg, maar ze
hebben een briefje op mijn kussen achtergelaten dat ik moet
bellen als ik wakker ben. Ze slapen allebei bij Shazzer, want
Judes flat wordt opgeknapt zodat Ranzige Richard erin kan trekken als ze getrouwd zijn. Hoop dat ze een betere klusjesman
heeft dan ik. Er is nog niets aan het gat in de muur gedaan.

10.00 Aaah! Waar ben ik? Waar ben ik?

10.01 Vreemd om weer in een opgemaakt bed te liggen. Fijn
maar onwerkelijk. O, herinner me net dat ik wel in de krant zal
staan. Moet even kranten gaan kopen. Ga alles uitknippen voor
plakboek om aan kleinkinderen te laten zien (als ik die ooit
krijg). Hoera!

10.30 Onvoorstelbaar. Lijkt wel een droom of een zieke aprilgrap. Diana dood – dat is toch niets voor haar?

11.10 Ga de tv aanzetten, dan hoor ik vast wel dat het een
vergissing is en dat ze is teruggekomen, en dan zien we haar uit
de Harbour Club komen met alle verslaggevers om haar heen
die willen weten hoe het was.

11.30 Kan het niet geloven. Echt eng als de autoriteiten kennelijk geen van allen weten wat ze moeten doen.

12.00 Tony Blair is de situatie tenminste meester. Hij zei wat waarschijnlijk iedereen dacht, in plaats van als een papegaai steeds maar te blijven prevelen van 'geschokt en bedroefd'.

13.15 Het lijkt wel alsof de hele wereld op zijn kop staat. Er is geen 'normale realiteit' om in terug te keren.

13.21 Waarom bellen Jude en Shaz niet?

13.22 Ach, ze denken waarschijnlijk dat ik nog slaap. Zal zelf maar even bellen.

13.45 Jude, Shazzer en ik vinden alle drie dat zij onze nationale schat was en we vinden het heel erg dat iedereen zo kleingeestig op haar reageerde dat ze liever niet meer in Engeland was. Het lijkt wel alsof er een grote hand uit de hemel is neergedaald met de woorden: 'Als jullie steeds ruzie over haar maken, zal niemand haar krijgen.'

14.00 Dat dit nou net moest gebeuren op die ene dag dat ik in de krant zou komen. Er staat geen woord over mij in, niets.

18.00 Kan maar niet geloven dat ze dood is. Moet steeds weer naar krantenkoppen kijken om het te kunnen geloven. Prinses Diana was echt de beschermheilige van de Vrijstaande Vrouw, want ze is begonnen als de typische sprookjesprinses die deed wat wij allemaal dachten dat je hoort te doen, met een knappe prins trouwen, en ze was eerlijk genoeg om ervoor uit te komen dat het leven nu eenmaal niet zo is. Bovendien ging je dankzij haar beseffen dat als zo'n beeldschone, geweldige vrouw door domme mannen als oud vuil werd behandeld en zich onbemind en eenzaam voelde, het niet betekende dat jij niet deugde als hetzelfde jou overkwam. En ze vond zichzelf telkens opnieuw uit en loste haar problemen op. Ze deed altijd zo haar best, net als alle moderne vrouwen.

18.10 Hmmm. Wat zouden ze over mij zeggen als ik dood was?

18.11 Niets.

18.12 Vooral als je afgaat op wat ze zeggen nu ik in Thailand in de gevangenis heb gezeten.

18.20 Realiseer me net iets afschuwelijks. Zat tv te kijken met het geluid uit en daar verscheen voorpagina van tabloid in beeld die eruitzag alsof er misschien wel foto's van het ongeluk in stonden. Betrapte me erop dat iets afschuwelijks in mij die foto's wilde zien. Zou natuurlijk die krant nooit kopen, ook al kon dat, maar toch! Gadver! Wat zegt dat over mij? O, god. Ik ben walgelijk.

18.30 Zit steeds maar voor me uit te kijken. Had me nooit gerealiseerd hoezeer prinses Diana deel uitmaakte van mijn bewustzijn. Net alsof Jude of Shazzer er het ene moment nog zijn, vol leven en grapjes en lipgloss, en dan opeens dood zijn, zoiets afschuwelijks en vreemds, iets voor grote mensen.

18.45 Zag net vrouw op tv die bij tuincentrum een boom had gekocht om voor prinses Diana te planten. Misschien kan ik ook in mijn plantenbak iets voor haar planten, eh, basilicum of zo? Kan je bij Cullens krijgen.

19.00 Hmm. Basilicum lijkt me bij nader inzien toch niet zo toepasselijk.

19.05 Iedereen gaat met bloemen naar Buckingham Palace, alsof dat al een eeuwenoude traditie is. Hebben de mensen dat altijd al gedaan? Is dit net zoiets als de maffe dingen die mensen doen om op tv te komen, zoals voor de deur kamperen als er ergens uitverkoop is, of is het oprecht en goed? Hmm. Maar ik heb zelf ook wel behoefte om erheen te gaan.

19.10 Vind bij nader inzien met bloemen naar paleis gaan wel een beetje engig... maar weet je wat het is, ik vond haar écht aardig. Ze gaf je het gevoel dat er midden in dat overheidsbastion iemand zat die net zo was als jij. Alle opgeblazen dikdoeners hadden kritiek op haar vanwege de landmijnen enz. maar als je het mij vraagt maakte ze verdomd intelligent gebruik van al die dolgedraaide aandacht van de media. Beter dan geen poot uitsteken en thuis dik zitten doen.

19.15   Wat heeft het voor zin in hoofdstad te wonen als je niet meedoet aan de grote bewegingen van gevoelsexpressie? Het lijkt niet erg Engels, maar misschien verandert alles wel mee met het weer en Europa en Tony Blair en kán zelfexpressie opeens. Misschien heeft zij de Engelse reserve wel doorbroken.

19.25   Oké, ik ga definitief naar Kensington Palace. Maar ik heb geen bloemen. Haal wel een bos bij tankstation.

19.40   Tankstation uitverkocht. Hebben alleen nog Chocolate Orange en vanillevla. Lekker, maar niet erg toepasselijk.

19.45   Al had ze die dingen zelf vast wel op prijs gesteld.

19.50   Heb een *Vogue*, een doos Milk Tray, een pakje Instants en een pakje Silk Cut gekocht. Niet volmaakt, maar iedereen zal wel bloemen hebben gekocht en ik weet dat ze graag de *Vogue* las.

21.30   Ben blij dat ik gegaan ben. Voelde me een beetje opgelaten terwijl ik door Kensington liep, dacht dat iedereen zag waar ik heen ging en dat ik alleen was, maar bedacht dat prinses Diana zelf ook vaak alleen was.

In het paleis was alles heel donker en stil, iedereen liep rustig achter elkaar in één richting. Geen theatrale toestanden zoals op het nieuws. Er lagen allemaal bloemen tegen de muur, er brandden kaarsen in het donker en de mensen staken de uitgewaaide kaarsen opnieuw aan en lazen teksten voor.

Hoop dat ze nu weet, na al de zorgen die ze zich maakte omdat ze bang was dat ze niet goed genoeg was, hoe iedereen werkelijk over haar dacht. Dit alles zou de vrouwen die tobben over hun uiterlijk en bang zijn dat ze niet deugen en zoveel van zichzelf eisen, duidelijk moeten maken dat ze zich niet zo veel zorgen moeten maken. Schaamde me een beetje voor die *Vogue* en de bonbons en de Instants, dus heb ze onder de bloemen weggestopt en de teksten bekeken, waaruit maar weer eens bleek dat je helemaal geen woordvoerder van het een of het ander hoeft te zijn om iets duidelijk te kunnen uitdrukken. De mooiste was een tekst, vrij naar de bijbel dacht ik, in een beverig oudedameshandschrift: 'Toen het mij slecht ging, hebt u voor mij gezorgd, toen ik in gevaar was hebt u getracht het af te wenden, toen ik ziek was hebt u mij bezocht, toen iedereen wegvluchtte, hebt u me bij de hand genomen. Wat u voor de minste van deze kleinen hebt gedaan, hebt u voor mij gedaan.'

12

VREEMDE TIJDEN

51 kilo (moet wel oppassen dat al die kilo's er niet meteen weer aan komen), calorieën: 6452.

'Ik begreep wel dat er iets mis was toen ik bij de gate kwam,' zei Shaz toen zij en Jude hier gisteravond waren. 'Maar die mensen van de luchtvaartmaatschappij wilden niet zeggen wat er aan de hand was en stonden erop dat ik aan boord ging en ze wilden me er niet meer uit laten, en toen taxieden we meteen al over de startbaan.'

'Wanneer ben je erachter gekomen?' vroeg ik en ik dronk mijn glas witte wijn leeg, waarop Jude onmiddellijk de fles pakte om het weer vol te schenken. Heerlijk, heerlijk.

'Pas toen we geland waren,' zei Shaz. 'Het was trouwens een vreselijke vlucht. Ik hoopte dat je het vliegtuig gewoon gemist had, maar ze deden heel raar tegen me, ontzettend uit de hoogte. En toen ik uitstapte...'

'Werd ze meteen gearresteerd!' gnuifde Jude. 'Zo zat als een Maleier.'

'Nee hè,' zei ik. 'En jij hoopte nog wel dat Jed er zou staan.'

'Die klootzak,' zei Shaz blozend.

Ik kreeg ergens de indruk dat ik maar beter niet meer over Jed kon beginnen.

'Hij had in de rij op het vliegveld in Bangkok een mannetje achter je neergezet,' legde Jude uit. 'Hij wachtte blijkbaar op Heathrow op een telefoontje en is toen meteen op het vliegtuig naar Dubai gestapt.'

Het bleek dat Shaz op het politiebureau meteen naar Jude had gebeld en dat ze snel contact hadden opgenomen met Buitenlandse Zaken.

'En toen gebeurde er niets meer,' zei Jude. 'Ze zeiden al dat jij misschien wel tien jaar moest brommen.'

'Dat weet ik nog, ja.' Ik huiverde.

'We belden Mark die woensdagavond en hij belde meteen al zijn contacten bij Amnesty en Interpol. We hebben nog geprobeerd je moeder te pakken te krijgen, maar ze zei op haar antwoordapparaat dat ze een rondreis door het Merendistrict maakte. We hebben nog overwogen Geoffrey en Una te bellen, maar we dachten dat iedereen dan helemaal hysterisch zou worden en daar heb je niets aan.'

'Heel verstandig,' zei ik.

'Die vrijdag daarop hoorden we dat je naar een echte gevangenis was overgebracht...' zei Shaz.

'En toen stapte Mark op het vliegtuig naar Dubai.'

'Is hij naar Dubai gegaan? Voor mij?'

'Hij was fantastisch,' zei Shaz.

'En waar is hij dan nu? Ik heb een bericht ingesproken, maar hij heeft niet teruggebeld.'

'Hij zit daar nog,' zei Jude. 'Toen werden we die maandag gebeld door het ministerie van Buitenlandse Zaken en toen lag alles opeens weer heel anders.'

'Dat moet het moment zijn geweest dat Charlie zijn vader had gesproken!' zei ik opgewonden.

'Toen mochten we opeens je post doorsturen...'

'En die dinsdag hoorden we dat Jed was opgepakt...'

'En die vrijdag belde Mark dat ze een bekentenis hadden...'

'En toen werden we zaterdag opeens gebeld dat je op het vliegtuig zat!'

'Hoera!' zeiden we alle drie en proostten samen. Had een ontzettende behoefte om over Mark te beginnen, maar wilde niet oppervlakkig overkomen of ondankbaar lijken voor alles wat de meiden voor me hadden gedaan.

'En gaat hij nog met Rebecca?' flapte ik eruit.

'Nee!' zei Jude. 'Niet meer!'

'Wat is er dan gebeurd?'

'Dat weten we eigenlijk niet,' zei Jude. 'Het ene moment was het nog dik aan, en toen ging Mark opeens niet meer mee naar Toscane en...'

'Je raadt nooit met wie Rebecca nu is,' viel Shaz haar in de rede.

'Nou?'

'Iemand die je kent.'

'Toch niet Daniel?' vroeg ik, vreemd genoeg ten prooi aan zeer gemengde gevoelens.

'Nee.'

'Colin Firth?'

'Nee.'

'Tja... Tom?'

'Nee. Iemand anders die je heel goed kent. Getrouwd.'

'Mijn vader? Jeremy van Magda?'

'Je wordt warm.'

'Wat? Toch niet Geoffrey Alconbury?'

'Nee,' giechelde Shaz. 'Die is met Una getrouwd en hij is homo.'

'Giles Benwick,' zei Jude plotseling.

'Wie?' stamelde ik.

'Giles Benwick,' beaamde Shaz. 'Giles, jezus, die ken je toch wel, die collega van Mark, die je bij Rebecca thuis nog hebt gered toen hij zelfmoord wilde plegen.'

'Die zo dol op jou was.'

'Hij en Rebecca hebben zich na hun ongeluk samen in Gloucestershire opgesloten met een stapel zelfhulpboeken en nu – zijn ze samen.'

'Ze zijn samen één,' voegde Jude eraan toe.

'Ze hebben zich in liefde verenigd,' borduurde Shaz voort.

Er viel een stilte en we keken elkaar aan, verbijsterd door de vreemde wending die het lot kennelijk had genomen.

'De wereld staat op zijn kop,' barstte ik uit in een mengeling van verwondering en angst. 'Giles Benwick is niet knap, hij is niet rijk.'

'Jawel, rijk blijkt hij wél te zijn,' zei Jude.

'Maar hij is bijvoorbeeld niet de vriend van iemand anders. Hij is geen statussymbool in de betekenis die Rebecca daaraan hecht.'

'Afgezien van het feit dat hij heel rijk is,' zei Jude.

'Toch heeft Rebecca hém uitgekozen.'

'Ja, precies, precies,' zei Shaz opgewonden. 'We beleven vreemde tijden! Héél vreemde tijden!'

'Straks vraagt prins Philip nog of ik een relatie met hem wil beginnen en krijgt Tom iets met de koningin,' riep ik.

'Niet Jerome de Opgeblazene, maar onze eigen goeie ouwe koningin,' verduidelijkte Shaz.

'En de zon wordt opgegeten door vleermuizen,' borduurde ik verder. 'Er worden paarden geboren met een staart op hun hoofd en er landen blokjes bevroren pis op ons dakterras en die bieden ons een sigaret aan.'

'En prinses Diana is dood,' zei Shazzer plechtig.

De stemming sloeg meteen om. We vielen allemaal stil en probeerden die gewelddadige, schokkende, ondenkbare gedachte tot ons te laten doordringen.

'Vreemde tijden,' sprak Shaz en schudde onheilspellend het hoofd. 'Héél vreemde tijden.'

DINSDAG 2 SEPTEMBER

51,5 kilo (stop morgen beslist met vreten), alcohol: 6 eenheden (moet niet te veel gaan drinken), sigaretten: 27 (moet niet te veel gaan roken), calorieën: 6285 (moet niet te veel gaan eten).

8.00   Thuis. Vanwege Dianadood heeft Richard Finch alles wat ze over Thaise Drugsgevangene (ik dus) wilden gaan doen, afgezegd en mij twee dagen vrij gegeven om tot mezelf te komen. Kan dood niet verwerken – de rest trouwens ook niet. Misschien komt er nu wel een nationale depressie. Is eind van tijdperk, dat staat vast, maar ook het begin van een nieuwe tijd, want het najaar breekt weer aan. Tijd voor een frisse start.

Ben vastbesloten niet terug te vallen in mijn oude patroon en niet meer alleen bezig te zijn met het afluisteren van mijn antwoordapparaat en met wachten tot Mark belt, maar wil rustig en evenwichtig mens worden.

8.05   Maar waarom heeft Mark het uitgemaakt met Rebecca? En waarom is ze nu met de brillende Giles Benwick? WAAROM? WAAROM? Is hij naar Dubai gegaan omdat hij nog van mij houdt? Maar waarom heeft hij me dan niet teruggebeld? Waarom? Waarom?

Hoe dan ook. Daar houd ik me niet meer mee bezig. Ik werk aan mezelf. Ik ga mijn benen laten harsen.

10.30 Weer thuis. Was te laat voor harssessie en kreeg te horen dat de schoonheidsspecialiste vandaag niet kwam 'vanwege prinses Diana'. De receptioniste klonk bijna sarcastisch toen ze dat zei, maar zoals ik zei, wie zijn wij dat we over andermans gevoelens kunnen oordelen? Als we hier iets van kunnen leren is het wel dat we geen oordeel over anderen mogen vellen.

Die stemming was echter op weg naar huis moeilijk vast te houden, want ik kwam in Kensington High Street vast te zitten in een enorme opstopping, waardoor het stuk naar huis, waar ik normaal tien minuten over doe, me vier keer zo veel tijd kostte. Eenmaal bij de oorzaak van de opstopping aangekomen zag ik dat de weg was opgebroken en dat niemand er iets aan deed, er was niet eens iemand bij, er stond alleen een bord met de tekst: 'De wegwerkers hebben besloten het werk vier dagen neer te leggen bij wijze van eerbetoon aan prinses Diana.'

Ooo, het lampje van mijn antwoordapparaat knippert.

Het was Mark! Hij klonk heel ver en krakerig. 'Bridget... heb het net gehoord. Ben heel blij dat je weer vrij bent. Heel blij. Ben straks in...' Er klonk een luid gesis op de lijn en toen werd de verbinding verbroken.

Tien minuten later ging de telefoon.

'O, dag schat, moet je horen!'

Mijn moeder. Mijn eigen moeder! Werd overspoeld door grote golf van liefde.

'Nou?' vroeg ik en voelde dat ik tranen in mijn ogen kreeg.

'Ga stil te midden van lawaai en haast en bedenk welk een vrede de stilte kan schenken.'

Toen zei ze een hele tijd niets.

'Mam?' zei ik ten slotte.

'Ssst, schat, stilte.' (Weer een lange pauze.) 'Bedenk welk een vrede de stilte kan schenken.'

Ik haalde diep adem, hield de hoorn tussen kin en schouder en ging verder met koffiezetten. Ik heb namelijk geleerd hoe belangrijk het is afstand te nemen van de waanzin van anderen, omdat het al moeilijk genoeg is om zelf op koers te blijven. Op dat moment ging mijn mobiele.

Ik probeerde de gewone telefoon te negeren, die begon te trillen en te krijsen: 'Bridget, je zult nooit een evenwicht vinden als je niet met stilte leert te werken,' en drukte op de opneemknop van de mobiele. Het was mijn vader.

'Ah, Bridget,' zei hij op barse, militaire toon. 'Kun jij je moeder even toespreken, op de vaste telefoon? Ik heb de indruk dat ze niet helemaal in haar gewone doen is.'

O, zíj was niet in haar gewone doen? En ik dan? Gaven ze dan niets om hun eigen vlees en bloed?

Er klonk een reeks snikken, kreten en onverklaarbare dreunen op de 'vaste' telefoon. 'Goed pap, daag,' zei ik en nam de gewone telefoon weer op.

'Schat,' kermde ma op een hese fluistertoon vol zelfmedelijden. 'Ik moet je iets zeggen. Ik kan het niet langer voor mijn gezin en mijn dierbaren stilhouden.'

Ik deed mijn best niet te veel stil te staan bij het verschil tussen 'gezin' en 'dierbaren' en zei monter: 'Ach! Hoeft niet hoor, als je het liever niet wilt zeggen.'

'Wat moet ik dan?' riep ze theatraal. 'Met die leugen leven? Ik ben verslaafd, schat, verslaafd!'

Ik pijnigde mijn hersens af waar ze in vredesnaam verslaafd aan zou kunnen zijn. Mijn moeder drinkt nooit meer dan een enkel glaasje cream sherry sinds de keer dat Mavis Enderbury op haar eenentwintigste verjaardag in 1952 dronken werd en op de stang van de fiets van iemand die 'Peewee' heette naar huis moest worden gebracht. Haar drugsgebruik beperkt zich tot een enkele Fisherman's Friend voor de kriebelhoest waar ze steevast last van krijgt tijdens de halfjaarlijkse uitvoeringen van de Amateurtoneelvereniging van Kettering.

'Ik ben verslaafd,' zei ze weer en liet een dramatische stilte volgen.

'Goed,' zei ik. 'Je bent dus verslaafd. En waaraan, als ik vragen mag?'

'Aan mijn relatie,' zei ze. 'Ik ben een relatieverslaafde, schat. Wederzijdse afhankelijkheid.'

Ik bonkte met mijn hoofd op de tafel waaraan ik was gaan zitten.

'Zesendertig jaar met papa!' zei ze. 'En al die tijd heb ik het nooit begrepen.'

'Maar ma, als je met iemand getrouwd bent, wil dat nog niet zeggen dat je...'

'O nee, met wederzijdse afhankelijkheid bedoel ik niet papa zelf,' zei ze. 'Ik ben verslaafd aan verzetjes. Ik heb al tegen papa gezegd dat ik... O jee, ik moet rennen. Tijd voor mijn therapie.'

Ik staarde naar de koffiepot; alles leek te tollen. Wisten ze niet wat er net met mij was gebeurd? Was ze nu echt definitief over het randje?

De telefoon ging weer. Mijn vader.

'Vervelend was dat.'

'Wat is er aan de hand? Ben je nu bij mama?'

'Eh, ja, in zekere... Ze is nu naar een of andere cursus.'

'En waar ben jij nu?'

'We zitten in eh... het is een soort... ja... het heet "De Regenboog".'

Moonies? dacht ik. Scientology? Een paranormaal genootschap?

'Een eh... een ontwenningskliniek.'

O god. Het blijkt dat ik niet de enige was die zich zorgen begon te maken over pa's drankgebruik. Ma zei dat hij op een avond toen ze bij oma in St. Anne's op bezoek waren, Blackpool in was gegaan en volslagen lam weer in het bejaardentehuis was teruggekomen met in de ene hand een fles Famous Grouse en in de andere een plastic Scary Spice-poppetje met een opwindkunstgebit op haar borst. Er werd een dokter bij geroepen en toen zijn ze vorige week rechtstreeks van oma in St. Anne's naar die ontwenningskliniek gegaan, waar ma het zoals gebruikelijk kennelijk weer eens verdomt zich de glansrol te laten afpakken.

'Ze schijnen hier niet te geloven dat de whisky zo'n probleem is. Ze zeggen dat ik dat alleen gebruikte om de pijn of zo te verdoven over al haar Julio's en Wellingtons. En nu moeten we geloof ik samen aan haar verslaving aan "verzetjes" gaan werken.'

O, god.

Het is geloof ik maar het beste dat ik pa en ma niets over Thailand vertel, althans voorlopig niet.

22.00 Nog steeds thuis. Kijk eens aan! Ben de hele dag aan het opruimen en uitzoeken geweest en alles is onder controle. Alle post is behandeld (of althans op een stapel gelegd). En Jude heeft gelijk. Het is belachelijk dat er nu al vier maanden een gat in de muur zit, en het is een wonder dat er nog nooit iemand door naar binnen is geklommen om hier in te breken. Ik neem geen genoegen meer met de belachelijke smoesjes van Gary de Klusjesman. Heb vriend van Jude die advocaat is, gevraagd hem een brief te schrijven. Zo zie je maar weer waar je toe in staat bent, als assertief nieuw mens. Geweldig...

Mijnheer,

Wij treden op namens mevrouw Bridget Jones.

Wij vernemen van onze cliënte dat er tussen haar en u rond 5 maart 1997 mondelinge afspraken zijn gemaakt, waarbij zij u opdracht gaf een uitbouw aan haar appartement te realiseren (bestaande uit een tweede studeer/slaapkamer en een dakterras) voor de prijs van 7000 pond, volgens uw offerte. Onze cliënte heeft u op 21 april 1997 een voorschot van 3500 pond betaald.

Bij de afspraak was uitdrukkelijk bedongen dat de werkzaamheden binnen zes weken na betaling van dit eerste voorschot voltooid zouden zijn.

U bent op 25 april 1997 met de werkzaamheden begonnen door een groot gat van 1,80 meter bij 2,50 meter in de buitenmuur van het appartement van cliënte te maken. Daarna hebt u wekenlang verzuimd de werkzaamheden voort te zetten. Onze cliënte heeft meermalen gepoogd contact met u op te nemen en heeft herhaaldelijk berichten ingesproken, waarop u niet hebt gereageerd. U bent ten slotte op 30 april 1997, toen cliënte naar haar werk was, aan de deur van haar appartement geweest. In plaats van door te gaan met de werkzaamheden die u op u had genomen, hebt u echter slechts het gat met dik plastic afgedekt. Sindsdien bent u niet meer terug geweest om de werkzaamheden te voltooien, noch hebt u gereageerd op de vele telefonische berichten van onze cliënte waarin zij u verzocht dit te doen. Door het gat dat u in de buitenmuur van het appartement van cliënte hebt achtergelaten, is haar woning koud, onveilig en onverzekerbaar tegen inbraak geworden. Doordat u in gebreke bent gebleven het werk volgens afspraak uit te voeren en te voltooien, maakt u zich schuldig aan contractbreuk. Hierdoor is het contract nietig geworden, hetgeen onze cliënte ook bevestigt. Blablablabla in gebreke stellen advocaatje bellen niet verder vertellen blablabla de kosten te restitueren... rechtstreeks aansprakelijk voor schade... tenzij u binnen zeven dagen na dagtekening dezes reageert met de bevestiging dat u onze cliënte schadeloos zult stellen voor de door haar geleden schade... anders zullen wij zonder verdere waarschuwing overgaan tot het aanspannen van een procedure wegens contractbreuk.

Ha. Ahahaha! Dat zal hem leren! Brief is op de post, dus hij krijgt hem morgen. Dan ziet hij dat het menens is en dat ik niet met me laat sollen en dat ik geen onzin meer pik, van niemand.

Mooi. Nu trek ik een halfuurtje uit om wat ideeën voor de ochtendvergadering te bedenken.

22.15 Hmm. Misschien moet ik eerst wat kranten kopen om op ideeën te komen. Wel een beetje laat.

22.30 Ga bij nader inzien maar geen moeite doen voor Mark Darcy. Je hebt helemaal geen man nodig. Vroeger lag het zo dat mannen en vrouwen samen waren omdat een vrouw zonder man niet kon overleven, maar nu... hah! Heb eigen flat (hoewel met gat), vrienden, inkomen en baan (althans tot morgen), dus ha! Hahahahaha!

22.40 Goed. Ideeën dus.

22.41 O, god. Maar ik heb zo'n ontzettende zin in seks. Heb in geen tijden seks gehad.

22.45 Misschien iets over het Nieuwe Engeland van New Labour? Zoiets van: na de wittebroodsweken, als je zo'n halfjaar een relatie met iemand hebt en je eraan begint te ergeren dat hij nooit afwast? Gaan ze nu al op de studiebeurzen bezuinigen? Hmmm. Wat was seks en uitgaan toch makkelijk toen je nog studeerde. Misschien verdienen ze wel geen beurs als ze alleen maar de hele tijd met seks in de weer zijn.

Aantal maanden geen seks gehad: 6
Aantal seconden geen seks gehad: (*Hoeveel seconden gaan er in een dag?*)
60 x 60 = 3600 x 24 =
(*Ga toch misschien maar rekenmachine kopen.*)
86.400 x 28 = 2.419.200 x 6 maanden = 14.515.200
Veertien miljoen vijfhonderdvijftienduizend tweehonderd seconden geen seks gehad.

23.00 Misschien zal ik wel NOOIT MEER SEKS HEBBEN.

23.05 Wat zou er met je gebeuren als je nooit aan seks doet? Zou het goed voor je zijn of juist helemaal niet?

23.06 Misschien groeit de boel dan wel gewoon dicht of zo.

23.07 Ik hoor helemaal niet aan seks te denken. Ben vergeestelijkt.

23.08 Aan de andere kant moet het toch gezond zijn om je voort te planten.

23.10 Germaine Greer heeft geen kinderen. Maar wat bewijst dat?

23.15 Maar goed. New Labour, Nieuw...
O, god. Ben celibatair.
Het Celibaat! Het Nieuwe Celibaat! Want als dat mij overkomt, dan heb je best kans dat het nog veel meer mensen overkomt. Daar draait het hele idee van de tijdgeest toch om?
'Plotseling zie je overal minder seks.' Al vind ik dat wel erg vervelend van de populaire berichtgeving. Doet me denken aan

dat artikel in de *Times*, dat begon met: 'Plotseling verschijnen er overal huiskamerrestaurants', en op dezelfde dag stond er iets in de *Telegraph* met als kop 'Waar is het huiskamerrestaurant gebleven?'.

Goed, ik moet naar bed. Ben vast van plan op de eerste dag van mijn nieuwe ik heel vroeg op kantoor te zijn.

WOENSDAG 3 SEPTEMBER

55 kilo (aah, aah), calorieën: 4955, aant. seconden dat ik geen seks heb gehad: 14.601.600 (aantal van gisteren + 86.400 – aantal seconden van deze dag).

19.00 Was vanmorgen vroeg op kantoor, op mijn eerste dag na Thailand, verwachtte bezorgdheid en respect, maar Richard Finch was in zijn gebruikelijke rotstemming: humeurig, obsessief kettingrokend en kauwgom kauwend, met waanzinnige blik in de ogen.

'Ho!' zei hij toen ik binnenkwam, 'ho! Ahahaha! En wat zit er in die tas? Opium? Skunk? Heb je soms crack in de voering verstopt? Heb je wat Purple Hearts meegebracht? Trakteer je op bennies? Of poppertjes? Wat lekkere speedy speed? Hasjieieiesj? Coke ook? Oooo, coke ook, coke ook,' begon hij manisch te zingen.'Okeycokey, okeycokey!' Met griezelig glimmende oogjes pakte hij de twee researchers naast zich beet en rende op me af onder het uitroepen van: 'Buig je knieën, strek je armen, alles zit in Bridgets tas, *that's what it's all about!*'

Ik begreep dat onze uitvoerend producent last had van de naweeën van een veel te hoge dosis van het een of ander, glimlachte liefjes en negeerde hem.

'O, voelt mevrouw zich vandaag te goed voor ons slag volk? Oooo! Jongens, kom eens hier. Bridget Te Goed voor het Gemene Volk is terug uit de bajes. Zullen we beginnen? Beginneginneginnen?'

Dit had ik me ietwat anders voorgesteld. Iedereen kwam samen bij de vergadertafel en wierp verwijtende blikken op de klok en vervolgens naar mij. Het was tenslotte pas twintig over negen en de vergadering begon pas om halftien.

Dat ik nou eens vroeg op kantoor was, wilde nog niet zeggen dat de vergadering vroeger moest beginnen in plaats van later.

'Oké! Brrrridget! Ideeën. Wat hebben we vandaag voor ideeën om de trouwe, ademloze kijkertjes mee in vervoering te brengen? De Tien Beste Smokkeltips, van de Vrouw die het Weten Kan? De Beste Voorgevormde Beha's om Lekkers in te Verstoppen?'

Wie op zichzelf vertrouwt als allen aan hem twijf'len, dacht ik. Ach krijg de pest ook, ik snoer hem gewoon de mond.

Hij keek me verwachtingsvol en kauwend aan. Vreemd genoeg ontbrak het gebruikelijke gegniffel aan tafel. De hele Thaise episode leek mijn collega's een heel nieuw respect te hebben ingeboezemd en dat vond ik natuurlijk heerlijk.

'Wat dacht je van New Labour na de wittebroodsweken?'

Richard Finch liet zijn hoofd met een dreun op de tafel vallen en begon te snurken.

'Ik heb trouwens nog een ander idee,' zei ik na een nonchalante pauze. 'Over seks,' voegde ik eraan toe, waarop Richard in de houding sprong. (Alleen zijn hoofd dan. Tenminste, dat hoop ik.)

'Nou? Ga je het nog uitleggen – of bewaar je het voor je vriendjes van de narcoticabrigade?'

'Het celibaat,' zei ik.

Er viel een ontzagvolle stilte.

Richard Finch gaapte me met grote bolle ogen aan, alsof hij het niet kon geloven.

'Het celibaat?'

'Het celibaat,' knikte ik, zeer met mezelf ingenomen. 'Het nieuwe celibaat.'

'Wat – bedoel je nonnen en monniken en zo?' vroeg Richard Finch.

'Nee. Het celibaat.'

'Gewone mensen die niet aan seks doen,' kwam Patchouli ertussen terwijl ze hem onbeschaamd aankeek.

De sfeer aan tafel was echt anders geworden. Misschien was Richard inmiddels zo ver heen dat niemand meer de moeite nam om zijn reet te likken.

'Hoezo, is dat iets tantrisch, iets boeddhistisch of zo?' vroeg Richard gniffelend terwijl zijn ene been krampachtig op en neer wipte en zijn kaken kauwden.

'Nee,' zei sexy Matt met een aandachtige blik op zijn aantekeningen. 'Gewone mensen zoals wij die langere tijd achter elkaar niet aan seks doen.'

Ik wierp een blik op Matt, op hetzelfde moment dat hij ook naar mij keek.

'Wat? Jullie?' vroeg Richard en keek ongelovig de tafel rond. 'Jullie zijn allemaal in de eerste bloei van je jeugd – nou ja, behalve Bridget dan.'

'Bedankt,' mompelde ik.

'Jullie neuken toch als konijnen, elke dag? Niet? *Op en neer en heen en weer, heen en weer, op en neer,*' zong hij. '*Op en neer, nog een keer, tot zij zegt, zo kan-ie wel weer!* Toch?'

Er werd heen en weer geschuifeld.

'Toch?'

Stilte.

'Wie heeft er hier de afgelopen week niets aan seks gedaan?'

Iedereen keek strak naar zijn aantekeningen.

'Goed. Wie is er hier de afgelopen week met iemand naar bed geweest?'

Niemand stak zijn hand op.

'Dit geloof ik niet. Goed. Wie is er de afgelopen máánd met iemand naar bed geweest?'

Patchouli stak haar hand op. Harold ook, zelfingenomen stralend achter zijn bril. Waarschijnlijk was het helemaal niet waar. Of zo'n verliefde kalverwip.

'Dus alle anderen... Jezus. Wat een stel. Het komt in elk geval niet doordat jullie te hard werken. Het celibaat. Nou já. Een schop onder je hol moesten jullie krijgen. Het programma wordt nu even niet uitgezonden vanwege Diana, dus jullie hebben nog de tijd om voor het verdere seizoen met iets beters aan te komen. Niet van dat slappe geen-seks-gezeik. Volgende week komen we ijzersterk terug.'

*55,5 kilo (dit kan zo niet doorgaan, anders is al die tijd in de
gevangenis voor niets geweest), aantal bedachte manieren om Richard
Finch te vermoorden: 32 (dat kan zo ook niet doorgaan, anders gaat
de afschrikkende werking van gevangenisstraf helemaal verloren),
aantal zwarte jasjes die ik heb overwogen te kopen: 23, aantal
seconden zonder seks: 14.688.000.*

18.00 Z. tevreden over de weer-naar-school-sfeer om me
heen. De winkels zijn laat open, dus ga ik op weg naar huis winkelen: niet om iets te kopen vanw. financiële crisis, alleen om de
nieuwe 'bruin is zwart'-herfstgarderobe eens te bekijken. Z. opgewonden en van plan dit jaar verstandiger in te kopen, d.w.z.
a) niet in paniek raken en ontdekken dat je alleen maar een
zwart jasje kunt kopen, en hoeveel zwarte jasjes heeft een mens
nodig, en b) aan geld zien te komen. Misschien kan Boeddha
nog wat missen?

20.00 Angus Steak House, Oxford Street. Onbeheersbare
paniekaanval. In alle winkels hangt voornamelijk meer van hetzelfde. Zit vast in moeras en kan niet beslissen tot ik alles heb
gecatalogiseerd, zodat ik het veld kan overzien, bijvoorbeeld dat
van alle verkrijgbare zwarte nylon jackjes: French Connection:
eentje van 129 pond of een chique Michael Kors (heel klein, ge-
watteerd en doorgestikt) van 400 pond. Bij Hennes kosten de
zwarte nylon jackjes maar 39,99 pond. Zou bijvoorbeeld tien
jackjes bij Hennes kunnen kopen voor de prijs van één Michael
Kors, maar dan had ik meer zwarte jasjes dan ooit in de kast
hangen, en ik kan me er trouwens niet één veroorloven.

Misschien moet mijn hele image op de helling. Misschien
moet ik felgekleurde toneelkleren gaan dragen, zoals Zandra
Rhodes of Su Pollard. Of heel weinig kleren kopen, maar dan
wel bijzonder mooie, bijvoorbeeld drie erg chique dingen die ik
altijd aan kan. (Maar hoe moet het dan als ik ergens op knoei of
kots?)

Goed. Rustig, rustig. Dit heb ik echt nodig:

Zwart nylon jackje (eentje maar).
Een Torque. Of heet het een Tong of een Tonk? Ik bedoel zo'n ding voor om je nek.
Een bruine 'boot leg' broek (tenminste, dat hangt ervan af wat 'boot leg' precies betekent).
Bruin pakje voor op kantoor (of iets dergelijks).
Schoenen.

Schoenenzaak was nachtmerrie. Paste bij Office een paar bruine 1970-schoenen met vierkante neuzen en hoge hakken en kreeg een déjà-vu-gevoel van al die keren dat de school weer begon en ik nieuwe schoenen nodig had en hele veldslagen met ma moest uitvechten over het soort schoenen dat ik mocht. Toen drong de vreselijke waarheid tot me door: het was geen raar déjà-vu-gevoel – dit waren gewoon precies dezelfde schoenen die ik bij Freeman Hardy Willis kocht toen ik naar de zesde ging.

Voelde me plotseling een onnozele sukkel die overal intrapt en zich beet laat nemen door een stel modeontwerpers dat te belazerd is om iets nieuws te verzinnen. En het is nog veel erger: ik ben inmiddels zo oud dat de jonge modieuze consument zich de dingen waar ik als tiener in rondliep niet eens kan herinneren. Ik begrijp nu tenminste waarom dames op een gegeven moment deux-pièces bij Jaeger gaan kopen – dat is het moment dat ze niet meer door de jonge mode aan hun eigen voorbije jeugd herinnerd willen worden. Dat moment is voor mij nu gekomen. Ik verruil Kookaï, Agnès B, Whistles enz. voor Country Casuals en spiritualiteit. Is nog goedkoper ook. Ga naar huis.

21.00 Thuis. Vreemd leeg gevoel. Allemaal heel leuk en aardig, dat idee dat alles anders wordt als je terug bent, maar dan blijkt alles gewoon hetzelfde te zijn als vroeger. Zal veranderingen wel zelf moeten maken. Maar wat moet ik nu met mijn leven?

Ik weet het. Ik neem een stuk kaas.

De kwestie is, zoals ook in *Boeddhisme: het drama van de rijke monnik* staat, dat de sfeer en de gebeurtenissen om je heen worden bepaald door de sfeer binnen in je. Het is dus geen wonder dat al die ellendige dingen – Thailand, Daniel, Rebecca enz. – zijn gebeurd. Moet zorgen voor meer innerlijk evenwicht en spirituele verlichting, dan trek ik vanzelf vredige dingen en aardige, liefdevolle, evenwichtige mensen aan. Zoals Mark Darcy.

Mark Darcy – als hij terugkomt – krijgt mijn nieuwe ik te zien, rustig, doelbewust, het middelpunt van een vredig, ordelijk bestaan.

VRIJDAG 5 SEPTEMBER

56 kilo, sigaretten: 0 (triomf!), aantal seconden niet aan seks gedaan: 14.774.400 (ramp), (moet me niet laten imponeren door Rampspoed of Triomf).

8.15 Mooi. Lekker vroeg uit de veren. Zie je, dat is belangrijk: zo máák je tijd voor alles.

8.20 Ooo, er is een pakje voor me gekomen. Een cadeautje misschien!

8.30 Mmm. Cadeauverpakking met rozen. Misschien wel van Mark Darcy! Misschien is hij weer terug.

8.40 Is een schattig klein geslepen gouden pennetje met mijn naam erop. Misschien wel van Tiffany's! Met een rode punt. Misschien is het een lippenstift.

8.45 Vreemd. Er zit geen briefje bij. Misschien een actie van een pr-bureau of zo.

8.50 Maar een lippenstift is het ook niet, want de punt is hard. Misschien toch een pen. Met mijn naam erop! Misschien een uitnodiging voor een feest, van een pr-bureau dat vooruitdenkt – misschien campagne voor nieuw blad dat *Lipstick!* heet, misschien een product van Tina Brown! – en komt de uitnodiging voor het schitterende feest nog.

Ja, zie je wel. Denk dat ik maar eens een cappuccino ga drinken in Coins. Maar natuurlijk zonder chocoladecroissant.

9.00   Zit in koffiebar. Hmm. Heel blij met cadeautje, maar geloof eigenlijk ook niet dat het een pen is. Als het een pen is, snap ik totaal niet hoe hij werkt.

Later. O, god. Zat net aan mijn cappuccino met chocoladecroissant toen Mark Darcy binnenkwam, zomaar, alsof hij nooit was weggeweest: in net pak, duidelijk op weg naar zijn werk, pas geschoren, een klein sneetje in zijn kin met een stukje wc-papier erop, zoals altijd 's ochtends. Hij liep naar het zelfbedieningsbuffet en zette zijn koffertje neer alsof hij iemand zocht. Toen zag hij mij. Er volgde een lang ogenblik waarin zijn ogen zachter werden (al begonnen ze natuurlijk niet te smelten en te druipen). Hij draaide zich om voor zijn cappuccino. Zorgde snel nog even voor wat extra uitwendige innerlijke rust en evenwicht. Toen kwam hij naar mijn tafeltje toe en deed opeens veel zakelijker. Kreeg zin om hem om de hals te vliegen.

'Hallo,' zei hij bruusk. 'Wat heb je daar?' – met een knikje naar het cadeau.

Ik kon van liefde en geluk nauwelijks een woord uitbrengen en gaf hem het doosje.

'Ik weet niet wat het is. Ik dacht een pen of zo.'

Hij haalde de pen uit het doosje, draaide hem om en om, legde hem toen als gestoken weer terug en zei: 'Bridget, dit is geen reclamepen, het is godverdomme een kogel.'

Nog later. O jezuschristusnogaantoe. We hadden geen tijd om het over Thailand, Rebecca, liefde of wat dan ook te hebben.

Mark greep een servet, pakte het deksel van het doosje en deed het er weer op.

'*Wie niet het hoofd verliest als allen om hem heen...*' fluisterde ik voor me uit.

'Wat?'

'Niets.'

'Blijf zitten. Niet aankomen. Het is een echte kogel,' zei Mark. Snel liep hij de straat op en keek naar links en naar rechts, net als een detective op tv. Interessant dat alles in een echt politiedrama je aan een tv-serie doet denken, net zoals een pittoresk doorkijkje op vakantie gedachten aan ansichtkaarten oproept of...

Hij kwam weer terug. 'Bridget? Heb je al afgerekend? Wat ga je doen? Kom.'

'Waar gaan we heen?'

'Naar het politiebureau.'

In de auto begon ik te ratelen, bedankte hem voor alles wat hij had gedaan en zei dat ik in de gevangenis zoveel aan dat gedicht had gehad.

'Gedicht? Welk gedicht?' vroeg hij terwijl hij Kensington Park Road opdraaide.

'"Wie" – weet je wel – *wie hart en lijf en ziel kan dwingen...* O, god, ik vind het echt heel erg dat je helemaal naar Dubai moest, ik ben je zo dankbaar, ik...'

Hij stopte voor een rood verkeerslicht en keek me aan.

'Graag gedaan,' zei hij vriendelijk. 'Maar hou nou eens op met dat geratel. Je bent ontzettend geschrokken, maar nu moet je weer wat zien te kalmeren.'

Grrr. Het was juist de bedoeling geweest dat het hem opviel hoe kalm en geconcentreerd ik was, niet dat hij me moest kalmeren. Ik probeerde kalm te zijn, maar nu ik wist dat iemand het op mijn leven had voorzien, viel dat niet mee.

Op het politiebureau deed alles minder aan een tv-serie denken, want alles zag er ontzettend armoedig en vuil uit en niemand toonde enige belangstelling voor ons. De agent aan de balie wilde ons in de wachtkamer zetten, maar Mark stond erop dat we naar boven mochten. Ten slotte werden we in een heel grote, kale kamer gelaten, waar verder niemand was.

Mark liet me alles vertellen wat er in Thailand was gebeurd en vroeg of Jed het nog over kennissen in Engeland had gehad, of het pakje met de gewone post was gekomen en of ik sinds mijn terugkomst onbekenden in mijn omgeving had zien rondhangen.

Voelde me een beetje een sukkel toen ik moest vertellen hoe goed van vertrouwen we met Jed waren geweest en dacht dat hij me wel de les zou gaan lezen, maar hij was juist heel lief.

'Het ergste waar ze jou en Shaz van kunnen beschuldigen is een grenzeloze domheid,' zei hij. 'Je hebt het in de gevangenis trouwens uitstekend aangepakt, heb ik gehoord.'

Hoewel hij erg lief was, was hij niet... nou ja, het kwam allemaal heel zakelijk over, ik kreeg niet de indruk dat hij me weer terug wilde of dat hij het over onze gevoelens wilde hebben.

'Moet je niet even naar kantoor bellen?' vroeg hij met een blik op zijn horloge.

Ik sloeg mijn hand voor mijn mond. Hield mezelf voor dat het niet uitmaakte of ik werk had of niet als ik dood was, maar ondertussen was het wél twintig over tien!

'Kijk nou niet alsof je per ongeluk iemands kind hebt ingeslikt,' zei Mark lachend. 'Je hebt nu tenminste voor één keer een behoorlijk excuus voor je pathologische laatkomerij.'

Ik greep de telefoon en draaide het doorkiesnummer van Richard Finch. Hij nam meteen op.

'Zoooo, daar hebben we Bridget! De vrouw van het Nieuwe Celibaat! Nog geen twee dagen terug of ze is alweer aan het spijbelen. Waar zit je nu? Ben je lekker aan het winkelen?'

Wie op zichzelf vertrouwt als allen aan hem twijflen, dacht ik. Als je dat kunt...

'Of was je met een kaars aan het spelen? Dames, doe die kaarsen eens weg!' Hij maakte een hard ploppend geluid.

Keek verbijsterd en vol afgrijzen naar de telefoon. Wist niet meer of Richard Finch vroeger ook al zo deed en ikzelf veranderd was of dat hij in een verschrikkelijke neerwaartse spiraal zat, mogelijk door drugsgebruik.

'Geef 'm maar even,' zei Mark.

'Nee!' zei ik, griste de telefoon weer naar me toe en siste: 'Ik kan mijn eigen boontjes wel doppen.'

'Natuurlijk, schat, maar dat kun je nu misschien even niet opbrengen,' mompelde Mark.

Schat! Hij zei schat!

'Bridget? Ben je in slaap gevallen? Waar zit je nu?' vroeg Richard Finch, die zich duidelijk verkneukelde.

'Op het politiebureau.'

'Ooo, kon je weer niet van de coke afblijven? Mooi. Breng je ook wat voor mij mee?' gniffelde hij.

'Ik ben bedreigd.'

'Ooo. Da's een goeie. Zo meteen ga ik je ook bedreigen. Ha-haha. Zozo, op het politiebureau. Zo mag ik het zien. Wat een keurige stabiele drugsvrije achtenswaardige medewerkers heb ik toch.'

Zo kon-ie wel weer. Dat was de druppel. Ik haalde diep adem. 'Richard,' zei ik op hoge toon. 'De pot verwijt de ketel. Maar ik zie niet zwart, want ik gebruik geen drugs. Dat kun jij niet zeggen. Hoe dan ook, ik kom niet meer. Dag.' En ik legde neer. Ha! Hahaha! dacht ik even, voordat mijn debetstand me weer te binnen schoot. En de paddo's. Al waren dat eigenlijk geen drugs, maar natuurproducten.

Op dat moment verscheen er een politieman, die echter ge-haast doorliep en ons compleet negeerde. 'Já!' zei Mark en liet zijn vuist dreunend op het bureau neerkomen. 'Ik zit hier met een meisje dat een kogel met haar naam erop met de post heeft gekregen. Kan er even iemand bij ons komen?'

De politieman stond stil en keek. 'Morgen is de *begrafenis*,' zei hij nuffig. 'En we hebben een steekpartij in Kensal Rise. Er zijn ook mensen die al vermoord *zijn*.' Hij gooide zijn hoofd in de nek en zeilde weg.

Tien minuten later kwam de rechercheur die ons moest hel-pen weer binnen met een computeruitdraai.

'Hallo, ik ben adjudant Kirby,' zei hij zonder ons aan te kij-ken. Hij bleef even in de uitdraai kijken, sloeg toen zijn ogen op en blikte me met opgetrokken wenkbrauwen aan.

'Dat is het dossier-Thailand, neem ik aan?' vroeg Mark, die over zijn schouder meekeek. 'O nee... dat incident met...'

'Eh, ja,' zei de rechercheur.

'Nee, nee, dat was gewoon een biefstuk,' zei Mark.

De rechercheur keek Mark bevreemd aan.

'Ja, die had mijn moeder in mijn boodschappentas gestopt,' legde ik uit, 'en daar was hij gaan rotten.'

'Ziet u? Daar? En dit is het rapport over Thailand,' zei Mark, die zich over het formulier had gebogen.

De rechercheur legde zijn arm beschermend om het formu-lier heen alsof Mark zijn huiswerk van hem wilde overschrijven. Op dat moment ging de telefoon. Adjudant Kirby nam op.

'Ja. Ik wil in een patrouillewagen op Kensington High Street. Nou, ergens in de buurt van de Albert Hall! Als de stoet vertrekt. Ik wil haar de laatste eer bewijzen,' zei hij op geïrriteerde toon. 'Wat moet adjudant Rogers daar in godsnaam, verdomme? Nou, Buckingham Palace dan. Wat?'

'Wat staat er in dat rapport over Jed?' fluisterde ik.

'O, zei hij dat hij Jed heette?' snoof Mark. 'Roger Dwight zal hij bedoelen.'

'Nou goed, Hyde Park Corner. Maar ik wil wel vooraan. Ja, neem me niet kwalijk,' zei adjudant Kirby terwijl hij neerlegde met een overdreven efficiënt airtje dat ik herkende omdat ik het me ook altijd aanmeet als ik te laat op kantoor ben. 'Roger Dwight,' zei de rechercheur. 'Alles wijst wel in zijn richting, niet?'

'Het zou me zeer verbazen als hij dit zelf had georganiseerd,' zei Mark. 'Dat valt niet mee vanuit een Arabische gevangenis.'

'Er is natuurlijk altijd wel een manier.'

Werd tot razernij gebracht door de manier waarop Mark met de rechercheur over me zat te praten alsof ik er niet bij was. Alsof ik een of andere bimbo was, of zwakzinnig of zo.

'Mag ik even?' zei ik op agressieve toon. 'Zou ik ook aan het gesprek mogen deelnemen?'

'Natuurlijk,' zei Mark, 'zolang je maar niet over potten of ketels begint.'

Ving de niet-begrijpende blik op waarmee de rechercheur van Mark naar mij keek. 'Hij had natuurlijk kunnen regelen dat iemand anders het pakketje verstuurde,' zei Mark tegen de rechercheur, 'maar dat lijkt me vrij onwaarschijnlijk en zelfs erg roekeloos, gezien...'

'Ja, in zo'n geval. Mag ik even?' En adjudant Kirby pakte de telefoon. 'Juist. Nou, zeg dan maar tegen Harrow Road dat ze al twee surveillancewagens op die route hebben staan!' zei hij verongelijkt. 'Nee. Ik wil de kist vóór de dienst zien. Ja. Nou, zeg dan maar tegen adjudant Rimmington dat hij kan opsode... Neem me niet kwalijk.' Hij legde weer neer en glimlachte superieur.

'In dergelijke gevallen...?' vroeg ik.

'Ja, het is niet waarschijnlijk dat iemand die serieus iets van plan is, te koop gaat lopen met zijn...'

'Die zou haar gewoon zonder waarschuwing neerschieten, bedoelt u?' vroeg Mark.

O, gód.

Een uur later werd het pakketje meegenomen voor de vingerafdrukken en het DNA en werd ik nog steeds ondervraagd.

'Is er afgezien van de Thaise connectie nog iemand anders die iets tegen u heeft, jongedame?' vroeg adjudant Kirby. 'Een ex-vriend misschien of iemand die u hebt afgewezen?'

Vond het erg leuk dat hij 'jongedame' zei. Ik mag dan niet meer in de eerste bloei van mijn jeugd zijn, maar toch...

'Bridget!' zei Mark. 'Blijf nu bij de les! Is er iemand die jou iets zou willen aandoen?'

'Er zijn massa's mensen die me iets hebben aangedaan,' zei ik met een blik op Mark, terwijl ik mijn hersens afpijnigde. 'Richard Finch, Daniel – maar ik denk niet dat zij tot zoiets in staat zijn,' zei ik onzeker.

Dacht Daniel misschien dat ik het had rondverteld, van die avond dat we uit eten hadden zullen gaan? Vond hij het zo erg dat ik hem had afgewezen? Zou dat niet wat érg overtrokken zijn? Maar misschien had Sharon wel gelijk, over de man die in het fin de millennium zijn rol kwijtraakt.

'Bridget?' zei Mark vriendelijk. 'Ik weet niet waar je aan denkt, maar ik vind wel dat je het tegen adjudant Kirby moet zeggen.'

Vreselijk pijnlijk. Heb ten slotte het hele incident met Daniel en het ondergoed en de jas uit de doeken gedaan terwijl adjudant Kirby met een stalen gezicht alle details noteerde. Mark zei niets, maar hij keek heel kwaad. Het viel me op dat de rechercheur steeds strak naar hem keek.

'Hebt u contact met echte randfiguren?' vroeg adjudant Kirby.

De enige die ik kon bedenken was die hoerenjongen van oom Geoffrey, maar dat sloeg nergens op, want die jongen kende mij helemaal niet.

'U kunt op het moment beter niet thuisblijven. Hebt u een adres waar u heen kunt?'

'Je kunt wel bij mij logeren,' zei Mark plotseling. Mijn hart maakte een sprongetje. 'In een van de logeerkamers,' voegde hij er snel aan toe.

'Mag ik mevrouw even alleen spreken, meneer?' vroeg de rechercheur. Mark leek in zijn wiek geschoten, maar zei: 'Natuurlijk,' en ging abrupt naar buiten.

'Ik weet niet of het wel verstandig is dat u bij meneer Darcy logeert, mevrouw,' zei de rechercheur met een blik in de richting van de deur.

'Ja, misschien hebt u wel gelijk,' zei ik, omdat ik dacht dat hij vaderlijke belangstelling aan de dag legde en me als man de wijze raad wilde geven me niet te grabbel te gooien en me door Mark te laten veroveren, maar toen bedacht ik dat ik met mezelf had afgesproken dat ik zo niet meer hoorde te denken.

'Wat was precies de aard van uw relatie met meneer Darcy?'

'Nou...' zei ik en vertelde het hele verhaal.

Adjudant Kirby deed merkwaardig achterdochtig over de hele situatie. De deur ging weer open, net toen hij zei: 'Dus meneer Darcy kwam *toevallig* net die koffiebar binnenlopen? Op de ochtend dat u die kogel met de post had gekregen?'

Mark kwam binnen en liep naar ons toe.

'Goed,' zei hij vermoeid en keek naar me alsof hij wilde zeggen: 'Jij straalt van alles uit, maar sereniteit is er niet bij.' 'Neem mijn vingerafdrukken maar, onderzoek mijn DNA, dan hebben we dat tenminste gehad.'

'O, maar ik zeg niet dat u het hebt gedaan, meneer,' zei de rechercheur haastig. 'We moeten alleen alle mogelijkheden uitsluiten die...'

'Ja hoor, goed,' zei Mark. 'Laten we het nu meteen maar even doen.'

13

AAAH!

55 kilo, aantal seconden sinds seks gehad: kan me niet meer schelen, aantal minuten in leven sinds bedreigd met dood: 34.800 (z.g.).

18.00 Bij Shazzer thuis. Kijkend uit raam. Het kan Mark Darcy niet zijn. Dat zou idioot zijn. Kan gewoon niet. Het moet iets met Jed te maken hebben. Hij heeft vast een hele bende vrienden hier, die zitten te springen om drugs en dankzij mij nu van hun belangrijkste middel van bestaan zijn beroofd. Of Daniel? Maar die zou zoiets toch zeker niet doen. Misschien is het gewoon een gek. Maar dan een gek die mijn naam en verblijfplaats kent? Iemand wil me vermoorden. Iemand heeft de moeite genomen een kogel met mijn naam erop te laten maken.

Moet rustig blijven. Rustig, rustig. Ja. Moet kalmte bewaren als alles om je heen... Vraag me af of ze kogelvrije vesten bij Kookaï hebben.

Wou dat Shaz terugkwam. Ben helemaal gedesoriënteerd. Shazzers flat is piepklein en in het gunstigste geval rommelig, vooral omdat alles open is, maar met z'n tweeën lijkt de vloer en elk oppervlak volledig schuil te gaan onder beha's van Agent Provocateur, enkellaarsjes van pantervacht, Gucci-draagtassen, nep Prada-handtassen, minuscule vestjes van Voyage en lossebandjesschoenen. Z. in de war. Misschien vind ik ergens plekje om even te gaan liggen.

Nadat ze Mark hadden weggevoerd, waarschuwde adjudant Kirby me nogmaals dat ik niet naar huis terug mocht en ging met me mee om wat spullen op te halen, maar het vervelende was dat ik nergens terechtkon. Pa en ma zaten nog in de ontwenningskliniek. Toms flat zou ideaal zijn geweest maar ik kon zijn nummer in San Francisco nergens vinden. Probeerde zowel Jude als Shaz op kantoor te bereiken maar ze waren alle twee uit lunchen.

Was echt verschrikkelijk. Sprak overal berichten in terwijl de politie door het huis banjerde om vingerafdrukken te nemen en naar aanwijzingen te zoeken.

'Wat doet dat gat hier in de muur, dame?' vroeg een van de agenten, terwijl ze voorwerpen liepen af te stoffen.

'O, eh, dat is nog niet af,' zei ik vaag. Op dat moment ging de telefoon. Was Shaz die zei dat ik bij haar kon logeren en vertelde waar de reservesleutel verborgen lag.

Denk dat ik even dutje ga doen.

23.45 Wou dat ik 's nachts niet steeds wakker werd, maar is erg prettig dat Shaz en Jude als rozen bij me in de kamer liggen te slapen. Was bijz. leuk toen ze uit hun werk kwamen. Hebben pizza gegeten en ik ging heel vroeg naar bed. Geen woord van of over Mark Darcy. Heb tenminste wel alarmknop. Is fijn. Is afstandsbediening die door middel van koffertje werkt. De gedachte alleen al dat als ik erop druk elegante jonge agenten in uniform verschijnen om me te redden!!! Mmm. Heerlijke gedachte... erg slaperig...

ZATERDAG 6 SEPTEMBER

55,5 kilo, sigaretten: 10, alcohol: 3 eenheden, calorieën: 4255 (kan maar beter van leven genieten zolang ik er nog ben), aantal minuten sinds voor het laatst seks gehad: 16.005.124.000 (moet daar dus wat aan gaan doen).

18.00 Jude, Shaz en ik hebben hele dag naar uitvaart prinses Diana gekeken. Vonden alle drie dat het net was of een bekende werd begraven, alleen met wat meer vertoon, zodat je na afloop het gevoel hebt alsof je op pijnbank hebt gelegen, maar ook alsof je van iets bent bevrijd. Zo blij dat het ze is gelukt om alles voor elkaar te krijgen. Het was van begin tot eind goed gedaan. Mooi en goed alsof de gevestigde orde eindelijk het licht heeft gezien, en ons land weer weet hoe je de zaken moet aanpakken.

Hele gedoe lijkt wel een tragedie van Shakespeare of eeuwen-oude legende, vooral door aanvaring tussen twee vooraanstaande adellijke geslachten, dat van Spencer en Windsor. Schaam me diep voor werken bij stompzinnig middag-tv-programma waar we soms hele uitzendingen aan het haar van Diana hebben gewijd. Zal leven beteren. Als gevestigde orde zich kan beteren, kan ik het ook.

Voel me wel een beetje eenzaam nu. Jude en Shaz zijn de stad ingegaan omdat ze last kregen van opsluitingsverschijnselen. We hebben het politiebureau geprobeerd te bellen, want mag niet zonder politieagent naar buiten, maar uiteindelijk, na drie kwartier, kregen we een vrouw van de telefooncentrale aan de lijn die zei dat iedereen bezet was. Zei tegen Jude en Shaz dat ik het absoluut niet erg vond als ze zonder mij weggingen zolang ze maar pizza mee terugnamen. Ah. Telefoon.

'O, hallo, lieverd, je spreekt met je mammie.'

Mammie! Je zou haast denken dat ik op het punt stond een grote bah in haar hand te doen.

'Waar zit je, moeder?' vroeg ik.

'O, ik ben bevrijd, lieverd.'

Even dacht ik dat ze bedoelde dat ze lesbisch was geworden en met oom Geoffrey om praktische redenen een seksloos homohuwelijk ging sluiten en samen in één huis wonen.

'We zijn weer thuis. Alles is geregeld en met papa komt het ook weer goed. Ik had geen idee! De hele tijd in zijn schuur aan het drinken terwijl ik dacht dat hij met tomaten in de weer was. Weet je dat Gordon Gomersall precies hetzelfde heeft gehad en dat Joy niks in de gaten had. Het is een ziekte, zeggen ze nu. Wat vond je van de uitvaart?'

'Heel mooi,' zei ik. 'En wat nu?'

'Nou, schat...' begon ze, maar toen hoorde ik lawaai en kreeg ik pap aan de lijn.

'Niks aan de hand, kindje. Ik moet alleen van de fles afblijven,' zei hij. 'En ze wilden Pam er zo snel mogelijk weer uit hebben.'

'Hoezo?' vroeg ik, terwijl ik een huiveringwekkend beeld voor me zag opdoemen van mijn moeder die een stoet van achttienjarige drugsverslaafden probeerde te verleiden.

Hij grinnikte. 'Ze vonden haar te normaal. Ik geef haar weer even.'

'Echt, hoor, schat. Het was allemaal knettermalle gekkigheid dat min of meer beroemde mensen heel veel geld moeten dokken om dingen te horen die iedereen al lang weet!'

'Wat voor dingen?'

'Ooh, momentje. Even de kip omdraaien.'

Ik hield de telefoon een eindje van mijn oor en probeerde niet te denken aan wat voor bizar gerecht een omgekeerde kip te pas kwam.

'Oef. Daar zijn we weer.'

'Wat voor dingen hebben ze je dan verteld?'

'Nou, 's ochtends moesten we allemaal in een kring gaan zitten en allerlei malle dingen vertellen.'

'Zoals...?'

'Ach, nou. Je weet wel. Ik heet Pam en ik ben zus en zo!'

Wat voor zus, vroeg ik me af, en zo? Krankzinnig van zichzelf overtuigde nachtmerrie? Klontjesvrije-vleesjus-neuroot? Dochter-kwelgeest?

'Waar ze allemaal mee aan kwamen dragen! "Vandaag ben ik zeker van mezelf en maak ik me niet druk om wat anderen van me zullen denken." En zo ging het maar door. Ik bedoel, echt, schat. Iemand die geen zelfvertrouwen heeft, bereikt toch helemaal niets in het leven, of wel?' zei ze gierend van het lachen. 'Nou ja! Niet zeker van jezelf! Vreemd, hoor! Waarom zou je je druk maken om wat anderen van je denken?'

Ik keek bezorgd van links naar rechts. 'En wat heb jij toen in de groep gegooid?'

'O, ik mocht helemaal niks zeggen. Nou ja, niet wat ik zelf wilde, schat.'

'Wat? Wat moest je dan zeggen?'

Hoorde mijn vader op de achtergrond lachen. Hij klonk in ieder geval prima in vorm. 'Zeg het dan, Pam.'

'Pfff. Nou, ik moest zeggen "Ik mag niet zo zeker van mezelf zijn dat ik geen oog meer heb voor de realiteit" en "Vandaag zal ik zowel mijn goede als mijn slechte kanten erkennen". Het was echt knettermalle onzin, lieverd. Moet hollen, want de bel gaat. Tot maandag, dan.'

'Wat?' zei ik.

'Je moet niet "wat" zeggen, je moet "pardon" zeggen, schat. Ik heb een afspraak voor je gemaakt bij de kleurenconsulente in Debenhams. Dat heb ik je toch gezegd! Om vier uur.'

'Maar...' Dat heeft ze helemaal niet. Wanneer heeft ze dat dan gezegd? In januari?

'Moet nu echt ophangen, schat. De Enderbury's staan op de stoep.'

ZONDAG 7 SEPTEMBER

56 kilo, aantal vierkante meters niet bedekt door beha's, schoenen, eten, flessen of lipstick: 0.

10.00 Hiep hoi! Een nieuwe dag en nog steeds niet dood. Verschrikkelijke nacht achter de rug. Voelde me uitgeput na telefoongesprek met ma, dus controleerde of alle deuren op slot zaten, kroop onder wirwar van Shazzers broeken, hemdjes en pantermotiefplaids en viel in slaap. Hoorde ze niet thuiskomen, werd om twaalf uur 's nachts wakker en trof ze slapend aan. Het begint hier behoorlijk te stinken. Bovendien is het vervelend dat je alleen rustig naar plafond kan liggen staren als je 's nachts wakker wordt, want anders maak je ze wakker door spullen om te stoten.

Ooh. Telefoon. Maar snel opnemen, anders worden ze wakker.

'Nou, ze zijn erachter dat ik geen moordzuchtig ex-vriendje ben.'

Hoera! Was Mark Darcy.

'Hoe gaat het?' vroeg hij heel attent, als je bedenkt dat hij dankzij mij zeven uur lang op het politiebureau is vastgehouden. 'Ik had je willen bellen, maar ze wilden niet zeggen waar je zat tot mijn onschuld was bewezen.'

Probeerde opgewekt te klinken, maar vertelde hem op het laatst toch fluisterend dat het bij Shazzer wel erg krap was.

'Nou, het aanbod staat nog steeds open om bij mij te komen logeren,' zei hij achteloos. 'Slaapkamers genoeg.'

Wou dat hij me niet steeds inpeperde dat hij niet met me naar bed wil. Lijkt te ontaarden in broer-zusverhouding en weet van Shazzer en Simon dat je daar bijna niet meer uitkomt als je er eenmaal aan begint want bij de geringste toespeling op seks roept iedereen meteen dingen over 'de vriendschap niet verpesten'.

Op dat moment geeuwde Jude en draaide zich om, waarbij ze met haar voet een stapel schoenendozen omstootte die op de grond kletterde waardoor kralenkettingen, oorbellen, make-up en een kop koffie in mijn tasje stortten. Ik haalde diep adem.

'Graag,' fluisterde ik in de hoorn. 'Ik zou het heel fijn vinden om te komen logeren.'

23.45 In huis van Mark Darcy. O, jee. Gaat niet zo best. Lig in mijn eentje in vreemde witte kamer met niets erin behalve wit bed, witte luxaflex en beangstigende witte stoel die twee keer zo hoog is als normaal. Is eng hier: prachtig groot leeg paleis waar niet eens iets te eten is. Kan gewoon niets vinden of doen zonder reusachtige mentale inspanning aangezien elk lichtknopje, elke spoelknop, enz. vermomd is als iets anders. Bovendien ijskoud ongeveer zoals in vriesvak.

Merkwaardige wazige dag, val steeds in slaap en word dan weer wakker. Merk dat eerst tijdje alles goed gaat tot ik opeens in Slaapkuil val, ongeveer zoals een vliegtuig plotseling vijftien meter naar beneden zakt. Weet nog steeds niet of het nu jetlag is of poging om aan alles te ontsnappen. Mark moest vandaag gaan werken, ook al is het zondag, vanwege vrijdag hele dag gemist. Shaz en Jude kwamen rond vieren met video van *Pride and Prejudice* maar kon scène in meer niet aanzien na Colin Firth-fiasco, dus kletsten we wat en lazen tijdschriften. Op een gegeven moment gingen Jude en Shaz giechelend het huis verkennen. Ik viel in slaap en toen ik wakker werd, waren ze weg.

Rond negenen kwam Mark thuis met afhaaleten voor ons twee. Had grote verwachtingen van romantische verzoening, maar was zo intens bezig met niet indruk wekken dat ik met hem naar bed wilde, of geringste gedachte losmaken dat logeren in zijn huis iets anders is dan door politie verordonneerde legitieme regeling, dat we op het laatst vreselijk stijf en vormelijk tegen elkaar zaten te doen, ongeveer als arts en patiënt, personages uit *Blue Peter* of iets dergelijks.

Wou dat hij eens boven kwam. Is erg frustrerend om zo dicht bij hem te zijn en hem te willen aanraken. Misschien moet ik iets zeggen. Maar vind het een te griezelige doos van Pandora om te openen, want als ik zeg hoe ik me voel en hij wil geen relatie meer, dan is het alleen maar gruwelijk vernederend, aangezien we onder één dak wonen. Bovendien is het holst van nacht.

O, mijn god, misschien heeft Mark het toch wel gedaan. Misschien komt hij zo de kamer binnen om me dood te schieten of zo, en dan zit de hele maagdelijk witte kamer onder het bloed in de trant van maagdenbloed, alleen ben ik geen maagd meer. Een ouwe vrijster ben ik.

Moet niet zo denken. Natuurlijk heeft hij het niet gedaan. Heb gelukkig alarmknop. Is zo vreselijk om niet te kunnen slapen terwijl Mark beneden is, naakt waarschijnlijk. Mmmm. Mmm. Wou dat ik naar beneden kon gaan en hem bruut nemen of zo. Heb al geen seks meer gehad sinds... z. ingewikkelde optelsom.

Misschien komt hij wel naar boven! Zal voetstappen op trap horen, deur zal zachtjes opengaan en hij komt binnen en gaat op het bed zitten – naakt! – en... o, god, word gek van frustratie.

Kon ik maar zoals mijn moeder zijn, gewoon zelfverzekerd, me niet druk maken om wat anderen van me denken, maar is heel lastig als je weet dat iemand daadwerkelijk iets over je denkt. Ze denken erover hoe ze je moeten vermoorden.

MAANDAG 8 SEPTEMBER

56,5 kilo (ernstige crisis inmiddels), aantal bedreigers met dood door politie opgepakt: 0 (niet z.g.), aantal seconden sinds seks: 15.033.600 (catastrofale crisis).

13.30 Keuken van Mark Darcy. Heb net enorm stuk kaas gegeten. Zomaar. Zal zo calorieën nakijken.

O, kut. Honderd calorieën per ons. Is verpakt stuk van 800 gram en had er al wat van gegeten – misschien 200 gram – en weinig overgelaten, dus heb in dertig seconden vijfhonderd calorieën naar binnen gewerkt. Is niet te geloven. Misschien moet ik vinger in keel steken als blijk van respect tegenover Diana. Aaah! Waarom dacht brein zo'n smakeloze gedachte? Nou ja, kan net zo goed ook de rest opeten bij wijze van streep onder dit hele treurige hoofdstuk.

Denk dat ik misschien waarheid onder ogen moet zien van wat dokters zeggen over het niet werken van diëten omdat je lichaam denkt dat het wordt uitgehongerd en zodra het weer ergens eten ziet, slaat het als een Fergie aan het schransen. Word elke morgen wakker en zie dan vet op bizarre, angstwekkende nieuwe plaatsen. Zou in verste verte niet verbaasd zijn om pizzadeeg-achtige bungelende sliert vet tussen oor en schouder aan te treffen of uitpuilend aan zijkant van knie, lichtjes wuivend in de wind als het oor van een olifant.

Is nog steeds gênant en onopgelost met Mark. Toen ik vanochtend beneden kwam, was hij al naar zijn werk (niet vreemd want was al twaalf uur geweest) maar hij had een briefje neergelegd waarin stond dat ik 'moest doen of ik thuis was' en iedereen mocht uitnodigen die ik wilde. Zoals wie? Iedereen is aan het werk. Het is hier zo stil. Ben bang.

13.45 Niets aan de hand, hoor. Echt niet. Besef dat ik geen baan, geen geld, geen vriend heb, plus flat met gat waar ik niet naar toe mag, en in reusachtige ijskast woon bij man van wie ik hou op bizarre, platonische huishoudster-achtige manier en iemand wil me vermoorden, maar dat is allemaal vast van voorbijgaande aard.

14.00 Ik wil naar mijn mammie.

14.15 Heb politie gebeld en gevraagd of ze me naar Debenhams willen brengen.

Later. Mam was fantastisch. Nou ja, min of meer. Uiteindelijk.

Ze arriveerde tien minuten te laat, van top tot teen in het kersrood, haar veerkrachtig gekapt, met ongeveer vijftien draagtassen van John Lewis in haar hand.

'Moet je nou eens horen, schat,' zei ze toen ze ging zitten, waarbij ze de andere klanten afschrikte met haar uitgespreide draagtassen.

'Wat?' vroeg ik trillerig en greep mijn koffiekopje met twee handen vast.

'Geoffrey heeft tegen Una gezegd dat hij zo'n "homo" is, al is hij dat eigenlijk niet echt, schat, want hij is "bi" anders hadden ze nooit Guy en Alison kunnen krijgen. Enfin, Una zegt dat ze het helemaal niet erg vindt dat hij ermee op de proppen is gekomen. Gillian Robertson uit Saffron Waldhurst is ook jarenlang met zo iemand getrouwd geweest en dat was een heel goed huwelijk. Ze hebben er een punt achter gezet omdat hij begon rond te hangen bij van die hamburgerkraampjes op parkeerplaatsen en Norman Middletons vrouw ging dood – je weet wel, die hoofd was van het schoolbestuur van de jongensschool? Dus op het laatst is Gillian... O, Bridget, Bridget. Wat is er?'

Toen ze eenmaal doorhad hoe overstuur ik was, werd ze ongewoon lief, loodste me uit de koffiebar, liet de tassen bij de ober achter, haalde een grote massa tissues uit haar handtas, nam me mee naar de trap achterin, zei dat ik lekker moest gaan zitten en mijn hart luchten.

Voor het eerst in haar leven luisterde ze echt naar me. Toen ik klaar was, sloeg ze haar armen om me heen als een echte moeder en gaf me een dikke knuffel, waarbij ik werd omgeven door een wolk merkwaardig vertroostende Givenchy III. 'Je bent erg dapper geweest, schat,' fluisterde ze. 'Ik ben trots op je.'

Het was een heerlijk gevoel. Na een tijdje kwam ze overeind en klopte haar handen af.

'En nu meekomen. We moeten bedenken wat we verder gaan doen. Ik ga wel met die rechercheur praten om hem eens aan de tand te voelen. Het is toch te dol dat deze figuur al sinds vrijdag los rondloopt. Ze hebben genoeg tijd gehad om hem te pakken. Wat hebben ze zitten doen? Er een potje van gemaakt? O, maak je geen zorgen. Ik weet hoe ik de politie moet aanpakken. Je mag bij ons komen als je wilt. Maar het lijkt me beter dat je bij Mark blijft.'

'Maar ik ben hopeloos met mannen.'

'Onzin, lieverd. Echt hoor, geen wonder dat die meisjes van tegenwoordig geen vriendjes meer hebben als ze net doen of ze van die geweldige supervrouwen zijn die geen man nodig hebben tenzij het James Bond is, maar wel thuis zitten te snotteren dat ze geen man kunnen krijgen. O, moet je zien hoe laat het al is. Kom op, anders komen we te laat voor je kleuren!'

Tien minuten later zat ik in een Mark Darcy-eske witte kamer in een witte badjas met een witte handdoek om mijn hoofd, omringd door mam, een boek met kleurstalen en een zekere Mary.

'Ik weet het niet, hoor,' mompelde mam. 'Dat loopt maar alleen rond te sjouwen en over allerlei theorieën te piekeren. Probeer Koel Kersen eens, Mary.'

'Het ligt niet aan mij, het is een maatschappelijke trend,' zei ik verontwaardigd. 'Vrouwen blijven single omdat ze in hun eigen levensonderhoud kunnen voorzien en carrière willen maken, maar als ze ouder worden vinden alle mannen ze opeens radeloze spijt-tantes met een uiterste verkoopdatum en gaan ze op zoek naar een jonger iemand.'

'Nou ja, lieverd. Uiterste verkoopdatum! Je zou haast denken dat je een bak kwark uit de supermarkt bent! Al die knettermalle onzin zie je toch alleen in films, schat.'

'Nee, niet waar.'

'Ach toe! Uiterste verkoopdatum. Ze doen misschien wel of ze zo'n jong ding willen, maar in werkelijkheid willen ze dat helemaal niet. Ze willen een gezellige vriendin. Neem nou die Roger nog-wat die Audrey in de steek heeft gelaten voor zijn secretaresse. Dat bleek een dom wicht te zijn. Een halfjaar later smeekte hij Audrey of ze alsjeblieft weer terug wilde komen maar toen wilde zij hem niet meer!'

'Maar...'

'Samantha heette ze. Zo dom als het achtereind van een varken. En Jean Dawson, die met Bill was getrouwd – je weet wel, van slagerij Dawson – nadat Bill overleden was, trouwde ze met een jongen die half zo oud was als zij en hij is gek op haar, helemaal gek, en Bill had haar niet veel geld achtergelaten, want van vlees word je nu eenmaal niet rijk.'

'Maar als je feministisch bent, hoef je toch geen...'

'Dat is ook het idiote van het feminisme, lieverd. Iedereen met een béétje verstand weet toch dat wij het superieure geslacht zijn en mannen denken dat ze op hun luie kont kunnen gaan zitten na hun pensioen en niks in het huishouden doen. Die vind ik ook niet gek, Mary.'

'Ik vond de koraalrode mooier,' zei Mary uit de hoogte.

'Precies,' zei ik door een grote lap zeegroen heen. 'Het is niet leuk om te werken en ook nog de boodschappen te moeten doen als zij die niet doen.'

'Ik weet het niet! Jullie lijken allemaal het rare idee te hebben dat je een Indiana Jones in huis moet halen die de vaatwasser inlaadt. Je moet ze opvoeden. Toen ik pas met papa was getrouwd, ging hij elke avond naar de bridgeclub! Elke avond! En bovendien rookte hij.'

Allemachtig. Arme pa, dacht ik, terwijl Mary een lichtroze staal tegen mijn gezicht in de spiegel hield en mam er een paarse lap voor schoof.

'Mannen willen niet gecommandeerd worden,' zei ik. 'Ze willen dat je niet beschikbaar bent zodat ze op je kunnen jagen en...'

Mam zuchtte diep. 'Wat heeft het voor zin gehad dat papa en ik je week in week uit naar zondagsschool brachten als je nu nog steeds niet weet hoe je over de dingen moet denken. Je moet gewoon doen wat je het beste lijkt en teruggaan naar Mark en...'

'Dit wordt niks, Pam. Ze is een Wintertype.'

'Ze is een Lentetype of ik ben een blik peren. Zo waar ik hier sta. Nou, jij gaat gewoon terug naar Marks huis...'

'Maar het is verschrikkelijk. We doen heel erg beleefd en vormelijk tegen elkaar en ik zie eruit als een pleeborstel...'

'Nou, daar gaan we juist wat aan doen, lieverd, met je kleuren. Maar het doet er helemaal niets toe hoe je eruitziet, of wel, Mary? Als je maar echt bent.'

'Precies,' glunderde Mary, die zelf tonnetjerond was.

'*Echt?*' vroeg ik.

'O, je weet wel, schat, net als het Fluwelen Konijntje. Weet je nog! Dat was je lievelingsboek dat Una je voorlas toen papa en ik problemen hadden met de septictank. Nou, kijk eens aan.'

'Je hebt geloof ik toch gelijk, Pam,' zei Mary, die in stomme verwondering een paar passen bij me vandaan ging staan. 'Ze is inderdaad een Lentetype.'

'Dat zei ik toch!'

'Nou en of, Pam, en ik maar denken dat ze een Wintertype was! Zo zie je maar weer, hè?'

DINSDAG 9 SEPTEMBER

2.00 Alleen in bed. Nog steeds bij Mark Darcy thuis. Lijkt inmiddels wel of ik complete leven in compleet witte kamers doorbreng. Raakte met agent verdwaald op terugweg van Debenhams. Was idioot. Zei tegen agent dat ik als kind altijd had geleerd om de weg te vragen aan een agent als je verdwaald was, maar hij zag er op een of andere manier niet de humor van in. Toen ik eindelijk terug was, viel ik weer in Slaapkuil en werd pas om middernacht wakker. Huis was donker en Marks slaapkamerdeur dicht.

Ga misschien naar beneden om in de keuken thee te zetten en naar tv te kijken. Maar stel dat Mark nog niet terug is en uit is met iemand en haar meeneemt naar huis en ik dan als een soort maffe tante of mrs. Rochester thee zit te drinken?

Moet de hele tijd denken aan wat ma zei over echt zijn en het boek over het Fluwelen Konijntje (al heb ik eerlijk gezegd mijn handen vol aan de konijntjes hier in huis). Mijn lievelingsboek, beweert ze – dat ik me niet kan herinneren – ging erover dat kleine kinderen één speelgoedbeest hebben dat ze het mooist vinden van allemaal, en ook al is de vacht wat sleets geworden en heeft het zijn veerkracht verloren en ontbreken er onderdelen, het kind vindt het nog steeds het mooiste speelgoedbeest van de hele wereld en wil het voor geen goud kwijt.

'Zo gaat dat nou eenmaal, als mensen echt van elkaar houden,' fluisterde mam in de lift in Debenhams op weg naar buiten, alsof ze een gruwelijk, beschamend geheim opbiechtte.

'Maar het gaat erom, lieverd, dat mensen zulke gevoelens niet hebben voor dingen met scherpe randen of die niet tegen een stootje kunnen of die gemaakt zijn van raar synthetisch materiaal dat zo kapot is. Je moet moed tonen en de ander laten weten wie je bent en wat je voelt.' De lift was inmiddels gestopt op de afdeling Badkamerartikelen en -benodigdheden. 'Oef! Dat was reuzeleuk, vond je niet?' kirde ze met een abrupte overgang, terwijl drie dames in felgekleurde blazers zichzelf en hun 92 draagtassen naast ons in de lift wurmden. 'Zie je wel, ik wist gewoon dat je een Lentetype was.'

Zij heeft maar makkelijk praten. Als ik een man vertelde wat ik werkelijk voel, zou hij op de vlucht slaan. Zo – om maar een voorbeeldje te geven – voel ik me op dit moment:

1 Eenzaam, moe, bang, verdrietig, verward en extreem seksueel gefrustreerd.
2 Lelijk, want haar staat in denkbeeldige pieken en horentjes overeind en gezicht helemaal pafferig van vermoeidheid.
3 Verward en verdrietig omdat ik geen idee heb of Mark me nog leuk vindt en te bang om te vragen.
4 Z. tedere gevoelens voor Mark.
5 Beu om in eentje naar bed te gaan en alles in mijn eentje het hoofd te moeten bieden.
7 Rot geschrokken van angstaanjagende gedachte dat al in geen vijftien miljoen, honderdtwintigduizend seconden seks gehad.

Dus. Om kort te gaan ben ik eigenlijk gewoon eenzaam, lelijk, triest geval dat snakt naar een beurt. Mmmm: aantrekkelijk, uitnodigend. O, ik weet echt niet meer wat ik moet doen. Heb ontzettende zin in een glas wijn. Denk dat ik maar naar beneden ga. Zal waarschijnlijk thee in plaats van wijn drinken. Tenzij er een fles is aangebroken. Ik bedoel, misschien kan ik dan eindelijk slapen.

8.00 Sloop trap af naar keuken. Kon geen lichten aandoen want onmogelijk om design-lichtknopjes te vinden. Hoopte half en half dat Mark wakker zou worden toen ik langs zijn deur liep, maar was niet zo. Sloop verder de trap af, maar verstijfde toen. Was grote schaduw voor me als van man. Schaduw bewoog zich naar me toe. Drong tot me door dat het man was – grote zware man – en begon te gillen. Tegen tijd dat het tot me doordrong dat man Mark was – naakt! – drong het door dat hij ook gilde. Maar veel harder dan ik. Gilde van verschrikkelijke, ontiegelijke doodsangst. Gilde – op nog slaperige manier – alsof hij zojuist het meest angstaanjagende, afgrijselijke tafereel van zijn hele leven had aanschouwd.

Geweldig, dacht ik: 'Ja hoor.' Dit gebeurt er dus als hij me met woest haar en zonder make-up ziet.

'Ik ben het,' zei ik. 'Bridget.'

Even dacht ik dat hij nog harder zou gaan gillen, maar hij liet zich trillend als een espenblad op de trap zakken: 'O,' zei hij en probeerde diep adem te halen. 'O, o.'

Hij zag er zo kwetsbaar en knuffelbaar uit zoals hij daar zat dat ik onwillekeurig naast hem ging zitten, mijn armen om hem heen sloeg en hem naar me toe trok.

'O, god,' zei hij terwijl hij tegen mijn pyjama schurkte. 'Ik voel me zo'n imbeciel.'

Ik vond het opeens reuzegrappig – het was toch ook grappig om het in je broek te doen voor je eigen ex-vriendin. Hij begon ook te lachen.

'Jezusmina,' zei hij. 'Het is niet erg mannelijk om 's nachts bang te zijn. Ik dacht dat je de moordenaar was.'

Ik streelde zijn haar, kuste zijn kale plekje waar de vacht wat sleets was geworden. En toen vertelde ik hem wat ik voelde, wat ik werkelijk diep vanbinnen voelde. En het wonderbaarlijke was dat toen ik klaar was, hij zei dat hij het ook ongeveer zo voelde.

Hand in hand als twee kleine kleutertjes liepen we de trap af naar de keuken en na heel veel moeite vonden we cacaopoeder en melk achter de verbijsterende roestvrijstalen wanden.

'Het is namelijk zo,' zei Mark, terwijl we ons rond de oven schaarden en onze beker omklemden om warm te worden, 'dat toen je niet antwoordde op mijn briefje, ik dacht dat het afgelopen was, dus ik wilde je niet het gevoel geven dat ik je onder druk zette. Ik –'

'Wacht, wacht,' zei ik. 'Welk briefje?'

'Dat ik je gaf op de poëzie-avond, vlak voor ik wegging.'

'Maar dat was gewoon "Wie", het gedicht van je vader.'

Niet te geloven. Blijkt dat Mark, toen hij de blauwe dolfijn omstootte, geen testament opmaakte maar een briefje aan mij schreef.

'Mijn moeder zei dat ik maar het beste openlijk voor mijn gevoelens uit kon komen,' zei hij.

Stamoudsten – hoera! In het briefje stond dat hij nog steeds van me hield en dat hij niets met Rebecca had en dat ik hem die avond moest bellen als ik er ook zo over dacht en zo niet, dan zou hij me nooit meer lastigvallen en gewoon vrienden met me blijven.

'Waarom ben je dan bij me weggegaan en iets met haar begonnen?' vroeg ik.

'Dat is niet zo! Jíj bent bij míj weggegaan! En ik wist niet eens dat ik zogenaamd iets met Rebecca had tot ik op haar buitenhuisweekendje was en een kamer met haar bleek te delen.'

'Maar... dus je bent nooit met haar naar bed geweest?'

Was echt ontzettend opgelucht dat hij niet zo gevoelloos was geweest om mijn Newcastle United-onderbroek te dragen voor vooropgezette wip met Rebecca.

'Eh.' Hij keek grijnzend omlaag. 'Alleen die avond.'

'Wat?' explodeerde ik.

'Een mens is ook maar een mens. Ik was te gast. Het leek me niet meer dan beleefd.'

Ik begon hem op zijn hoofd te meppen.

'Zoals Shazzer zegt, mannen worden nu eenmaal constant door lusten verteerd,' ging hij verder, mijn klappen ontwijkend. 'Ik werd voortdurend voor van alles uitgenodigd: etentjes, kinderpartijtjes met boerderijdieren, vakanties –'

'Ja, doei. En je vond haar niet eens leuk!'

'Nou, het is een heel aantrekkelijke vrouw, het zou raar zijn als ik niet...' Hij hield op met lachen, pakte mijn handen en trok me naar zich toe.

'Elke keer,' fluisterde hij nadrukkelijk, 'elke keer hoopte ik dat jij er zou zijn. En die avond in Gloucestershire, toen ik wist dat je maar vijftien meter verderop was.'

'Tweehonderd meter verderop in het bediendeverblijf.'

'Waar je ook hoort en waar ik je tot je dood hoop te houden.'

Gelukkig hield hij me nog stevig vast, anders had ik hem nog een mep gegeven. Toen zei hij dat het huis groot, koud en eenzaam was zonder mij. En hij vond het in mijn gezellige flat veel leuker. En hij zei dat hij van me hield, hij wist niet precies waarom, maar zonder mij had hij nergens plezier in. En toen... God, wat was die stenen vloer koud.

Toen we naar zijn slaapkamer waren gegaan, zag ik een stapeltje boeken naast zijn bed liggen. 'Wat zijn dat?' vroeg ik, want ik kon mijn ogen niet geloven. '*Zelfrespect door liefde en verlies, Hoe krijg ik de vrouw terug van wie ik hou?, Wat willen vrouwen?, Mars, Venus en hun relatie.*'

'O,' zei hij schaapachtig.

'Gore smeerlap!' zei ik. 'Ik heb de mijne allemaal weggegooid.' Er brak weer een handgemeen uit, waarna van het een het ander kwam en we zo ongeveer de héle nacht hebben liggen neuken!!!

8.30   Mmm. Heerlijk om naar hem te kijken als hij slaapt.

8.45   Wou dat hij eens wakker werd.

9.00   Zal hem niet wakker maken, maar misschien wordt hij vanzelf wakker door gedachtevibraties.

10.00   Mark schoot plotseling overeind en keek me aan. Dacht dat hij me wilde uitfoeteren of weer ging gillen. Maar hij glimlachte slaperig, liet zich achterovervallen en trok me ruw naar zich toe.

'Sorry,' zei ik na afloop.

'Ja, dat dacht ik ook, vieze slet die je bent,' prevelde hij geil. 'Waarvoor?'

'Dat ik je heb wakker gemaakt door te staren.'

'Zal ik je wat vertellen?' zei hij. 'Dat heb ik best gemist.'

Bleven daarna nog heel lang in bed liggen, wat niet uitmaakte omdat Mark geen afspraken had die niet konden wachten en ik voor de rest van mijn leven geen enkele afspraak meer had. Helaas ging net op een cruciaal moment de telefoon.

'Laat toch,' hijgde Mark terwijl hij gewoon doorging. Het antwoordapparaat begon te dreunen.

'Bridget, met Richard Finch. We doen een item over het Nieuwe Celibaat. We waren op zoek naar een leuke jonge vrouw die in geen halfjaar seks heeft gehad. Zonder succes. Dus dachten we om maar de eerste de beste vrouw te nemen die in geen tijden heeft gewipt en kwamen op jou uit. Bridget? Neem op. Ik weet dat je er bent, dat heeft je geschifte vriendin Shazzer me verteld. Bridget. Bridguuuut. BRIDGUUUUUTTTTT!'

Mark hield even op met zijn bezigheden, trok één wenkbrauw op à la Roger Moore, nam de hoorn op, mompelde: 'Ze komt zo, meneer,' en liet hem in een glas water vallen.

VRIJDAG, 12 SEPTEMBER

Aantal minuten sinds seks gehad: 0 (hoera!).

Onwezenlijke dag met als hoogtepunt bezoek aan Tesco Metro met Mark Darcy. Hij was niet meer te stuiten met spullen in wagentje laden: frambozen, bakken Pralines & Cream van Häagen-Dasz, en een kip met een etiket waarop stond 'extra vette poten'.

Bij de kassa bleek het £98,70 te zijn.

'Niet te geloven,' zei hij terwijl hij zijn creditcard te voorschijn haalde en verbijsterd zijn hoofd schudde.

'Ik weet het,' zei ik berouwvol, 'zal ik ook wat dokken?'

'God, nee. Dit is waanzinnig. Voor hoeveel dagen eten hebben we nou?'

Weifelend bekeek ik het eten. 'Ongeveer een week.'

'Maar dat is toch niet te geloven. Dat is opmerkelijk.'

'Wat?'

'Nou, het is nog geen honderd pond bij elkaar. Dat is minder dan één etentje bij Le Pont de la Tour!'

Braadde de kip met Mark en hij raakte tussen het hakken door helemaal in vervoering, beende met grote stappen door de keuken.

'Het is zo'n heerlijke week geweest. Dit doen mensen vast aldoor! Ze gaan naar hun werk en als ze thuiskomen worden ze door iemand opgewacht, en dan kletsen ze wat en kijken tv en *maken eten klaar.* Onvoorstelbaar.'

'Ja,' zei ik terwijl ik van de ene kant naar de andere keek en me afvroeg of hij soms echt gek was.

'Ik bedoel, ik ben nog niet één keer naar het antwoordapparaat gerend om te kijken of iemand op de hoogte is van mijn bestaan!' zei hij. 'Ik hoef niet in een restaurant met een boek te gaan zitten denken dat ik eenzaam aan mijn eind zal komen en...'

'... drie weken later gevonden worden, half opgevreten door de herdershond?' maakte ik zijn zin af.

'Precies, precies!' zei hij en hij keek me aan alsof we zojuist tegelijk de werking van elektriciteit hadden ontdekt.

'Wil je me even excuseren?' vroeg ik.

'Natuurlijk. Eh, waarom?'

'Ben zo terug.'

Rende naar boven om Shazzer te bellen met het wereldschokkende bericht dat ze bij nader inzien misschien niet allemaal onbereikbare, listige, vijandige buitenaardse wezens zijn, maar net als wij, toen beneden de telefoon ging.

Hoorde Mark praten. Hij leek eeuwen aan telefoon te zijn, dus kon ik Shazzer niet bellen en op het laatst liep ik met de gedachte 'godvergeten onattent' terug naar de keuken.

'Het is voor jou,' zei hij met de hoorn voor zich uit. 'Ze hebben hem gepakt.'

Had het gevoel of ik in mijn maag werd gestompt. Mark hield mijn hand vast terwijl ik trillend de hoorn aannam.

'Hallo, Bridget, je spreekt met adjudant Kirby. We hebben een verdachte opgepakt in verband met de kogel. We hebben hetzelfde DNA op de postzegel en de kopjes aangetroffen.'

'Wie is het?' fluisterde ik.

'Zegt de naam Gary Wilshaw je iets?'

Gary! Allemachtig. 'Dat is mijn klusjesman.'

Bleek dat Gary werd gezocht voor een aantal kleine diefstallen uit huizen die hij opknapte en dat hij eerder die middag was gearresteerd en zijn vingerafdrukken waren genomen.

'Hij zit hier in hechtenis,' zei Kirby. 'We hebben nog geen bekentenis uit hem gekregen, maar nu we de connectie verder kunnen uitpluizen heb ik daar goede hoop op. We laten het je weten en dan kun je weer veilig terug naar je eigen huis.'

Middernacht. Mijn huis. O, jee. Kirby belde anderhalf uur later en zei dat Gary huilend een bekentenis had afgelegd en dat we terug naar mijn huis konden, ik me nergens zorgen om hoefde te maken en dat ik altijd nog de alarmknop in de slaapkamer had.

We aten de kip op en gingen toen naar mijn huis, staken de open haard aan en keken naar *Friends*, waarna Mark besloot om in bad te gaan. Toen hij in de badkamer was, ging de bel.

'Hallo?'

'Bridget, Daniel hier.'

'Um.'

'Mag ik bovenkomen? Het is belangrijk.'

'Wacht even, ik kom wel naar beneden,' zei ik met een blik op de badkamer. Leek me wel zo verstandig om zaken met Daniel af te handelen maar wilde niet risico lopen Mark te ontstemmen. Zodra ik open had gedaan, wist ik dat ik fout zat. Daniel was dronken.

'Dus je hebt de politie op m'n dak gestuurd, hè?' zei hij met dikke tong.

Ik liep heel langzaam achteruit terwijl ik hem recht aan bleef kijken, alsof hij een ratelslang was.

'Je was bloot onder je jas. Je...'

Opeens hoorden we dreunende voetstappen op de trap, Daniel keek op en – wham! – Mark Darcy had hem een knal op zijn mond verkocht, waarna hij tegen de voordeur zakte terwijl het bloed uit zijn neus stroomde.

Mark keek nogal geschrokken. 'Sorry,' zei hij. 'Um...' Daniel probeerde op te krabbelen en Mark snelde toe om hem overeind te helpen. 'Het spijt me heel erg,' zei hij weer beleefd. 'Gaat het, kan ik iets voor je doen, um...?'

Daniel wreef over zijn neus en keek versuft.

'Nou, dan ga ik maar,' mompelde hij beledigd.

'Ja,' zei Mark. 'Dat lijkt me het beste. En val haar niet meer lastig. Anders, eh, zie ik me genoodzaakt het nog een keer te doen.'

'Oké. Komt in orde,' zei Daniel gehoorzaam.

Weer terug in huis, deuren stevig op slot, werd het op slaapkamergebied een dolle boel. Was toch niet te geloven dat er opnieuw werd aangebeld.

'Ik ga wel,' zei Mark met een gewichtig air van mannelijke verantwoordelijkheid, terwijl hij een handdoek om zich heen sloeg. 'Dat zal Cleaver wel weer zijn. Blijf jij maar hier.'

Drie minuten later klonken er in huis dreunende voetstappen en even later werd slaapkamerdeur opengezwaaid. Gilde zowat toen adjudant Kirby zijn hoofd om de hoek stak. Trok de dekens tot mijn kin op en volgde zijn blik, knalrood van schaamte, langs het spoor van kleren en ondergoed dat naar het bed leidde. Hij deed de deur achter zich dicht.

'Er kan u niets meer gebeuren, hoor,' zei Kirby op kalme, geruststellende toon alsof ik op het punt stond van hoog gebouw af te springen. 'U kunt het gerust vertellen, u bent veilig, mijn mensen houden hem buiten vast.'

'Wie – Daniel?'

'Nee, Mark Darcy.'

'Waarom?' vroeg ik volkomen confuus.

Hij keek over zijn schouder naar de deur. 'U hebt op de alarmknop gedrukt, mevrouw Jones.'

'Wanneer?'

'Ongeveer vijf minuten geleden. We kregen een herhaald, steeds dringender signaal binnen.'

Ik keek naar de plek waar ik de alarmknop aan de beddenstijl had gehangen. Hing er niet. Schaapachtig graaide ik door het beddengoed eronder en haalde het oranje apparaatje te voorschijn.

Kirby keek van de knop, naar mij, naar de kleren op de grond en begon te grijnzen.

'Aha, aha, ik snap het al.' Hij deed de deur open. 'U mag weer binnenkomen, meneer Darcy, als u tenminste nog de, eh, energie kunt opbrengen.'

Toen de situatie in bedekte termen werd uitgelegd, klonk er luid geproest onder de agenten.

'Oké. We gaan weer. Veel plezier nog,' zei rechercheur Kirby terwijl de politieagenten de trap afstommelden. 'O, ja, nog één ding. De eerste verdachte, de heer Cleaver.'

'Ik wist niet dat Daniel de eerste verdachte was!' zei ik.

'Tja. We hebben een paar keer geprobeerd hem te ondervragen maar hij stribbelde nogal nijdig tegen. Misschien kan een telefoontje de zaak sussen.'

'O, heel fijn,' zei Mark sarcastisch, die zijn waardigheid probeerde te bewaren ondanks feit dat handdoek begon af te zakken. 'Fijn dat we dat nu pas te horen krijgen.'

Hij liet Kirby uit en ik hoorde hem uitleg geven over de kaakslag en Kirby zeggen dat we moesten bellen als er problemen waren en of we wilden nadenken of we een aanklacht tegen Gary gingen indienen.

Toen Mark terugkwam, was ik in tranen. Het was opeens begonnen en toen ik eenmaal aan het huilen was, kon ik er om een of andere reden niet meer mee ophouden.

'Het komt wel goed,' zei Mark, die me stevig vasthield en mijn haar streelde. 'Het is allemaal voorbij. Er is niets meer aan de hand. Het komt allemaal wel weer goed.'

14

IN GOEDE EN KWADE DAGEN

11.15   Claridge's Hotel. Aaah! Aaah! AAAAAAH! Huwelijk is over drie kwartier en heb net enorme kwak Rouge Noir-nagellak op voorkant van jurk gemorst.

Waar ben ik mee bezig? Trouwpartij is krankzinnige martel-uitvinding. Martelslachtoffer-gasten (uiteraard niet in zelfde categorie als cliënten van Amnesty International) moeten zich piekfijn aankleden in maffe dingen die je normaal nooit zou aandoen, zoals witte panty's, moeten zaterdagochtend zowat midden in de nacht opstaan, 'Kut! Kut! Kut!' roepend door het huis rennen op zoek naar gebruikte stukken cadeaupapier met zilver om bizarre nutteloze dingen in te pakken zoals ijs- of broodmachines (bestemd om eindeloos te rouleren onder Zelfingenomen Echtelieden, want wie wil nu aan het eind van de avond naar huis snellen om uur bezig te zijn met ingrediënten in gigantische plastic machine te zeven zodat men volgende ochtend reusachtig heel brood op weg naar kantoor naar binnen kan werken in plaats van chocoladecroissant te kopen en een cappuccino?), dan zeshonderd kilometer rijden, wijngums van tankstation eten, kotsen in auto en vervolgens kerk niet kunnen vinden. Moet je mij nou zien! Waarom ik, Heer? Waarom? Lijkt net of ik, vreemd genoeg, achterstevoren in jurk ongesteld ben geworden.

11.20   Godzijdank. Shazzer is net terug in kamer en we hebben besloten dat het nagellakstukje maar het beste uit jurk geknipt kan worden want stof is zo stijf, glanzend en wijduitstaanderig dat lak niet doorgelekt is op voering eronder, die zelfde kleur heeft en ik kan boeket ervoor houden.

Ja, dat is een goed idee. Vast geen hond die het merkt. Misschien denken ze wel dat het zo ontworpen is. Alsof hele jurk onderdeel is van een waanzinnig groot stuk kant.

Goed. Rustig en beheerst. Zelfbeheersing, daar komt het op aan. Aanwezigheid van gat in jurk is niet van belang voor deze gelegenheid, die om andere dingen draait. Het verloopt vast kalm en rustig. Shaz was gisteravond wel ver heen. Hoop dat ze deze dag goed doorkomt.

Later. Godver! Kwam maar twintig minuten te laat bij kerk aan en zocht meteen naar Mark. Zag aan achterkant hoofd dat hij gespannen was. Toen zette het orgel in en hij draaide zich om, zag me en het leek, helaas, of hij in lachen ging uitbarsten. Kon het hem niet echt kwalijk nemen want zie er niet uit als zitbank maar als gigantische poederdons.

In statige optocht schreden we het middenpad af. God, Shaz zag er woest uit. Had die blik van uiterste concentratie die moest voorkomen dat iemand haar kater opmerkte. Lopen leek wel uren te duren op melodie van:

Hier komt de bruid
In Schotse ruit.
Christus, wat ziet ze er
vreselijk uit.

Waarom, waarom toch, vraag ik me af?

'Bridget. Je voet,' siste Shaz.

Keek omlaag. Shazzers lila beha met bont van Agent Provocateur zat om het lage hakje van mijn satijnen schoen. Overwoog hem los te schoppen maar dan zou beha tijdens hele plechtigheid veelzeggend op middenpad blijven liggen. Probeerde hem dus maar vergeefs onder mijn jurk te schuiven waardoor er kortstondig intermezzo ontstond van gênante huppelpas, echter zonder gewenste resultaat. Was enorme opluchting toen ik voorste bank had bereikt en beha kon oppakken en tijdens kerkgezang achter boeket kon proppen. Ranzige Richard zag er fantastisch uit, heel erg zelfverzekerd. Hij had een gewoon pak aan wat leuk was – niet zo krankzinnig uitgedost in een of ander livrei-achtig kostuum waarin de bruidegom eruitziet als een figurant uit de film *Oliver* die 'Who Will Buy this Wonderful Morning' zingt en een groepsdans met veel hoge sprongen doet.

Helaas had Jude de grote fout gemaakt – daar leek het althans op – om kleine kinderen niet van de trouwerij te weren. Net toen de officiële huwelijksplechtigheid was begonnen, ging er achter in de kerk een baby huilen. Het was huilen van de bovenste plank, het soort waarvan na het begin even een stilte valt waarin ze ademhalen, als het wachten op de donder na de bliksem, en dan vervolgens een enorme oerschreeuw uitstoten. Die moderne moeders zijn niet te geloven. Keek om en zag dat een vrouw haar baby op en neer wipte, terwijl ze arrogant in het rond keek alsof ze wilde zeggen 'Kijk naar je eigen!'. Het kwam niet eens in haar op dat het misschien fijn zou zijn als ze baby mee naar buiten nam zodat het publiek kon horen hoe Jude en Ranzige Richard elkaar eeuwige trouw beloofden. Uit mijn ooghoek zag ik een zwiep lang glanzend haar: Rebecca. Ze had een onberispelijk lichtgrijs pakje aan en rekte haar hals in de richting van Mark. Naast haar zat een somber ogende Giles Benwick, die een pakje met een strik vasthield.

'Richard Wilfred Albert Paul...' zei de predikant met galmende stem. Had geen idee dat Ranzige Richard zo veel Ranzige namen had. Wat had zijn ouders bezield?

'... Zult gij haar liefhebben, verzorgen...'

Mmm. Ben dol op huwelijksplechtigheid. Z. hartverwarmend.

'... Steunen en onderhouden...'

Doing. Een voetbal stuiterde over het middenpad tegen de achterkant van Judes jurk aan.

'... In goede en kwade dagen...'

Twee kleine jochies, die, ongelogen, tapdansschoenen aanhadden, hadden zich uit de bank losgerukt en waren achter de bal aan gerend.

'... Tot de dood u scheidt?'

Er klonk gesmoord lawaai, waarna de twee jongens een steeds luider gefluisterd onzingesprek voerden en de baby het weer op een huilen zette.

Boven het kabaal uit kon ik Ranzige Richard vaag horen zeggen: 'Ja,' maar het had ook 'Nee' kunnen zijn, alleen hadden hij en Jude elkaar dan niet zo weeïg toegelachen.

'Judith Caroline Jonquil...'

Waarom heb ik maar twee namen? Heeft iedereen behalve ik een enorme waslijst gebazel achter hun voornaam?

'... Neemt gij Richard Wilfred Albert Paul...'

Zag ergens vanuit linker ooghoek dat Sharons gebedenboek heen en weer zwaaide.

'... Hapag...'

Shazzers gebedenboek was echt heen en weer aan het zwaaien. Keek paniekerig om, net op tijd om Simon, in jacquet, te zien toeschieten. Shazzers benen klapten in een slowmotion-achtige revérence onder haar en ze zakte als een plumpudding in elkaar, recht in Simons armen.

'... Zult gij hem liefhebben, verzorgen...'

Simon sleepte Shazzer nu zigzaggend naar de consistorie, waarbij haar voeten vanonder de lila poederdons over de grond sleepten alsof ze een lijk was.

'... Eren en gehoorzamen...'

Ranzige Richard gehoorzamen? Overwoog even om Shazzer achterna te gaan om te kijken of alles in orde was, maar wat moest Jude wel denken als ze nu haar nood het hoogst was zou merken dat Shazzer en ik hem gepeerd waren?

'... Tot de dood u scheidt?'

Er klonk een reeks bonken terwijl Simon Shazzer hardhandig de consistorie insleepte.

'Ja.'

De deur van de consistorie sloeg achter hen dicht.

'Dan verklaar ik u hierbij...'

De twee jongetjes doken op uit de voorste banken en liepen terug over het middenpad. God, de baby was nu luidkeels aan het krijsen.

De predikant wachtte even en schraapte zijn keel. Draaide me om en zag de jongens de voetbal tegen de banken aan trappen. Onderschepte Marks blik. Opeens legde hij zijn gebedenboek neer, stapte de bank uit, nam onder elke arm een jongetje en beende met ze de kerk uit.

'Dan verklaar ik u hierbij man en vrouw.'

De hele kerk barstte uit in applaus en Jude en Richard straalden van geluk.

Tegen de tijd dat het trouwboek was getekend, was de sfeer

onder de min-vijfjarigen beslist feestelijk te noemen. Er was waarachtig een kinderpartijtje aan de gang voor het altaar en we liepen terug over het middenpad achter een ziedende Magda die een krijsende Constance de kerk uitdroeg met de woorden 'je krijgt zo een pak voor je broek, je krijgt zo een pak voor je broek, een dik pak voor je broek'.

Toen we buiten in de ijskoude regen en harde wind stapten, hoorde ik de moeder van de voetballende jongens venijnig tegen een verbaasde Mark opmerken: 'Maar het is toch geweldig dat kinderen gewoon zichzelf zijn op een huwelijk. Daar gaat een huwelijk tenslotte toch om, of niet?'

'Geen idee,' zei Mark opgewekt. 'Ik heb er geen bal van verstaan.'

Ging terug naar Claridge's, alwaar bleek dat de ouders van Jude bepaald niet op een cent hadden gekeken. De balzaal was versierd met van die bronskleurige, bebladerde en befruite wimpelgevallen en koperkleurige piramides van vruchten en engeltjes zo groot als ezels.

Het enige wat je hoorde bij binnenkomst waren opmerkingen als:

'Tweehonderdvijftig mille.'

'Ach, welnee. Het moet minstens driehonderdduizend pond hebben gekost.'

'Hoe kom je erbij? Claridge's? Een half miljoen.'

Zag glimp van Rebecca, die geagiteerd door de zaal keek met een starre glimlach als een pop met een hoofd op een stokje. Giles liep zenuwachtig achter haar aan, zijn hand aarzelend in de buurt van haar middel.

Judes vader, Sir Ralph Russell, een luidruchtige 'maak je maar geen zorgen, mensen, ik ben een waanzinnig rijke en geslaagde zakenman', stond in het defilé Sharons hand te schudden.

'Ah, Sarah,' bulderde hij. 'Voel je je weer wat beter?'

'Sharon,' verbeterde Jude hem stralend.

'O, zeker, dank u wel,' zei Shaz, terwijl een hand sierlijk naar haar keel fladderde. 'Het kwam door de hitte...'

Kon bijna mijn lachen niet houden aangezien het zo vrieskist-koud was dat iedereen thermisch ondergoed aanhad.

'Weet je zeker dat je keurslijfje niet te strak was gaan zitten van al die witte wijn, Shaz?' vroeg Mark, waarop zij hem lachend de vinger gaf.

Judes moeder glimlachte ijzig. Ze was broodmager, gehuld in een soort geappliqueerde Escada-nachtmerrie met onverklaarbare vinnen die bij haar heupen uitstaken, waarschijnlijk om de indruk te wekken dat ze heupen had. (O, heerlijke misleiding om op terug te moeten vallen!)

'Giles, haal je alsjeblieft die portefeuille uit je broekzak, lieverd, je dijen lijken zo vreselijk dik,' bitste Rebecca.

'Niet iederéén is geobsedeerd door zijn gewicht, schat,' zei Giles, die zijn hand naar haar middel bewoog.

'Dat ben ik ook niet!' zei Rebecca, die zijn hand nijdig wegsloeg en toen weer haar glimlach opzette. 'Mark!' riep ze. Ze keek hem aan alsof ze dacht dat de menigte uiteenweek, de tijd stil was blijven staan en de Glen Miller Band zo meteen 'It Had to Be You' ging inzetten.

'O, hoi,' zei Mark onverschillig. 'Giles, ouwe reus! Nooit gedacht jou nog eens in jacquet te zien!'

'Hallo, Bridget,' zei Giles, die me een smakkerd gaf. 'Prachtige jurk.'

'Jammer van dat gat,' zei Rebecca.

Ik keek geërgerd opzij en zag Magda met een wanhopige blik aan de rand van de zaal staan, terwijl ze steeds een niet-bestaande haar neurotisch uit haar gezicht veegde.

'O, dat hoort juist zo,' zei Mark ondertussen met een trotse glimlach. 'Dat is een Yoerdisch vruchtbaarheidssymbool.'

'Sorry,' zei ik. Toen ging ik op mijn tenen staan en fluisterde in Marks oor: 'Er is iets met Magda aan de hand.'

Trof Magda zo overstuur aan dat ze nauwelijks iets uit kon brengen. 'Hou daarmee op, schat, hou daarmee op,' zei ze vaag tegen Constance die viezig een chocoladelolly in de zak van haar pistachegroene pakje probeerde te proppen.

'Wat is er?'

'Dat... dat... sekreet dat vorig jaar een verhouding met Jeremy had. Die is hier! Als hij ook maar het lef heeft om iets tegen die trut te zeggen...'

'Hé, Constance! Vond je het huwelijk leuk?' Het was Mark, die Magda een glas champagne toestak.

'Wat?' zei Constance terwijl ze met ronde ogen naar Mark opkeek.

'Het huwelijk? In de kerk?'

'Het ptijtje?'

'Ja,' zei hij lachend, 'het partijtje in de kerk.'

'Nou, mammie nam me mee naar buiten,' zei ze terwijl ze hem aankeek alsof hij debiel was.

'Kutwijf!' zei Magda.

'Het zou toch een ptijtje zijn,' zei Constance duister.

'Kun je haar even meenemen?' fluisterde ik tegen Mark.

'Kom, Constance, laten we op zoek gaan naar de voetbal.'

Tot mijn verbazing pakte Constance zijn hand en dribbelde vrolijk met hem mee.

'Kutwijf. Ik vermoord d'r, ik vermoord...'

Ik volgde Magda's blik naar de plek waar een meisje in het roze in een geanimeerd gesprek met Jude was gewikkeld. Het was hetzelfde meisje met wie ik Jeremy vorig jaar in een restaurant in Portobello Road had gezien en nog een keer 's avonds voor The Ivy, waar ze in een taxi stapten.

'Waarom heeft Jude haar in vredesnaam uitgenodigd?' vroeg Magda woedend.

'Hoe kon Jude nou weten dat zij het was?' zei ik terwijl ik naar hen keek. 'Misschien kent ze haar van het werk of zo.'

'Huwelijken! En haar trouw zult blijven! O, god, Bridge.' Magda begon te huilen en naar een tissue te grabbelen. 'Ja, sorry, hoor.'

Zag dat Shaz de crisis in de gaten had en haastig naar ons toe kwam.

'Kom op, meiden, kom!' Jude, zich nergens van bewust, omgeven door opgetogen vrienden van haar ouders, stond op het punt het boeket weg te gooien. Ze baande zich luidruchtig een weg naar ons toe, gevolgd door de entourage. 'Daar gaan we. Zet je schrap, Bridget.'

Als in slowmotion zag ik het boeket door de lucht naar me toe vliegen, ving het half op, wierp het na één blik op Magda's betraande gezicht naar Shazzer, die het op de grond liet vallen.

'Dames en heren.' Een bespottelijke butler in knickerbocker sloeg met een hamer in de vorm van een engeltje op een bronzen, met bloemen versierde lessenaar. 'Mag ik u verzoeken stil te zijn en te gaan staan als het trouwgezelschap zich naar de hoofdtafel begeeft.'

Kut! Hoofdtafel! Waar was mijn eigen boeket? Ik bukte me, pakte het boeket van Jude bij Shazzers voeten op en met een opgewekte, vastgelijmde grijns hield ik het voor het gat in mijn jurk.

'En in de tijd dat we in Great Missenden woonden, verraste onze Judith ons met haar talent op het gebied van de borstcrawl en vlinderslag...'

Rond vijf uur was Sir Ralph al 25 minuten aan het woord.

'... Dat werd langzamerhand niet alleen ons duidelijk, haar, toegegeven, vooríngenomen'– hij keek even op om een plichtmatig flauw geveinsd gelach te ontlokken – 'ouders, maar het hele district South Buckinghamshire. Het was een jaar waarin Judith niet alleen de eerste plaats behaalde op de vlinderslag en de borstcrawl bij drie opeenvolgende wedstrijden van de Dolfijnen-juniorencompetitie van South Buckinghamshire, maar ook haar gouden persoonlijke survivalmedaille haalde terwijl ze over drie weken haar overgangs-examen moest doen!...'

'Wat is er met jou en Simon aan de hand?' siste ik tegen Shaz.

'Niks,' siste ze terug terwijl ze recht voor zich uit naar de feestgangers staarde.

'... In hetzelfde zeer actieve jaar kreeg Judith een onderscheiding voor haar tweedejaars examen klarinet van de muziekschool – wat er reeds op wees dat ze later een allround "Famma Universale" zou worden...'

'Maar hij moet op je gelet hebben in de kerk, anders kon hij niet op tijd bij je zijn om je op te vangen.'

'Weet ik, maar ik had in de consistorie al in zijn hand overgegeven.'

'... Enthousiast en talentvol zwemster, plaatsvervangend klassenhoofd – al was dit, zoals de rectrix me persoonlijk heeft bekend, een beoordelingsfout aangezien Karen Jenkins als klassenhoofd niet de prestatie... enfin. Dit is een dag om blij te zijn, niet om te treuren, en ik weet dat Karens, eh, váder vandaag bij ons is...'

Onderschepte Marks blik en dacht dat ik uit elkaar zou barsten. Jude was een toonbeeld van onverstoorbaarheid, straalde tegen iedereen, aaide de knie van Ranzige Richard en gaf hem aldoor zoentjes alsof er geen nachtmerrie-achtige kakofonie aan de gang was en zij niet, op vele gelegenheden, dronken op mijn vloer was gezakt en had gescandeerd 'Stomme lul met je bindingsangst. Ranzig van naam en Ranzig van karakter, hé, izzer soms nogun beetje wijn?'

'... Tweede klarinettist in het schoolorkest, enthousiast zweefduikster, Judith was en is een onvolprezen schat...'

Wist precies waar dit allemaal heen ging. Helaas moesten we eerst nog 35 minuten lang door Judes jaar ertussenuit, haar triomf in Cambridge en komeetachtige carrière in de financiële wereld ploegen voor we er waren.

'... En ten slotte spreek ik dan de hoop uit dat, eh...'

Iedereen hield zijn adem in terwijl Sir Ralph volgens alle gevoel, alle verstand, alle etiquette en alle goede Engelse manieren te lang in zijn aantekeningen keek.

'*Richard!*' zei hij uiteindelijk, 'dit kostbare juweel, deze parel die hem vandaag ten deel is gevallen op juiste waarde weet te schatten.'

Richard trok een nogal komisch gezicht en de zaal barstte in opgelucht applaus uit. Sir Ralph leek vastbesloten nog eens veertig bladzijden door te gaan, maar gaf het gelukkig op toen het applaus aanhield.

Vervolgens gaf Ranzige Richard een korte en vrij ontwapenende speech en las een aantal telegrammen voor, die allemaal slaapverwekkend saai waren op die van Tom uit San Francisco na, die ongelukkigerwijs de tekst bevatte: 'HARTELIJKE GELUKWENSEN: MOGEN ER NOG VELE VOLGEN.'

Toen stond Jude op. Ze sprak een erg aardig dankwoord en toen – hoera! – las ze het stuk voor dat Shaz en ik gisteravond met haar hadden opgesteld. Dit is wat ze zei. Het gaat als volgt. Hoera.

'Vandaag heb ik afscheid genomen van mijn leven als Vrijstaande. Maar al ben ik nu een Echtgenote, ik beloof dat ik niet

Zelfingenomen zal worden. Ik beloof hierbij dat ik nooit ofte nimmer een Vrijstaande zal kwellen met de vraag waarom hij of zij nog niet is getrouwd of iets zal zeggen als "Hoe staat het met je liefdesleven?". Ik zal juist altijd respecteren dat zoiets alleen hen persoonlijk aangaat, net zoals het alleen mij aangaat of ik nog steeds met mijn man naar bed ga.'

'Ik beloof dat ze nog steeds met haar man naar bed zal gaan,' zei Ranzige Richard en iedereen moest lachen.

'Ik beloof dat ik nooit de bewering zal doen dat het Vrijstaandeschap verkeerd is of dat er iets mis is met iemand die Vrijstaande is. Want in de moderne wereld is het Vrijstaandeschap een heel normale staat, ieder van ons is op een zeker moment in zijn leven wel Vrijstaand en dat is niets meer of minder waard dan de Huwelijkse Staat.'

Er klonk goedkeurend geroezemoes. (Althans dat was het volgens mij.)

'Verder beloof ik veel contact te houden met mijn beste vriendinnen, Bridget en Sharon, die het levende bewijs zijn dat de Stedelijke Vrijstaande Familie net zo sterk en ondersteunend is en net zo klaar voor je staat, als een familie van bloedverwanten.'

Ik grinnikte schaapachtig terwijl Shazzer onder tafel haar schoenneus in de mijne boorde. Jude keek onze kant op en hief haar glas.

'En nu zou ik graag een dronk uitbrengen op Bridget en Shazzer: betere vriendinnen kan een vrouw zich niet wensen.'

(Dat stukje had ik geschreven.)

'Dames en heren – op de bruidsmeisjes.'

Er brak een oorverdovend applaus los. Lieve Jude, lieve Shaz, dacht ik terwijl iedereen opstond.

'Op de bruidsmeisjes,' zei iedereen. Was heerlijk om in het middelpunt van de belangstelling te staan. Zag Simon stralend tegen Shaz lachen en toen ik schuin over de tafel keek, zag ik dat Mark ook stralend tegen mij lachte. Daarna werd alles beetje wazig, maar herinner me nog dat Magda en Jeremy samen in een hoekje aan het lachen waren en dat ik haar even later apart nam.

'Wat is dat nou?'

Bleek dat de snol bij Judes bedrijf werkt. Jude had tegen Magda gezegd dat ze alleen maar wist dat het meisje een uiterst moeizame verhouding had gehad met een man die nog van zijn vrouw hield. Ze viel zowat flauw toen Magda haar vertelde dat het Jeremy was, maar ze besloten gezamenlijk om niet vreselijk vervelend tegen het meisje te doen want tenslotte was het Jeremy die de macho zak was geweest.

'Stomme lul. Nou ja, hij heeft zijn lesje geleerd, zullen we maar zeggen. Niemand is volmaakt en ik hou nou eenmaal van die slappe zak.'

'Nou, kijk maar naar Jackie Onassis,' zei ik bemoedigend.

'Nou, precies,' zei Magda.

'Of Hillary Clinton.'

We keken elkaar onzeker aan en begonnen toen te lachen.

Mooiste kwam nog toen ik naar de plee ging. Simon was met Shazzer aan het vrijen en had zijn hand onder haar bruidsmeisjesjurk gestopt!

Je hebt soms van die relaties waarvan je na het eerste begin denkt, klik: dat is het, ideaal, dat wordt een prima relatie, zij hebben een grote toekomst – meestal het soort relatie dat je ziet opbloeien tussen je laatste ex, met wie je op een verzoening hoopte, en iemand anders.

Ik sloop terug naar de receptie voordat Sharon en Simon me in de gaten kregen, en glimlachte. Goeie ouwe Shaz. Ze verdient hem, dacht ik, waarop ik stokstijf bleef staan. Rebecca had Mark bij zijn revers vast en was geestdriftig tegen hem aan het praten. Ik sprong achter een pilaar en luisterde.

'Denk jij ook,' zei ze. 'Denk jij ook dat het heel goed mogelijk is dat twee mensen die eigenlijk bij elkaar horen, die in elk opzicht het ideale paar zijn – qua intelligentie, qua uiterlijk, qua opleiding, qua positie – uiteengedreven worden door misverstanden, door afweermechanismen, door trots, door...' Ze zweeg even, waarna ze duister kraste: '... inmenging van anderen en uiteindelijk met de verkeerde partner blijven zitten. Nou?'

'Tja, ik denk van wel,' prevelde Mark. 'Al heb ik mijn bedenkingen over jouw opsomming van...'

'Dus dat vind jij ook? Echt?' Ze klonk dronken.

'Zo is het bijna met Bridget en mij gegaan.'

'Vertel mij wat! Vertel mij wat. Ze is de verkeerde voor je, schat, net als Giles voor mij... O, Mark. Ik ben alleen iets met Giles begonnen om jou te laten ontdekken wat je voor me voelt. Misschien had ik dat niet moeten doen maar... ze zijn niet van ons niveau!'

'Uhum...' zei Mark.

'Precies, precies. Ik weet gewoon hoe gevangen je je voelt. Maar het is jouw leven! Je kunt toch niet leven met iemand die denkt dat Rimbaud door Sylvester Stallone werd gespeeld, je hebt prikkels nodig, je hebt...'

'Rebecca,' zei Mark rustig, 'ik heb Bridget nodig.'

Daarop stootte Rebecca een angstaanjagend geluid uit, iets tussen een dronken jammerkreet en een woedend gebrul.

Met het halfhartige voornemen om geen laag-bij-de-grondse triomf te voelen, noch me onspiritueel te verkneukelen dat de hypocriete, spillepoterige verwaande trut uit Kakland haar trekken thuis had gekregen, sloop ik zachtjes weg met een zelfvoldane grijns breeduit op mijn gezicht.

Eindigde tegen pilaar aan op de dansvloer, waar ik keek naar Magda en Jeremy die in stevige omarming, lijven dicht tegen elkaar, samen een tien jaar geoefende dans aan het dansen waren. Magda's hoofd tegen Jeremy's schouder, ogen dicht, sereen, Jeremy's hand die terloops over haar achterwerk dwaalde. Hij fluisterde iets tegen haar en zij lachte zonder haar ogen open te doen.

Voelde een hand om mijn middel glijden. Het was Mark, die ook naar Magda en Jeremy keek. 'Zin om te dansen?' vroeg hij.

15

OVERWELDIGENDE KERSTSFEER

MAANDAG 15 DECEMBER

58,4 kilo (het schijnt dus helaas te kloppen dat je gewicht altijd zijn eigen evenwicht opzoekt), aantal kerstkaarten verzonden: 0, aantal cadeautjes gekocht: 0, verbeteringen inzake gat in muur sinds ontstaan: 1 takje hulst.

18.30 Alles gaat geweldig. Doorgaans ben ik de week voor kerst katterig, opgefokt en woedend op mezelf omdat ik 'm niet ben gesmeerd naar een klein houthakkershuisje diep in het bos om daar rustig bij het vuur te zitten, in plaats van wakker te worden in enorme, kloppende, steeds opgefoktere stad waar alle inwoners hun nagels tot het bot afkluiven van de zenuwen bij de gedachte aan deadlines voor werk/kaarten/cadeautjes, als sardientjes in een blik vastzitten in het verkeer of bulderen als getergde roofdieren omdat hun pas beginnende taxichauffeur Soho Square probeert op te zoeken in het stratenboekje van Addis-Abeba, om dan op een feest te komen waar ze precies dezelfde mensen aantreffen die ze de afgelopen drie avonden ook al hebben gezien, alleen nu drie keer zatter en katteriger dan toen, en het liefst zouden schreeuwen: 'SODEMIETER TOCH OP ALLEMAAL!' en naar huis gaan.

Die houding is niet alleen negatief, maar ook totaal verkeerd. Heb eindelijk een manier gevonden om vreedzaam, zuiver en goed te leven, ik rook nauwelijks meer en ben maar één keer een beetje dronken geworden, op de bruiloft van Jude. Zelfs de dronken kerel op dat feest vrijdag, die Sharon en mij uitmaakte voor 'gladde mediahoeren', kon mijn evenwicht niet echt verstoren.

Heb vandaag ook ontzettend leuke post gekregen, waarbij een kaart van pa en ma uit Kenia; ze schreven dat pa zich ontzettend amuseerde met de jet-ski's van Wellington en dat hij op de bonte avond de limbo had gedanst met een Masaimeisje en

353

dat ze hoopten dat Mark en ik hen met de kerstdagen niet te erg zullen missen. Daaronder een PS van pa: 'We hebben geen smalletjes, het bed is meer dan twee meter lang en ook over de vering hebben we niets te klagen! *Hakuna Matata.*'

Hoera! Iedereen is gelukkig en tevreden. Ga vanavond bijvoorbeeld kerstkaarten schrijven, en niet met tegenzin, maar met plezier! – want zoals ook staat in *Boeddhisme – het drama van de rijke monnik* ligt het geheim van het geluk erin dat je niet afwast om de afwas maar achter de rug te hebben, maar dat je afwast om af te wassen. Met kerstkaarten is het net zo.

18.40 Wel een beetje saai, de hele avond kerstkaarten schrijven als het kerst is.

18.45 Misschien neem ik maar een chocoladekerstkransje.

18.46 En misschien ook een enkel klein glaasje wijn om de kerst te vieren.

18.50 Mmm. Heerlijk, die wijn. Neem misschien ook maar een sigaretje. Eentje.

18.51 Mmm. Heerlijk, die sigaret. Zelfdiscipline is tenslotte ook niet alles. Kijk maar naar Pol Pot.

18.55 Begin zo meteen wel aan die kerstkaarten, als mijn wijn op is. Ga misschien de brief nog maar eens overlezen.

Cinnamon Productions
Sit Up Britain FiveAlive Blind Snog

Grant D. Pike
Algemeen Directeur

Beste Bridget,

Zoals je misschien weet hebben wij in de loop van dit jaar een personeelsonderzoek uitgevoerd, waarbij is gekeken naar de prestaties van alle medewerkers en de ideeënstroom binnen Cinnamon Productions.

Het zal je genoegen doen te vernemen dat 68 procent van de ideeën van het lichte afsluitende onderdeel van *Sit Up Britain* van jou afkomstig was. Proficiat!

We hebben begrepen dat het feit dat je in september je ontslag hebt ingediend, voortvloeide uit meningsverschillen met de producent van *Sit Up Britain*, Richard Finch. Zoals je ongetwijfeld hebt vernomen is Richard in oktober j.l. van zijn functie ontheven vanwege 'persoonlijke problemen'.

Op het ogenblik zijn we bezig met een personeelsreorganisatie bij dit programma en we willen je hierbij uitnodigen weer deel van het team te gaan uitmaken, hetzij in de functie van assistent-producent, hetzij als adviseur, waarbij je dan op freelancebasis ideeën zou kunnen bijdragen. De periode tussen je vertrek en je herintreding zou dan worden aangemerkt als betaald verlof.

Wij zijn van mening dat *Sit Up* als het vlaggenschip van Cinnamon Productions, geladen met nieuwe positieve energie en klaar voor een frisse start, een grote toekomst heeft in de eenentwintigste eeuw. We hopen dat jij bereid bent een belangrijke creatieve impuls aan ons nieuwe, gereorganiseerde team te geven. Wil je via mijn secretaresse een afspraak maken? Ik zou graag je nieuwe arbeidsvoorwaarden met je bespreken.

Met vriendelijke groeten,
Grant D. Pike
Algemeen Directeur Cinnamon Productions

Zie je wel! Zie je wel! En Michael van de *The Independent* zegt dat ik wel een nieuw interview met een beroemdheid mag maken, want ze hebben veel brieven gekregen op het interview met mr. Darcy. Zoals hij zei, alles waar brieven op komen is goed, hoe slecht het ook is. Dus nu kan ik als freelancer aan de slag! Hoera! Dan hoef ik nooit meer te laat te komen. Ik denk dat ik nog maar eens bijschenk op de goede afloop. O leuk, er wordt gebeld!

Leuk, leuk, leuk. De kerstboom wordt bezorgd! Zie je nou wel! Ik krijg dat kerstgedoe nog wel in de vingers. Morgen komt Mark en dan gaan we kijken waar die kerstmarkt nu is!

20.00   Toen de mannen hijgend en blazend de trap opkwamen, begon ik al bang te worden dat ik de afmetingen van de boom wat had onderschat, vooral toen hij tot mijn schrik de hele deuropening bleek te vullen en toen met deinende takken naar binnen barstte als de inval van Macduff in de bossen van Dunsinane. De aarde spatte in het rond en toen kwamen er twee jongens achteraan die riepen: 'Godsamme, da's een joekel zeg, waar wil je 'm hebben?'

'Bij de open haard,' zei ik. Helaas lukte dat voor geen meter, sommige takken staken zo ver uit dat ze in de vlammen terechtkwamen en andere werden verticaal omhooggeduwd door de bank, terwijl de rest uitwaaierde tot midden in de kamer en de top in een vreemde hoek dubbel boog tegen het plafond.

'Kunnen jullie het daar eens proberen?' vroeg ik. 'Wat ruik ik trouwens?'

De jongens beweerden dat het geen rottend hout was, al was dat duidelijk wél zo, maar een Finse uitvinding om te voorkomen dat de naalden gingen uitvallen, en probeerden toen moeizaam de boom tussen de deur van de slaapkamer en de badkamerdeur te zetten, waar de takken echter beide deuren helemaal blokkeerden.

'Probeer het eens midden in de kamer!' zei ik met enorme waardigheid.

De jongens gniffelden wat en sleurden het bakbeest ruw naar het midden. Toen kon ik ze helemaal niet meer zien. 'Zo is het wel goed, bedankt,' zei ik met een hoog, geknepen stemmetje, waarop ze vertrokken. Ik hoorde ze op de trap tot aan de voordeur lachen.

20.05   Hmm.

20.10   Nou ja, niets aan de hand. Ik zet die boom gewoon van me af en ga mijn kaarten schrijven.

20.20   Mmm. Wat is die wijn toch heerlijk. Alleen, is het eigenlijk erg als je geen kerstkaarten stuurt? Er zijn mensen van wie ik nog nooit een kerstkaart heb gehad. Is dat bot? Het heeft me altijd al een beetje belachelijk geleken om Jude en Shazzer een kerstkaart te sturen terwijl ik ze bijna elke dag zie. Aan de andere kant, dan kun je zelf ook geen kerstkaarten verwachten. Maar kaarten sturen werpt natuurlijk pas het jaar daarop zijn vruchten af, tenzij je ze al in de eerste week van december stuurt en dat is ondenkbaar saaie-getrouwde-mensengedrag. Misschien moet ik een lijst maken van de voors en tegens van kaarten sturen.

20.25   Geloof dat ik toch maar eerst even in het kerstnummer van de *Vogue* ga kijken.

20.40   Die kerstwereld van *Vogue* is wel aantrekkelijk, maar ontzettend ondermijnend voor het zelfvertrouwen. Besef dat mijn eigen kijk op mode en cadeaus akelig achterhaald is, dat ik eigenlijk hoor te fietsen in een kort petticoatjurkje van Dosa met dons langs de hals en een puppy over mijn schouder, dat ik chic op feesten hoor te verschijnen met een prepuberale dochter die fotomodel is en dat ik voor mijn vrienden kasjmier kruikenzakken hoor te kopen en geurzakjes voor in de linnenkast om de gebruikelijke wasserijstank te verdrijven, of zilveren zaklampjes van Asprey – terwijl de lichtjes in de kerstboom weerkaatsen in mijn glinsterende tanden.

Ik trek me er maar niets van aan. Zo onspiritueel. Als er nu eens ten zuiden van Slough een vulkaanuitbarsting à la Pompeï kwam en iedereen in steen werd gefixeerd, op fietsen met puppy's om hun nek, met dons en dochtertjes, dan kwamen latere generaties ze uitlachen om hun totale spirituele leegheid. Gedachteloze luxecadeaus zie ik ook niet zitten, want die dienen eerder om de rijkdom van de gever te etaleren dan om de ontvanger een plezier te doen.

21.00   Al zou ik zelf best een kasjmier kruikenzak willen hebben.

21.15   Kerstcadeaus voor dit jaar:

voor ma: kasjmier kruikenzak
voor pa: kasjmier kruikenzak

O, god. De stank van die kerstboom is niet meer te harden: het is een scherpe lucht die weerzinwekkend veel doet denken aan te lang gedragen inlegzooltjes met dennengeur en je ruikt het door de muren en de massieve hardhouten deur heen. Klote-boom. De enige manier om naar de andere kant van de kamer te komen is door snuffelend onder de boom door te schuifelen als een everzwijn. Ga Gary's kerstkaart nog maar eens lezen. Geweldig. De kaart was opgerold tot een kogel en er stond 'Sorry!' op. Op de binnenkant had hij geschreven:

Beste Bridget,

Sorry voor die kogel. Ik snap niet wat me bezielde, maar het ging de laatste tijd niet goed met me, wat geld betreft en toen met die toestand met het vissen. Bridget, tussen ons was het echt bijzonder. Het betekende veel voor me. Ik had de uitbouw willen afmaken als mijn geld er was. Toen ik die brief van die advocaat kreeg kwam dat zo hard aan dat ik me helemaal leeg voelde en ik had mezelf niet meer in de hand.

Er zat een nummer van *Hengelsportnieuws* bij, opengeslagen op bladzij 10. Tegenover een pagina met de kop 'Karperwereld', met een artikel over een nieuw soort aas, stonden zes foto's van hengelaars met grote slijmerige grijze vissen, ook een van Gary met een stempel 'gediskwalificeerd' erover en een kolom eronder met het kopje:

EEN SCHANDE VOOR DE SPORT
Gary Wilshaw, drievoudig kampioen van East Hendon, is geschorst als lid van de Hengelsportvereniging East Hendon na een onverkwikkelijk incident. Wilshaw (27), die aan West Elm Drive woont, was als eerste geëindigd met een karper van 16 kilo, die hij zou hebben gevangen met een haakje 4 aan een 7 kg-lijn.
Later bleek na een tip dat het een uit East Sheen afkomstige gekweekte karper betrof en dat het haakje de nacht ervoor waarschijnlijk al met de hand was bevestigd.
Een woordvoerder van de Hengelsportvereniging East Hendon zei: 'Dergelijke praktijken brengen de hele zoetwaterhengelsport in

diskrediet en kunnen dan ook niet door de Hengelsportvereniging East Hendon worden getolereerd.'

21.25 Ja, toen voelde ik me machteloos, net als Daniel. Die arme Gary met zijn vis. Vernederd. En hij houdt zo van vissen. Arme Daniel. Mannen hebben het maar zwaar.

21.30 Mmm. Wat is die wijn toch lekker. Gewoon een feestje voor mij alleen. Moet denken aan alle lieve mensen die ik dit jaar heb ontmoet, al hebben ze zich niet allemaal even goed gedragen. Ben heel liefdevol en vergevensgezind gestemd. Rancune isnie goed voojje.

21.45 Zzal die kaarte nou maar gaaschrijve. Ja, daddoe ik.

23.20 Klaar. Ga zzzop de poss doen.

23.30 **Weertrug.** Kloteboom. Kweetalwat. Eve schaar pakke.

24.00 Zoo. Dazzunstukbeter. Oef. Slaap. Oeps. Omgevalle.

DINSDAG 16 DECEMBER

61 kilo, alcohol: 6 eenheden, sigaretten: 45, calorieën: 5732, chocolade-kerstkransjes: 132, aantal kerstkaarten verzonden – o god zal me liefhebben, christus nog aan toe.

8.30 Beetje in de war. Heb er net een uur en zeven minuten over gedaan om me aan te kleden en nu ben ik nog niet klaar, want ik zie net dat er een vlek voor op mijn rok zit.

8.45 Zo, die rok is uit. Ik trek die grijze wel aan, maar waar is die? Oef. Koppijn. Goed, ik drink niet meer tot... O, misschien ligt die rok in de huiskamer.

9.00 **In huiskamer,** maar het is hier zo'n troep. Denk dat ik maar wat toost neem. Sigaretten zijn vergif.

9.15   Aaah! Heb net de kerstboom gezien.

9.30   Aaah! Aaah! Heb net de kaart gevonden die ik kwijt was. Er staat op:

> Allerliefste Ken, een fijne kerst toegewenst. Je vriendelijkheid dit jaar heeft me zo goedgedaan. Je bent echt geweldig, zo sterk, met zo'n heldere kijk op alles en je bent zo goed met cijfers. We hebben weliswaar onze ups en downs gehad, maar het is zo belangrijk voor je persoonlijke groei dat je je niet in je rancune vastbijt. Je staat me nu heel na, en niet alleen als vakman, maar ook als mens.
> Ik hou van je,
> Bridget

Wie is Ken in godsnaam? Aaah! Ken is de boekhouder. Heb hem maar één keer ontmoet en toen kregen we ruzie omdat ik mijn belastinggegevens te laat had ingestuurd. O christus. Moet die verzendlijst zien te vinden.

Aaah! Daar staan niet alleen de namen van Jude, Shazzer, Magda, Tom enz., maar ook:

De assistent van de Britse consul, Bangkok
De ambassadeur in Thailand
Sir Hugo Boynton
Admiraal Darcy
Adjudant Kirby
Colin Firth
Richard Finch
De minister van Buitenlandse Zaken
Jed
Michael van *The Independent*
Grant D. Pike
Tony Blair

En die kaarten zijn al weg, de wijde wereld in, en ik heb geen idee wat ik er allemaal op geschreven heb.

WOENSDAG 17 DECEMBER

Geen reactie op kaarten. Misschien was er met de rest niets aan
de hand en was die aan Ken gewoon een uitglijer.

DONDERDAG 18 DECEMBER

9.30 Stond net op het punt de deur uit te gaan toen de telefoon ging.

'Bridget, met Gary!'

'O, hallo,' tjilpte ik hysterisch. 'Waar zit je nu?'

'Tja, in de bajes, hè. Bedankt voor je kaart. Dat was lief van je.
Echt ontzettend lief. Dat deed me echt wat.'

'O, hahaha,' lachte ik zenuwachtig.

'Kom je me vandaag opzoeken?'

'Wát?'

'Nou, je weet wel... dat stond op die kaart.'

'Huuuuh?' zei ik met een hoog, geknepen stemmetje. 'Ik
weet niet meer precies wat ik heb geschreven. Kun je...?'

'Ik lees hem wel even voor,' zei hij verlegen. Daarop begon hij
hakkelend voor te lezen:

Liefste Gary,
Ik weet dat jouw werk als bouwvakker heel anders is dan wat ik
doe. Maar ik respecteer het, want het is een echt ambacht. Je
maakt dingen met je handen en je moet 's morgens heel vroeg op
en samen – al is de uitbouw nog niet klaar – hebben we iets groots
en moois opgebouwd, als team. Twee heel verschillende mensen,
en al zit het gat in de muur er nog steeds – na bijna anderhalf jaar!
– ik zie daardoorheen het project ontstaan. En dat is prachtig. Ik
weet dat je in de gevangenis je tijd uitzit, maar binnenkort is dat
achter de rug. Bedankt voor je kaart over de kogel en de vis, en ik
vergeef je echt van ganser harte.
Je staat me nu heel na, en niet alleen als vakman, maar ook als
mens. En als iemand geluk en een echte creatieve impuls in het
nieuwe jaar verdient – zelfs in de gevangenis – dan ben jij het wel.
Heel veel liefs, Bridget

'Een creatieve impuls,' zei hij hees. Wist ten slotte van hem af te komen door uit te leggen dat ik anders te laat op mijn werk kwam, maar... O, god. Aan wie heb ik ze allemaal gestuurd?

19.00 Thuis. Mijn eerste vergadering als adviseur op kantoor, en het ging eigenlijk best goed allemaal – vooral gezien het feit dat Harold de Hufter vanwege zijn saaiheid is gedegradeerd tot fact-checker – totdat Patchouli riep dat ze Richard Finch aan de telefoon had, vanuit de Priory, en ze de telefoon op luidspreker zette, zodat de anderen het ook konden horen.

'Zo jongens!' zei hij. 'Ik bel maar even om jullie prettige feestdagen te wensen, bij gebrek aan andere mogelijkheden om feest te vieren hier. Ik wou jullie iets voorlezen.' Hij schraapte zijn keel. '"Een heel, heel fijne kerst, lieve Richard." Schattig hè?' Er klonk gelach op. '"Ik weet wel dat we onze ups en downs hebben gehad. Maar nu met de kerstdagen begrijp ik dat onze relatie toch heel sterk is – een uitdaging, heftig, eerlijk en oprecht. Je bent een bijzonder fascinerende man, vol levenskracht en contradicties. Nu met de kerst sta je me heel na – niet alleen als producent, maar ook als mens. Veel liefs, Bridget."'

O, o, wat was dat... Aaah! De bel.

23.00 Dat was Mark. Met een heel vreemde uitdrukking op zijn gezicht. Hij kwam binnen en keek verwilderd om zich heen. 'Wat ruikt het hier vreemd. En wat is dát in godsnaam?'

Ik volgde zijn blik. Kerstboom zag er inderdaad niet zo goed uit als in mijn herinnering. Had de top eraf geknipt en geprobeerd de rest in de traditionele driehoeksvorm te snoeien, maar nu stond daar midden in de kamer een hoog, kaal ding met rafelige takken als een smakeloze, goedkope kunstboom uit de cash-and-carry.

'Hij was een beetje...' begon ik uit te leggen.

'Een beetje wat?' vroeg hij met een mengeling van geamuseerdheid en ongelovigheid.

'Groot,' besloot ik lamlendig.

'Groot? O, op die manier. Nou ja, laat maar zitten. Mag ik je even iets voorlezen?' vroeg hij terwijl hij een kaart uit zijn zak haalde.

'Oké,' zei ik berustend en liet me op de bank zakken. Mark schraapte zijn keel.

'"Lieve Nigel,"' begon hij. 'Je herinnert je toch mijn collega Nigel, Bridget? Senior partner van ons kantoor. Die dikke, niet Giles.' Hij schraapte zijn keel opnieuw. '"Lieve Nigel. Weliswaar hebben we elkaar maar één keer ontmoet, bij Rebecca, toen je haar uit het meer moest trekken. Maar nu het kerst is, realiseer ik me dat je, doordat je Mark als collega het meest na staat, ook mij het hele jaar bijzonder na hebt gestaan. Ik voel..."' Mark zweeg even en zond me een blik toe, '"... dat je me heel na staat. Je bent een geweldige man: energiek, aantrekkelijk"' – mag ik je eraan herinneren dat we het over Dikke Nigel hebben – "levenskrachtig"' – hij zweeg en trok zijn wenkbrauwen op – '"briljant, creatief, want de advocatuur is eigenlijk een heel creatief beroep, ik zal altijd met genegenheid aan je terugdenken zoals je glinsterend"' – hij lachte nu voluit – 'nee, "zoals je moedig glinsterend in de zon in het water stond. Lieve, lieve Nigel, een heel fijne kerst. Bridget."'

Ik zakte ineen op de bank.

'Kom op,' grinnikte Mark. 'Iedereen snapt toch wel dat je bezopen was. Dat is toch juist grappig.'

'Ik kan me niet meer vertonen,' zei ik neerslachtig. 'Ik zal het land uit moeten.'

'Nou, nu je het zegt,' zei hij, knielde bij me neer en pakte mijn handen, 'dat is wel toevallig. Ik ben gevraagd om voor vijf maanden naar LA te gaan. Om aan de Mexicaanse Calabreraszaak te werken.'

'Wat?' Het werd allemaal steeds erger.

'Kijk niet zo dramatisch. Ik wilde je vragen... Ga je mee?'

Ik dacht diep na. Ik dacht aan Jude en Shazzer, aan Agnès B op Westbourne Grove en aan de cappuccino in Coins, en aan Oxford Street.

'Bridget?' zei hij lief. 'Het is daar heel warm en zonnig en ze hebben er zwembaden.'

'O,' zei ik terwijl mijn ogen geïnteresseerd heen en weer gingen.

'En ik doe de afwas,' beloofde hij.

Ik dacht aan kogels en vissen en drugssmokkelaars en Ri-

chard Finch en mijn moeder en het gat in de muur en de kerstkaarten.

'Je mag in huis roken.'

Ik keek naar hem, zo ernstig en plechtig en lief, en dacht dat
ik niet meer zonder hem wilde, waar hij ook heen ging.

'Ja,' zei ik blij, 'ik wil heel graag mee.'

VRIJDAG 19 DECEMBER

11.00 Hoera! Ga naar Amerika om een nieuw begin te maken, net als de eerste pioniers. Het land van de vrijheid. Was erg
leuk gisteravond. Mark en ik haalden de schaar weer te voorschijn en amuseerden ons met het in vorm snoeien van de
boom tot hij was gereduceerd tot een piepkleine Christmas
cracker. En we hebben een lijst gemaakt en gaan morgen winkelen. Wat is kerst toch heerlijk. Een echt feest van het goede
leven en een mens hoeft toch niet volmaakt te zijn. Hoera! Het
is vast fantastisch in Californië met al die zon en miljoenen
zelfhulpboeken – al mijd ik de hoe-vind-ik-een-partner-boeken
van nu af aan als de pest – en zen en sushi en allemaal gezonde
spullen zoals groene... O leuk, telefoon!

'Eh, Bridget, met Mark.' Zijn stem klonk niet goed. 'De plannen zijn een beetje gewijzigd. De Calabreras-zaak is uitgesteld
tot juni. Maar er is wel een andere zaak die me nogal interesseert en ik vroeg me af...'

'Ja?' zei ik achterdochtig.

'Wat zou je vinden van...'

'Nou?'

'Thailand?'

Denk dat ik maar een glaasje wijn en een sigaret ga pakken.

DANKWOORD

Mijn dank gaat uit naar Gillon Aitken, Sunetra Atkinson, Peter Bennet-Jones, Frankie Bridgewood, Richard Coles, Richard Curtis, Scarlett Curtis, Pam Dorman, Ursula Doyle, Breene Farrington, Nellie Fielding, de familie Fielding, First Circle Films, Andrew Forbes, Colin Firth, Paula Fletcher, Piers Fletcher, Henrietta Perkins, Tracey MacLeod, Sharon Maguire, Tina Jenkins, Sara Jones, Emma Parry, Harry Ritchie, Sarah Sands, Tom Shone, Peter Straus, Russ Warner, Working Title Films, voor hun inspiratie, opmerkingen en steun.

Mijn bijzondere dank gaat uit naar Kevin Curran.

Research door Sara Jones

INHOUD

1 En ze leefden nog lang en gelukkig 5
2 Loslopende kwallen 27
3 Wat een elende 59
4 Persuasion 97
5 Mr. Darcy, mr. Darcy 121
6 Met de Italiaanse slag 141
7 Vrijstaand, maar niet standvastig 157
8 O baby 175
9 Sociale hel 203
10 Mars en Venus in de vuilnisbak 227
11 Tropische verassingen 251
12 Vreemde tijden 287
13 AAAH! 313
14 In goede en kwade dagen 337
15 Overweldigende kerstsfeer 351